HARRAP'S

ESPAGNOL
MÉTHODE INTÉGRALE

Juan Kattán-Ibarra

Édition publiée en France en 2006
par Chambers Harrap Publishers Ltd
7 Hopetoun Crescent, Edinburgh EH7 4AY
Grande-Bretagne

Publié par Hodder & Stoughton en 2003 sous le titre *Teach Yourself Spanish*.

ISBN 0245 50690 X

Traduction
Bérangère Chevallier
David Tarradas-Agea

Coordination éditoriale
Julie Lehoux

Direction éditoriale
Patrick White

Prépresse
Susan Lawrie
Sharon McTeir

Dêpot légal : décembre 2005
Maquette et photocomposition : Chambers Harrap Publishers Ltd, Edinburgh
Impression et reliure : Legoprint

remerciements

L'auteur tient spécialement à remercier Juan Luzzi pour son aide à toutes les étapes du manuscrit.

L'auteur et l'éditeur voudraient remercier : Revista de difusión científica *Quo*, Restaurante Aeropuerto El Prat (Barcelona) pour leur avoir donné l'autorisation d'utiliser certains de leurs documents et articles dans ce livre.

L'auteur et l'éditeur ont fait tout leur possible pour obtenir l'autorisation d'utiliser les documents et articles de ce livre mais n'ayant reçu aucune réponse à leurs demandes, ils souhaitent remercier ces différentes sources : Revistas *Tiempo*, *Mía*, *Guía del Ocio*, *Buena Salud*, *Tú* ; Diarios *ABC*, *El Periódico de Catalunya*, *La Nación*, *La Tercera*, *El Mercurio* ; Oficina de Información y Turismo de Fuengirola, Renfe, Consorcio de Transportes de Madrid, Conserjería de Salud y Servicios Sociales (Junta de Andalucía), Julía Tours, *Guía Turística de San Telmo*, Halcón Viajes, Cosmo Service, Hotel Condes, Hotel Excelsior.

l'auteur

Juan Kattán-Ibarra est né au Chili et a vécu de nombreuses années en Espagne. Il est diplômé en enseignement de langues étrangères par ces différentes universités : Universidad de Chile, Michigan State University, Manchester University, University of London (Institute of Education). Il a enseigné l'espagnol à Ealing College et à Shell International. Il a également été examinateur à la Chambre de commerce et d'industrie de Londres et à l'université de Londres (University of London School Examinations Board). Il est maintenant auteur de méthodes à plein temps.

Il est l'auteur de *Teach Yourself Spanish Extra!*, *Teach Yourself Spanish Grammar*, *Teach Yourself Latin American Spanish*, *Conversational Spanish*, *Conversando*, *Panorama de la prensa*, *Perspectivas culturales de España*, *Perspectivas culturales de Hispanoamérica* et co-auteur de *Working with Spanish*, *Talking Business Spanish*, *Se escribe así*, *España nuevo siglo*, *Sueños – World Spanish 2*, *Modern Spanish Grammar* et de *Modern Spanish Grammar Workbook*.

table des matières

Bienvenue dans notre méthode *Harrap's* d'espagnol !

Cette méthode est-elle adaptée à vos besoins ? Si vous êtes un apprenant adulte sans aucune connaissance de l'espagnol ou si vous étudiez par vous-même, alors cette méthode vous conviendra parfaitement. Peut-être reprenez-vous l'espagnol après avoir arrêté pendant un moment ou bien vous pensez l'apprendre en suivant des cours en parallèle ? Cette méthode est alors une fois de plus adaptée à vos besoins.

Développer vos compétences

Pour vous familiariser avec la langue, cette méthode se base sur des situations réelles et tirées du quotidien. Vous serez avant tout encouragé à *mettre en pratique*, mais nous souhaitons également vous donner une idée du fonctionnement de la langue afin que vous puissiez créer vos propres phrases.

Ce cours vous fera travailler sur ces quatre éléments de base : écouter, parler, lire et écrire. Les enregistrements vous permettront en effet d'écouter de l'espagnol et de le parler dans une structure définie, ce qui est essentiel pour bien progresser.

On s'en sert ou on la perd !

Apprendre une langue, c'est un peu comme faire du jogging, il faut la pratiquer régulièrement pour qu'il y ait un effet ! L'idéal serait de trouver un compagnon de route pour travailler avec vous au long de cet apprentissage. Vous pourrez ainsi pratiquer votre espagnol avec quelqu'un. Et, lorsque les choses vont mal, il sera là pour vous pousser à continuer jusqu'à ce que vous atteigniez votre but.

Où puis-je écouter et lire de l'espagnol ?

Ne vous attendez pas à tout comprendre immédiatement lorsque vous écoutez ou lisez quelque chose. Si vous regardez des émissions à la télévision ou achetez des magazines en espagnol, ne vous laissez pas décourager par la vitesse à laquelle parlent les Espagnols et par le vocabulaire que vous ne comprenez pas. Concentrez-vous uniquement sur un *court* extrait (qui peut être audio/vidéo ou tiré d'un article), et écoutez-le ou lisez-le jusqu'à ce que vous l'ayez bien compris.

Votre maîtrise de la langue s'améliorera ainsi progressivement. Reportez-vous à la section **Pour aller plus loin**, page 264 pour obtenir des informations sur des sources utiles, comme par exemple, des noms de journaux, de magazines, des adresses de sites Internet ou des noms d'organisations liées au monde hispanophone.

La structure de cette méthode

Ce livre contient :

- une unité d'introduction
- 25 unités
- des tests d'auto-évaluation et des informations supplémentaires situées à la fin du livre
- 2 CDs (dont vous aurez besoin pour tirer meilleur profit de votre apprentissage)

Les unités

Le contenu des unités peut être divisé en plusieurs catégories (voir ci-dessous), cependant cette classification est relative puisque les informations d'une partie à l'autre se chevauchent naturellement un peu.

Les buts à atteindre

On vous indiquera ce que vous apprendrez dans l'unité, plus particulièrement ce que vous serez capable de dire en espagnol à la fin de l'unité.

Introduction au nouveau vocabulaire et aux nouvelles structures

Vous trouverez deux ou plusieurs dialogues qui sont enregistrés sur les CD, ils sont aussi retranscrits dans le livre. Des indications sont également données pour vous aider avec le vocabulaire. Les extraits proposés sont adaptés à votre niveau et s'appuient soigneusement sur ce que vous avez appris auparavant dans les autres unités. Les transcriptions des activités de compréhension orale se trouvent à la fin du livre.

Les groupes de mots et expressions clés

Tous les nouveaux groupes de mots et expressions sont traduits en français dans la section **Comment dit-on... ?**

Description des structures de phrases et de leur contenu

Dans la section **Grammaire**, les structures utilisées dans l'unité et leur contenu vous sont expliqués, vous permettant ainsi de construire correctement vos propres phrases. Si vous êtes découragé par la grammaire, ne vous inquiétez pas, plusieurs pistes vous sont données.

La prononciation

Pour apprendre à bien prononcer et à avoir une bonne intonation, il suffit d'écouter des locuteurs de langue maternelle parler et essayer de les imiter. Cependant, la plupart des gens ne remarquent pas par eux-mêmes les différences de prononciation qui existent entre la langue étrangère qu'ils apprennent et leur propre langue. C'est pourquoi, des conseils vous sont donnés dans certaines unités, dans les sections appelées **Prononciation**.

Les exercices

Dans la section **Exercices**, vous pourrez mettre en pratique ce que vous avez appris. Le niveau des exercices est progressif, par conséquent les activités (« actividades » sur les enregistrements) où il suffit de *reconnaître* du vocabulaire sont placées au début. Au fur et à mesure que vous vous familiarisez avec les structures et leur contenu, vous serez amené à *produire* aussi bien à l'écrit qu'à l'oral.

Informations sur les pays hispanophones

Vous trouverez à différentes étapes du livre des informations pertinentes sur les façons de vivre et les coutumes du monde hispanophone. Ces informations, que vous trouverez dans les sections (i), sont d'abord données en français dans les unités de 1 à 6 et ensuite en espagnol.

Tests

La section **Tests**, pages 253-63, vous aidera à faire le bilan de ce que vous avez appris et vous permettra de juger si vous maîtrisez suffisamment tous les éléments pour commencer un niveau plus avancé.
Chaque activité indique les unités sur lesquelles vous êtes testé, vous pouvez donc vous évaluer toutes les cinq unités ou à la fin de votre apprentissage. Si vous n'êtes pas sûr d'avoir bien réussi un test, vous pouvez vérifier vos réponses dans la section **Réponses aux tests** et réviser ainsi les points de grammaire ou le vocabulaire qui vous ont posé des difficultés.

Les annexes

Vous pouvez, à tout moment, consulter ces sections proposées à la fin du livre :

- la section **Pour aller plus loin**,
- le glossaire des termes grammaticaux,
- le résumé des points de grammaire étudiés,
- la liste des verbes irréguliers,
- les transcriptions des activités de compréhension orale,
- les réponses aux exercices de chaque unité,
- les réponses aux **Tests**,
- le lexique espagnol-français,
- le lexique français-espagnol,
- l'index des points de grammaire étudiés.

Comment utiliser cette méthode ?

Assurez-vous au début de chaque unité de bien savoir ce que vous allez apprendre.

Lisez toutes les informations données avant de commencer. Écoutez ensuite les dialogues des enregistrements audio et essayez de comprendre l'essentiel de ce qui est dit avant d'en lire la transcription. Après avoir bien écouté ces enregistrements, consultez la transcription et les mots traduits pour étudier les dialogues en détail. Si vous souhaitez que certains points de grammaire vous soient expliqués à ce stade, consultez la section **Grammaire**. Tous les dialogues sont accompagnés d'exercices de lecture et d'écoute, vous pouvez vérifier vos réponses dans la section appelée **Réponses aux exercices**.

Ne tombez pas dans le piège de penser que l'unité « est faite » lorsque vous avez écouté les enregistrements plusieurs fois, étudié les dialogues et fait les activités du livre. Vous pourrez *reconnaître* ce que vous entendez et lisez, mais vous aurez encore certainement du chemin à faire avant de pouvoir *reproduire* correctement et avec fluidité les structures et le vocabulaire des dialogues. Nous vous recommandons par conséquent d'écouter les enregistrements aussi souvent que possible, dans le train ou le bus, dans la salle d'attente chez le dentiste ou dans votre voiture bloquée dans les embouteillages, profitant ainsi de ce qui serait normalement un temps « mort ». Vous devez bien sûr intérioriser ce que vous entendez et le comprendre car écouter les enregistrements en musique de fond sans vraiment y prêter attention n'est pas suffisant !

Après avoir étudié les dialogues, lisez la section **Comment dit-on... ?** pour consulter les groupes de mots et expressions clés. Essayez de cacher les traductions françaises et de les restituer à partir du texte espagnol. Si cela vous semble relativement facile, cachez alors les phrases en espagnol et retrouvez-les à partir des phrases françaises ; cet exercice sera certainement plus difficile. Pour mémoriser plus facilement les nouvelles structures et le nouveau vocabulaire, essayez de vous rappeler du contexte dans lequel ils étaient utilisés.

Vous pouvez ensuite étudier les explications grammaticales dans la section **Grammaire**. Nous avons essayé de rendre cette section la plus agréable possible sachant que beaucoup de gens sont allergiques à la grammaire. Cependant, le temps que y vous consacrez dépend seulement de vous ; certaines personnes pensent effectivement qu'elles progresseront mieux en aiguisant leur intuition auditive tandis que d'autres ont besoin de comprendre en détail le fonctionnement de la langue. Vous souhaiterez peut-être, lorsque vous travaillez sur cette section, vous reporter au **Glossaire des termes grammaticaux** et au **Précis grammatical** pour obtenir des clarifications ou des informations supplémentaires.

Vous serez alors prêt pour commencer la section **Exercices** et faire les activités. Certaines de ces activités ne reposent que sur l'écoute, vous serez alors peut-être tenté de vous reporter immédiatement à la fin du livre et de lire les transcriptions, mais essayez de ne pas le faire. Tout l'intérêt de ces exercices est d'améliorer vos capacités de compréhension orale et ce n'est pas ce que vous ferez si vous lisez d'abord le texte. Les transcriptions vous sont données pour vous aider si vous êtes bloqué.

Lorsque vous faites les activités, vérifiez soigneusement vos réponses à la fin du livre. Il est facile de ne pas voir ses propres erreurs, il serait donc intéressant, si vous étudiez avec un ami, que chacun vérifie les réponses de l'autre. La plupart des exercices ont des réponses figées, cependant, certaines sont plus ouvertes, notamment lorsqu'il vous est demandé de parler de vous. Nous donnons alors, dans la plupart des cas, une réponse type que vous pouvez adapter à votre situation.

Avant de commencer une nouvelle unité, révisez de nouveau la section **Comment dit-on... ?** pour vous assurer d'avoir assimilé les mots et groupes de mots clés de l'unité.

L'espagnol aujourd'hui

L'espagnol, **el español**, aussi appelé **el castellano**, est une langue internationale utilisée comme langue maternelle par plus de 300 millions de personnes. En dehors de l'Espagne, l'espagnol est la langue officielle de dix-neuf pays d'Amérique latine. Il est aussi utilisé dans certaines régions d'Afrique, par de nombreuses personnes aux Philippines et par environ 20 millions de personnes aux États-Unis. Les hispanophones de toute l'Espagne et des lieux aussi éloignés que le Mexique ou le Chili partagent une même langue, les différents accents et expressions idiomatiques n'étant pas un obstacle.

antes de empezar

avant de commencer

Dans cette unité vous apprendrez à :

- saluer quelqu'un ;
- demander à quelqu'un son nom et dire le vôtre ;
- demander des précisions et de l'aide ;
- dire au revoir.

1 Saluer quelqu'un

Vous allez entendre des gens se saluer. Le premier échange est indiqué ci-dessous, les autres se trouvent sur l'enregistrement et sont retranscrits page 283.

1.1 Regardez les dessins, reprenez les phrases plusieurs fois et répétez-les après le locuteur.

Comment dit-on… ?

¡Hola!	*Bonjour/Salut!*
Buenos días.	*Bonjour* **(le matin).**
Buenas tardes.	*Bonjour* **(l'après-midi)/***Bonsoir*.
Buenas noches.	*Bonsoir/Bonne nuit*.

Notez que **buenas tardes** se dit seulement après avoir déjeuné. Le repas du midi étant assez tardif en Espagne, vous pourrez entendre **buenos días** à deux heures de l'après-midi.

De même, **buenas noches** s'utilise plus tard dans la soirée que « bonsoir » (à partir de 21 heures environ).

Enfin, **hola** est courant et familier mais ne signifie pas toujours « salut ». Il est souvent accompagné de **buenos días** et **buenas tardes** pour dire « bonjour », « bonsoir » ou de **buenas noches** pour dire « bonsoir ».

1.2 Lisez à haute voix les mots ci-dessus.

1.3 **a** À une fête, vous voyez votre amie Rosa, dites-lui bonjour.
b Vous arrivez à un hôtel, il est 8 heures du matin, saluez le réceptionniste !
c Il est 16 heures, vous allez à la banque changer de l'argent, saluez la personne qui est au guichet !
d Il est 22 heures, vous allez boire un verre dans un bar, saluez le serveur avant de passer votre commande !
e Il est tard le soir, vous rentrez à l'hôtel et vous rencontrez un ami espagnol. Saluez-le et ajoutez une formule de salutation adaptée au moment de la journée !

2 Demander à quelqu'un son nom et donner le sien

Sara rencontre José et Monsieur Salas rencontre Madame Díaz.

2.1 Quelles sont les formules utilisées par ces personnes ? Vous pouvez vous reporter aux sections **Comment dit-on... ?** et (i) page 4 pour consulter des traductions et comprendre certains usages.

Sara ¡Hola! ¿Cómo te llamas?
José José. ¿Y tú?
Sara Me llamo Sara.

Señor Salas Buenas tardes. Me llamo Carlos Salas. Y usted, ¿cómo se llama?
Señora Díaz Me llamo Julia Díaz.

Comment dit-on... ?

Demander à quelqu'un comment il s'appelle et donner son nom

Familier

– ¿Cómo te llamas? *Comment tu t'appelles ?*
– Me llamo..., ¿y tú? *Je m'appelle... et toi ?*

Soutenu

– ¿Cómo se llama (usted)? *Comment vous appelez-vous ?*
– Me llamo..., ¿y usted? *Je m'appelle... et vous ?*

« Tu » se dit **tú** et « vous » **usted**. À l'écrit **usted** s'abrège souvent en **Vd.** ou **Ud.**

Usted s'emploie généralement lors d'une première rencontre et lorsqu'il existe une différence d'âge ou de hiérarchie entre les deux locuteurs.

Tú s'utilise, comme en français, entre amis, entre personnes de même niveau social (des collègues par exemple) et souvent entre les jeunes même s'ils ne se connaissent pas. Notez cependant que l'on tutoie beaucoup plus facilement et rapidement en Espagne qu'en France.

2.2 Lisez maintenant les dialogues plusieurs fois jusqu'à ce que vous vous sentiez à l'aise puis jouez le rôle de chaque personne en utilisant votre nom aux endroits appropriés.

2.3 **a** Vous êtes à une fête et vous rencontrez un(e) jeun(e) Espagnole, demandez-lui son nom.
b Un Espagnol vient visiter votre entreprise pour la première fois, dites votre nom et demandez-lui le sien.

3 Demander des précisions et de l'aide

3.1 Vous observerez ici des phrases clés permettant de demander des précisions et de l'aide. Regardez ce qu'elles signifient dans la section **Comment dit-on... ?** ci-dessous et répétez chaque phrase.

Comment dit-on... ?

¿Qué significa...?	*Que veut dire ... ?*
¿Cómo dice?	*Qu'avez-vous dit ?/Pardon ?*
¿Puede repetir, por favor?	*Vous pouvez répéter, s'il vous plaît ?*
¡Perdón, no entiendo!	*Je suis désolé(e) mais je ne comprends pas.*

Más despacio, por favor.	*Plus lentement, s'il vous plaît.*
¿Habla usted francés?	*Parlez-vous français ?*

3.2 Que diriez-vous dans les situations suivantes ?

- **a** Votre ami espagnol a employé le mot *dinero* mais vous ne savez pas ce qu'il signifie.
- **b** Le réceptionniste de l'hôtel parle trop vite.
- **c** Un(e) Espagnol(e) vous parle mais vous ne comprenez pas ce qu'il ou elle vous dit.
- **d** Au secours ! Vous avez besoin d'une personne parlant français.

4 Dire au revoir

4.1 Vous entendrez quatre personnes dire au revoir. Écoutez bien chaque expression et retrouvez-les dans les bulles ci-dessous.

Comment dit-on… ?

Au revoir

Adiós (soutenu et familier)
Adiós, buenos días/buenas tardes/buenas noches (plus soutenu)
Chao (familier, Amérique latine)

À plus tard

Hasta luego (expression utilisée à la fois dans un registre soutenu et familier mais considérée comme soutenue dans certains pays d'Amérique latine).

4.2 **a** Il est vendredi soir, vous dites au revoir à votre patron hispanophone.
b Vous verrez votre ami(e) espagnol(e) plus tard dans la journée, dites-lui au revoir !
c Vous rentrez chez vous après avoir passé des vacances avec des amis hispanophones, dites-leur au revoir !

Faites le point

Dans un avion en provenance d'Espagne, Chloë rencontre Enrique. Pouvez-vous compléter cette conversation ?

Enrique	¿Cómo se ______ usted?
Chloë	Me ______ Chloë. Chloë Thomas. ¿Y ______?
Enrique	Enrique Ramírez.
Chloë	Perdón, no ______ . ¿______ repetir, por favor?
Enrique	Enrique Ramírez.
Chloë	¿______ usted francés?
Enrique	No, sólo hablo español.

sólo hablo español *je parle seulement espagnol*

01 hablo español

je parle espagnol

Dans cette unité vous apprendrez à :

- dire d'où vous venez ;
- dire votre nationalité ;
- dire quelles langues vous parlez.

1 ¿De dónde eres?

Ana rencontre Alfonso à une conférence internationale. Ils se tutoient.

1.1 Essayez de compléter les phrases des bulles ci-dessous sans regarder le texte écrit. L'expression clé utilisée ici est **Soy de...** *Je suis de...*

Ana ¿De dónde eres?
Alfonso Soy de Madrid. ¿Y tú?
Ana Soy de Salamanca.

1.2 Lisez maintenant le dialogue et trouvez l'équivalent espagnol de *D'où viens-tu ?*

2 Usted es español, ¿verdad?

Madame Medina rencontre Monsieur Arenas. Ils se vouvoient, certaines expressions seront donc légèrement différentes de celles du Dialogue 1.

2.1 À partir du dialogue de la page 9, dites si les phrases ci-dessous sont vraies ou fausses (vrai = **verdadero** ; faux = **falso**).

a Monsieur Arenas est mexicain.
b Il est de Mexico.
c Madame Medina est espagnole.
d Elle est de Guadalajara.

Señora Medina	Usted es español, ¿verdad?
Señor Arenas	Sí, soy español, de Málaga. Y usted, ¿de dónde es?
Señora Medina	Yo soy mexicana. Soy de Guadalajara.

2.2 Répondez aux questions suivantes en reprenant le dialogue :
a Comment Madame Medina demande à Monsieur Arenas s'il est espagnol ?
b Comment Monsieur Arenas demande à Madame Medina d'où il est ?

Comparez cette dernière question à celle utilisée par Ana dans le Dialogue 1.

usted es...	*vous êtes...* (soutenu)

3 ¿Habla usted francés?

Julie aborde Monsieur Arenas pour lui demander s'il parle français.

3.1 Répondez aux questions suivantes. Le mot clé ici est **hablar** (*parler*).

a Monsieur Arenas parle-t-il français ?
b Quelles langues parle-t-il ?

Julie	Perdone.
Señor Arenas	Sí, ¿dígame?
Julie	¿Habla usted francés?
Señor Arenas	No, lo siento, no hablo francés. Sólo hablo español.

3.2 Reprenez maintenant le dialogue et trouvez l'équivalent en espagnol de :

a Parlez-vous... ?   **b** Je parle...

sí, ¿digame?	*oui, en quoi puis-je vous aider ?*
lo siento	*je suis désolé(e)*
sólo	*seulement*
francés	*français*

4 Es de Barcelona

Mercedes est péruvienne, elle envoie un e-mail à un ami et lui parle d'Eduardo qu'elle a rencontré lors d'une conférence. Quelles langues parle Eduardo ?

... Se llama Eduardo y es catalán. Es de Barcelona. Habla catalán, español y un poco de inglés...

se llama...	*il s'appelle...*
un poco de	ici, *un peu* (littéralement, *un peu de*)
catalán	*catalan*

Comment dit-on... ?

Demander à quelqu'un d'où il est et répondre

¿De dónde eres/es usted?	*D'où es-tu ?/D'où êtes-vous ?*
Soy de...	*Je suis de...*

Demander à quelqu'un sa nationalité et répondre

¿Eres/Es usted español/española?	*Es-tu/Êtes-vous espagnol(e) ?*
Soy mexicano/mexicana.	*Je suis mexicain(e).*

Demander à quelqu'un s'il parle une certaine langue et répondre

¿Hablas/Habla usted español/ francés?	*Tu parles/Vous parlez espagnol/ français ?*
(No) hablo español/francés.	*Je (ne) parle (pas) espagnol/français.*

Donner ces mêmes informations à propos d'une tierce personne

Es (nationalité).	*Il/elle est* (nationalité)
Es de...	*Il/elle est de ...*
Habla...	*Il/elle parle ...*

Grammaire

1 Trois types de verbes

Si vous cherchez des verbes dans un dictionnaire espagnol, vous verrez qu'ils appartiennent à trois groupes différents selon leur terminaison :

-ar	**hablar**	*parler*
-er	**ser**	*être*
-ir	**vivir**	*vivre, habiter*

2 Les verbes réguliers et irréguliers

La majorité des verbes espagnols sont « réguliers », c'est-à-dire qu'ils adoptent toujours les mêmes formes suivant les *personnes* (*je*, *tu*, etc.) ou les *temps* (*présent*, *passé*, etc.) utilisés. Cependant, d'autres ne suivent pas toujours le même modèle, ils sont alors « irréguliers ». Dans cette unité vous apprendrez à conjuguer deux verbes au présent : le verbe **hablar** *parler* et le verbe **ser** *être*. Le premier est régulier et le deuxième irrégulier.

	hablar	*parler*	**ser**	*être*
(yo)	habl**o**	*je parle*	**soy**	*je suis*
(tú)	habl**as**	*tu parles*	**eres**	*tu es*
(usted)	habl**a**	*vous parlez*	**es**	*vous êtes*
(él/ella)	habl**a**	*il/elle parle*	**es**	*il/elle est*

Notez que les terminaisons avec **usted** *vous*, **él** *il* et **ella** *elle* sont toujours identiques.

3 Yo, tú, él, ella... *(je, tu, il, elle...)*

La terminaison du verbe nous permet normalement de savoir quelle personne est désignée (*je*, *tu* etc.), par conséquent, les mots tels que **yo** *je*, **tú** *tu*, **él** *il*, **ella** *elle* sont généralement omis en espagnol, sauf si l'on souhaite mettre cette personne en valeur, exprimer un contraste ou insister.

Soy español. *Je suis espagnol.*
***Yo* soy mexicano.** *Moi, je suis mexicain.*

Le mot **usted** *vous* est très souvent gardé à l'oral comme à l'écrit par souci de politesse. Comme pour **él** *il* et **ella** *elle*, on utilise parfois le mot **usted** pour éviter toute ambiguïté étant donné que les terminaisons des verbes sont les mêmes à ces trois personnes (voir le point **2**, p.10).

4 Poser des questions

Comme en français, il existe différentes manières de poser des questions en espagnol.

- Vous pouvez utiliser le même ordre de mots que dans une phrase simple.
  ¿Usted es de Madrid? *Vous êtes de Madrid ?*
- Vous pouvez commencer la question avec le verbe.
  ¿Habla usted francés? *Parlez-vous français ?*
- Vous pouvez aussi utiliser le mot **¿verdad?** ou **¿no?** à la fin de la question.
  Usted es español, ¿verdad?/¿no? *Vous êtes espagnol, n'est-ce pas/non ?*
- Vous pouvez utiliser un mot interrogatif.
  ¿Cómo te llamas? *Comment tu t'appelles ?*

Notez que l'on utilise toujours au début d'une question un point d'interrogation à l'envers. Remarquez également que tous les mots interrogatifs, comme par exemple **¿cómo?** *comment ?*, **¿dónde?** *où?* portent un accent écrit.

5 Exprimer la négation

Pour exprimer une négation en espagnol, il faut simplement utiliser le mot **no** devant le verbe.

No soy español.	*Je ne suis pas espagnol.*
No hablo español.	*Je ne parle pas espagnol.*

6 Masculin et féminin

Les mots décrivant une nationalité ou d'autres caractéristiques, comme par exemple **guapo/a** *beau/belle*, peuvent, comme en français, se mettre au masculin ou au féminin.

- Pour former le féminin d'un mot masculin se terminant par un **-o**, mettez un **-a** à la place du **-o**.

Soy británico/americano.	*Je suis britannique/américain.*
Soy británica/americana.	*Je suis britannique/américaine.*

- Pour former le féminin d'un mot masculin se terminant par une consonne, ajoutez un -**a** après la consonne.

Soy español/francés.	*Je suis espagnol/français.*
Soy española/francesa.	*Je suis espagnole/française.*

Remarquez que l'accent est omis sur **francesa** (voir « Accentuation », section 22 dans le **Précis grammatical**).

7 « México » ou « Méjico » ?

Les Mexicains écrivent le nom de leur pays, *México*, et leur nationalité *mexicano/ a*, avec un -**x**, c'est l'orthographe que nous utiliserons dans ce livre. En Espagne, vous pourrez aussi voir *Méjico* et *mejicano*.

Prononciation

Les voyelles « a », « e », « o »

Ces trois lettres correspondent à trois sons. Le « **a** » est un son plein et ouvert comme le « a » en français, le « **e** » correspond à un « é » fermé, il ne correspond jamais à notre « e » plus ou moins muet. Le « **o** » se prononce comme en français, il est toujours ouvert.

Les « **a** » de « Salamanca » se prononcent comme le « a » de « chat ».
Les **« e** » de « Mercedes » se prononcent comme le « é » de « café ».

Les « **o** » de « Alfonso » se prononcent comme le « o » de « coquille ».

Écoutez l'enregistrement et entraînez-vous avec ces sons en essayant d'imiter les locuteurs.

¿Cómo te llamas?
Me llamo Ana.
Ana es de Salamanca, Eduardo es catalán.
Es de Barcelona.

Exercices

1 Palabra por palabra

Combien de pays de cette liste reconnaissez-vous ? Faites correspondre chaque pays à la nationalité et à la langue qui convient.

	País		**Nacionalidad (m/f)**		**Idioma**
a	Alemania	**1**	inglés/inglesa	**A**	árabe
b	Francia	**2**	egipcio/a	**B**	portugués
c	Rusia	**3**	brasileño/a	**C**	inglés
d	España	**4**	francés/francesa	**D**	francés
e	Inglaterra	**5**	ruso/rusa	**E**	alemán
f	Brasil	**6**	alemán/alemana	**F**	ruso
g	Egipto	**7**	español/a	**G**	español

2 Soy española

Écoutez Silvia, Cristóbal et Mario se présenter et remplissez le tableau avec la nationalité, la ville et la langue correspondant à chaque personne.

Nombre	**Nacionalidad**	**Ciudad**	**Idioma(s)**
a Silvia			
b Cristóbal			
c Mario			

3 Me llamo...

Comment pourraient se présenter ces personnes ? Suivez les modèles de l'activité 2, consultez la section **Comment dit-on... ?** et le point 6 de la section **Grammaire** pour savoir comment se disent certaines nationalités en espagnol.

a Boris, Moscú.
b Paco, Granada.
c Ingrid, Berlín.
d Marguerite, París.
e Mark, Nueva York.
f Mª Ángeles, Monterrey, México

(i) María est un nom très courant dans les pays hispanophones, il est aussi souvent utilisé au début des noms composés (comme dans Mª Ángeles ci-avant, p.13). L'abréviation employée ici est Mª.

4 Soy de Bogotá

Ramiro est étudiant, il écrit une lettre à sa correspondante et se présente brièvement. Complétez ce texte avec les verbes appropriés.

Querida Patricia:

_______ Ramiro Fernández Salas y _______ colombiano. _______ de Bogotá. Aparte de español, _______ inglés y un poco de francés.

(i) **Querido** *cher* et **querida** *chère* s'utilisent seulement lorsque votre correspondant(e) est un(e) ami(e) ou une connaissance proche. Remarquez également que Ramiro, comme tous les hispanophones, a deux noms de famille (**apellidos**) : Fernández Salas. Le premier correspond à celui de son père et le second à celui de sa mère. Le second s'utilise surtout dans des situations formelles et officielles.

5 Ahora tú

Vous écrivez à un correspondant espagnol pour la première fois. Donnez-lui le même genre d'informations que celles fournies par Ramiro dans l'activité 4.

6 ¿Cómo se llama?

Lors d'une foire à Barcelone, une personne est sollicitée pour remplir un formulaire écrit en espagnol et en catalan, la langue de la région. Répondez aux questions suivantes en vous aidant du formulaire.

a Quel est le nom de famille du visiteur ?
b Quel est son prénom ?
c De quelle ville et de quel pays vient-il ?

Hora de su visita/Hora de la seva visita

☐	☐	☐	☑	☐	☐
Antes de las 8h. Avant de les 8h.	De las 8h.a 11h. De les 8h.a 11h.	De las 11h.a 14h. De les 11h.a 14h.	De las 14h. a 17h. De les 14h. a 17h.	De las 17h. a 20h. De les 17h. a 20h.	Después de las 20h. Després de les 20h.

Fecha de su visita/Data de la seva visita: ...23 de julio...

Datos personales (Facultativo)/Dades personals (Facultatiu)

Apellido/Cognom ..Palma.......... Nombre/Nom ..Guillermo..........

Dirección/Adreça. Calle de Linares, 25..........

Ciudad/Ciutat. . .Córdoba.......... País/País. . .España..........

Gracias por depositar esta ficha en la urna
Mercès per depositar aquesta fitxa dins l'urna

el apellido	*nom de famille*
el nombre	*prénom*
la ciudad	*ville*
el país	*pays*

7 Sólo hablo español

Votre vol a du retard ; en attendant, vous parlez à un hispanophone. Suivez les instructions en italique ci-dessous et complétez ainsi la partie du dialogue vous correspondant. Votre interlocuteur vous vouvoie, faites de même !

– *Demandez-lui comment il s'appelle.*
– Me llamo Antonio. ¿Y usted?
– *Répondez et demandez-lui d'où il est.*
– Soy mexicano, de Veracruz. Y usted, ¿de dónde es?
– *Répondez et demandez-lui s'il parle français.*
– No, lo siento, sólo hablo español. No hablo nada de francés.
Pero usted sí habla español.
– *Dites que oui, que vous parlez un peu espagnol.*

no hablo nada de...	*je ne parle pas du tout…*
pero	*mais*

02

¿cómo estás?

comment ça va ?

Dans cette unité vous apprendrez à :

- vous présenter et présenter d'autres personnes ;
- demander à quelqu'un comment il va et dire comment vous allez ;
- demander à quelqu'un où il habite et dire où vous habitez ;
- demander et donner un numéro de téléphone.

1 Mucho gusto

Roberto vient voir Madame Rivas à son bureau, il se présente. Ils utilisent un ton soutenu.

1.1 Essayez de répondre à ces questions :

a D'après vous, que demande Roberto à Madame Rivas ?
b Que signifient la phrase **Sí, soy yo** dans ce contexte ?

Essayez de répondre sans regarder le vocabulaire.

Roberto	Perdone, ¿es usted la señora Rivas?
Señora Rivas	Sí, soy yo.
Roberto	Soy Roberto Muñoz, de La Coruña.
Señora Rivas	Mucho gusto.
Roberto	Encantado.

soy yo *c'est moi*

1.2 Reprenez maintenant le dialogue et trouvez deux expressions signifiant « Ravi de faire votre connaissance ».

2 ¿Cómo estás?

Madame Rivas présente Roberto à Felipe, un collègue (**un compañero de trabajo**). Ils utilisent ici un ton familier.

2.1 Essayez de répondre à ces questions :
a Comment Felipe répond à **¿Cómo estás?** *Ça va ?*
b Comment Madame Rivas répond à la question **¿Y tú?** *Et toi ?*

Señora Rivas	¡Hola Felipe! ¿Cómo estás?
Felipe	Muy bien, ¿y tú?
Señora Rivas	Bien, gracias. Te presento a Roberto Muñoz, de La Coruña. Éste es Felipe, un compañero de trabajo.
Felipe	¡Hola! ¿Qué tal?
Roberto	¡Hola!

2.2 Reprenez maintenant le dialogue et retrouvez les expressions qui signifient :

a Je te présente...
b (Et) voici Felipe.

éste	ici, *voici* (littéralement, *celui-ci*)
presentar	*présenter*
te	*te*

ⓘ Comme en France, lorsque deux personnes sont présentées dans une situation formelle, elles se serrent la main ; elles feront de même pour prendre congé. Cependant, si elles se voient régulièrement elles ne le feront pas ; elles ne se serreront la main que si elles ne se sont pas vues depuis longtemps.
Les plus jeunes se passent de cette formalité et préfèrent un simple **¡hola!** *salut, bonjour* ou **¿qué tal?** *salut, ça va ?* pour se saluer.

3 ¿Dónde vives?

Roberto est allé à Tolède pour rendre visite à des amis, il y rencontre Cristina.

3.1 À partir du dialogue, répondez à ces questions. Le mot important ici est **vivir** *habiter*.

a Où habite Robert ?
b Où habite Cristina ?

Cristina	¿Vives aquí en Toledo?
Roberto	No, vivo en La Coruña. Y tú, ¿dónde vives?
Cristina	En Madrid.

3.2 Reprenez maintenant le dialogue et retrouvez comment se dit en espagnol :

a Où habites-tu ?
b J'habite à...

4 ¿Qué número de teléfono tienes?

Cristina et Roberto s'échangent leurs numéros de téléphone.

4.1 Regardez les chiffres page 25 puis écoutez la conversation plusieurs fois et remplissez le tableau de la page suivante avec les numéros de téléphone appropriés.

Nombre	Número de teléfono	
a Roberto	casa:	oficina:
b Cristina	casa:	oficina:

Cristina ¿Qué número de teléfono tienes?
Roberto El 981 59 79 56.
Cristina Y el teléfono de tu oficina, ¿cuál es?
Roberto El 981 60 84 18. ¿Qué teléfono tienes tú?
Cristina No tengo teléfono en casa, pero el teléfono de mi oficina es el 981 65 35 03.

4.2 Quelle question utilise Cristina pour demander à Roberto son numéro de téléphone ? Relisez le dialogue pour trouver la réponse.

¿qué?	*quel… ?*
¿cuál?	*quel… ?*
tener	*avoir*
la casa	*maison*

Comment dit-on… ?

Se présenter et présenter une tierce personne

(Yo) soy…	*Je suis…*
Éste es… (pour un homme)/ Ésta es… (pour une femme)	*Et voici…*
Te presento a…	*Je te présente…*
Le presento a…	*Je vous présente…*
Mucho gusto/Encantado (masc.), Encantada (fém.)	*Ravi(e) de faire ta/votre connaissance/Enchanté(e)*

Demander à quelqu'un comment il va et dire comment vous allez

¿Cómo estás (tutoiement)/está (vouvoiement)?	*Comment ça va ?*
(Estoy) bien/muy bien.	*(Ça va) bien/très bien.*

Demander à quelqu'un où il habite et dire où vous habitez

¿Dónde vives/vive?	*Où habites-tu/habitez-vous ?*
Vivo en…	*J'habite à/en…*

Demander et donner un numéro de téléphone

¿Que (número de) teléfono tienes/tiene?	*Quel est ton/votre numéro de téléphone ?*
El teléfono de mi casa/oficina es el…	*Le numéro de téléphone de chez moi/ du bureau c'est le…*

Grammaire

1 Le masculin et le féminin

a El, la (*le*, *la*)

L'article « le » se dit **el** et « la » se dit **la**. Les noms se terminant par un **-o** sont généralement masculins et ceux se terminant par un **-a**, féminins.

masculin	**el** número	*le numéro*
féminin	**la** mesa	*la table*

b Généralement, le féminin d'un nom au masculin se forme en changeant le **-o** en **-a** ou en rajoutant après la dernière consonne un **-a**. Il existe cependant de nombreuses exceptions.

masculin	**el** secretario	*le secrétaire*
	el señor	*le monsieur, monsieur*
féminin	**la** secretaria	*la secrétaire*
	la señora	*la dame, madame*

c Les terminaisons de certains mots n'indiquent pas s'il s'agit d'un mot masculin ou féminin, il est donc conseillé d'apprendre chaque mot avec l'article qui lui correspond. La plupart ont toutefois le même genre en français.

el nombre	*le nom*	**la calle**	*la rue*
el camión	*le camion*	**la verdad**	*la vérité*

2 El señor, la señora/señorita

Lorsque l'on fait référence à quelqu'un de manière indirecte, on utilise l'article **el** devant **señor** et **la** devant **señora/señorita**.

¿Es usted el señor Martínez/la señorita Miranda?

Mais on dira :

Buenas tardes, señora Vera.

À l'écrit, **señor**, **señora** et **señorita** sont souvent abrégés en **Sr.**, **Sra.** et **Srta.**

3 Al (*au*), del (*du*)

A + **el** devient **al** et **de** + **el**, **del**.

Te presento **al** señor Lira.	*Je te présente Monsieur Lira.*
El teléfono **del** señor Castro.	*Le numéro de téléphone de Monsieur Castro.*

Dans ces exemples, **al** n'est pas traduit et **del** équivaut à « de » puisqu'à la différence de l'espagnol, on n'utilise pas d'article en français devant « Monsieur » et « Madame ». Toutefois, **al** et **del** se traduisent généralement par « au » et « du », par exemple :

¿Cuál es el número del médico? Quel est le numéro de téléphone du médecin ?

Remarquez, dans le premier exemple, que l'on utilise **a** devant les noms désignant une personne (voir la section **Grammaire** de l'Unité 21).

4 Un, una (*un, une*)

Il existe, comme en français, deux articles indéfinis au singulier en espagnol : **un** *un*, **una** *une*. Au pluriel, on emploie également deux mots en espagnol : **unos** pour le masculin et **unas** pour le féminin ; ces deux mots se traduisent par « des » en français.

un compañero de trabajo	*un collègue de travail*
una secretaria	*une secrétaire*

5 Mi, tu, su... (*mon, ton, son...*)

En espagnol, *mon/ma*, *ton/ta*, *son/sa*, *votre* et *leur* se disent :

mi marido/mujer	*mon mari/ma femme*
tu casa/tu perro	*ta maison/ton chien*
su teléfono	*son, votre, leur téléphone*
su comida	*sa, votre, leur nourriture*

Notez que l'on ne fait pas de différence en espagnol entre le masculin et le féminin : **mi** signifie *mon/ma* ; **tu** *ton/ta* etc. Remarquez également que **su** peut signifier *son*, *sa*, *leur* et *votre* (lorsque l'on vouvoie quelqu'un).

6 « Ser » et « estar » (*être*)

Il existe deux verbes « être » en espagnol qui sont : **ser** et **estar**. On utilise **ser** pour donner des informations personnelles, pour dire par exemple d'où l'on vient, sa nationalité, son nom, etc. (voir Unité 1). Par exemple, **Soy Cristóbal** *Je suis Cristóbal.*

Pour demander à quelqu'un comment il va et dire comment on va, il faut utiliser **estar**. **Estar** est un verbe irrégulier, il se conjugue ainsi au singulier :

(yo)	**estoy**	*je suis*
(tú)	**estás**	*tu es*
(él/ella)	**está**	*il/elle est*
(usted)	**está**	*vous êtes*

¿Cómo estás? *Comment vas-tu ?*
(Estoy) bien. *(Je vais) bien.*

7 Tengo, tienes… (*j'ai, tu as…*)

Tener *avoir* est un verbe en **-er** irrégulier, il se conjugue comme suit au présent singulier :

(yo)	**tengo**	*j'ai*
(tú)	**tienes**	*tu as*
(él/ella)	**tiene**	*il/elle a*
(usted)	**tiene**	*vous avez*

¿Que teléfono tienes? *Quel est ton numéro de téléphone ?*
No tengo teléfono. *Je n'ai pas de téléphone.*

8 Les verbes en *-ir*

Voici le verbe **vivir** *vivre, habiter*, verbe régulier en **-ir**, conjugué au présent singulier :

(yo)	viv**o**	*j'habite*
(tú)	viv**es**	*tu habites*
(él/ella)	viv**e**	*il/elle habite*
(usted)	viv**e**	*vous habitez*

¿En qué barrio/calle vives? *Dans quel quartier/quelle rue habites-tu ?*
Vivo en el barrio/la calle de… *J'habite dans le quartier/la rue…*

Prononciation

Les voyelles « i », « u » en espagnol

Le « **i** » se prononce comme en français. En revanche, le « **u** » se prononce « **ou** » mais jamais comme le « u » français, ce son n'existant pas en espagnol.

Les **« i »** de « oficina » se prononcent comme le « i » de « cri ».
Le **« u »** de « número » se prononce comme le « ou » de « hibou ».

Ñ (n + tilde)

ñ, comme dans « se**ñ**ora » est une lettre de l'alphabet espagnol (elle se place après le « n » dans le dictionnaire) et se prononce comme le « gn » de « mignonne ».

Entraînez-vous avec :

¿Usted es la señora María Inés Rivas?
Soy el señor Roberto Muñoz, de La Coruña.
Mucho gusto.

Exercices

1 ¿Ser o estar?

Alfredo rencontre Marisa, et Monsieur Lira rencontre Mademoiselle Romero. Complétez les conversations avec les formes de **ser** et **estar** appropriées. Le ton du premier dialogue est familier, le second est soutenu.

a – Hola, ¿tú ______ Marisa Frías?
– Sí, ______ yo.
– Yo ______ Alfredo Ríos, de Sevilla.
– Hola, ¿cómo ______?
– Bien, gracias.

b – Buenos días. Usted ______ la señorita Romero, ¿verdad?
– Sí, soy Mercedes Romero. ¿Usted ______ Alfonso Lira?
– Sí, sí. ¿Cómo ______ usted?
– Muy bien. Y usted, ¿cómo ______?
– Bien, gracias. Mire, ésta ______ María, mi mujer.
– Encantada.

la mujer	*femme*
mire	ici, *tenez* (littéralement, *regardez*)

2 ¿El o la? ¿Un o una?

Complétez, si nécessaire, les phrases avec **el, la, un, una**.

Sr. Ibarra	Perdone **a** ______ señora. ¿Usted es **b** ______ señora Santos, **c** ______ secretaria del señor Martínez?
Sra. Santos	Sí, soy yo.
Sr. Ibarra	Yo soy **d** ______ señor Ibarra, de Transibérica.
Sra. Santos	Mucho gusto **e** ______ señor Ibarra.
Sr. Ibarra	Le presento a Carmen, **f** ______ compañera de trabajo. Y éste es Alfonso, **g** ______ amigo.
Sra. Santos	Encantada.

3 Una presentación

Monsieur Barrios vient visiter votre lieu de travail, et vous devez, vous et votre collègue Antoine l'attendre à la réception. Suivez les instructions en italique et remplissez votre partie du dialogue en utilisant le vouvoiement.

- *Demandez-lui s'il est Monsieur Barrios.*
- Sí, soy yo.
- *Présentez-vous.*
- Mucho gusto.
- *Dites que vous êtes ravi(e) de faire sa connaissance et présentez-lui votre collègue.*

una presentación *une présentation*

4 Ahora tú

Comment présenteriez-vous ces personnes à un ami ? Cherchez la signification des mots dans le **Lexique espagnol-français** à la fin du livre puis choisissez la situation qui vous correspond et utilisez **Te presento a...**

a tu marido/mujer
b tu novio/novia
c tu padre/madre
d tu hermano/hermana

Présentez maintenant ces personnes en utilisant la formule **Éste/Ésta es...**

e Gloria, una compañera de trabajo
f Damien, un compañero de clase
g Carlos, un amigo
h Laura, una vecina

5 ¿Dónde vive?

Dans les trois conversations suivantes, on demande à des personnes où elles habitent. À partir de l'enregistrement ou de la transcription du dialogue page 283, complétez les phrases en vous aidant des informations données sur les cartes ci-dessous. L'un des locuteurs est mexicain.

a Francisco vive en…
b Julio vive en…
c Silvia vive en…

6 Los números (*chiffres*) 0-20

Écoutez et répétez les nombres après le locuteur.

0 cero	5 cinco	10 diez	15 quince	18 dieciocho
1 uno	6 seis	11 once	16 dieciséis	19 diecinueve
2 dos	7 siete	12 doce	17 diecisiete	20 veinte
3 tres	8 ocho	13 trece		
4 cuatro	9 nueve	14 catorce		

Remarquez que **uno** devient **un** devant un nom masculin, par exemple, **un amigo** *un ami*.

7 ¿Qué número desea?

Vous allez entendre deux conversations où l'on demande des numéros de téléphone. Écoutez et écrivez-les.

Hotel Sancho
Teléfono

Sr. Martín
Ramos Teléfono

ⓘ En espagnol, on peut lire les numéros de téléphone un par un ou deux par deux. Par exemple, le numéro 93 415 54 28 peut se lire :
nueve-tres-cuatro-uno-cinco-cinco-cuatro-dos-ocho *ou*
noventa y tres-cuatro-quinze-cincuenta y cuatro-ventiocho

8 Ahora tú

a ¿Dónde vives?
b ¿En qué barrio vives?
c ¿En qué calle?
d ¿Qué número de teléfono tienes?
e ¿Tienes teléfono en tu oficina/trabajo?
f ¿Cuál es el número?
g ¿Tienes extensión?
h ¿Cuál es el número?

9 Crucigrama

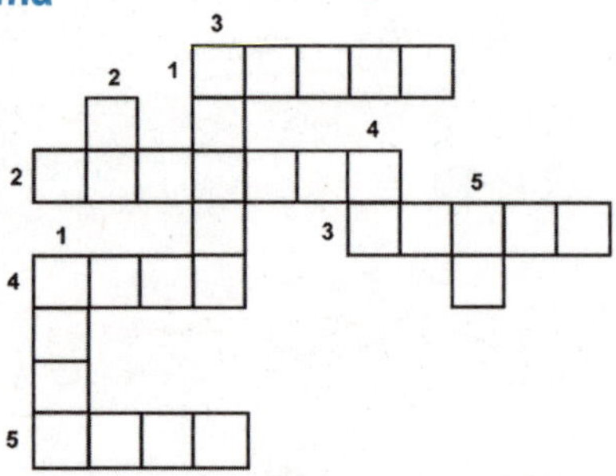

Horizontales

1 ¿Qué número de teléfono ______ usted?
2 ¿Tú ______ teléfono en casa?
3 Buenas tardes, señor Bravo, ¿cómo está ______?
4 (Yo) ______ en la Calle de la Rosa.
5 ¿(Tú) ______ Gonzalo Martínez?

Verticales

1 Raquel ______ en Sevilla, en el barrio de Santa Cruz.
2 Te presento a ______ marido.
3 (Yo) no ______ teléfono en casa.
4 Perdone, señora, el teléfono de ______ oficina, ¿cuál es?
5 Y ______ extensión, Mónica, ¿cuál es?

el marido *le mari*

03

quiero una habitación, por favor

je veux une chambre, s'il vous plaît

Dans cette unité vous apprendrez à :

- demander une chambre dans un hôtel ;
- épeler votre nom ;
- demander où l'on peut faire quelque chose.

1 ¿Para cuántas personas?

Victoria fait une réservation dans un hôtel.

1.1 À partir du dialogue ci-dessous dites quelles sont les informations appropriées en cochant les cases. Les mots clés ici sont : **quiero** *je veux*, **para** *pour*, **con** *avec*, **sin** *sans*.

- ☐ para una persona
- ☐ para una noche
- ☐ con desayuno
- ☐ con baño
- ☐ para dos personas
- ☐ para seis noches
- ☐ sin desayuno
- ☐ sin baño

Recepcionista Buenas tardes.
Victoria Buenas tardes. Quiero una habitación, por favor.
Recepcionista ¿Para cuántas personas?
Victoria Para una.
Recepcionista ¿Y para cuántas noches?
Victoria Para seis noches. Hasta el veintiocho.
Recepcionista ¿Con desayuno?
Victoria No, sin desayuno. ¿Tiene baño la habitación?
Recepcionista Sí, sí, todas las habitaciones tienen baño.
Victoria Vale.
Recepcionista Su carnet de identidad, por favor.

1.2 Reprenez le dialogue et trouvez les expressions signifiant :

a Pour combien de nuits ?
b Jusqu'au 28.
c Toutes les chambres ont une salle de bains.
d Votre carte d'identité, s'il vous plaît.

¿cuántas?	*combien*
el baño	*la salle de bains*
el desayuno	*le petit-déjeuner*
noches	*nuits*

ⓘ Comme en France, il est obligatoire d'avoir une carte d'identité en Espagne et dans les pays d'Amérique latine. Les hôtels vous demanderont généralement de présenter une pièce d'identité qui peut être la carte d'identité (**el carnet de identidad** ou **el DNI – documento nacional de identidad**) ou le passeport (**el pasaporte**).

2 Tenemos una habitación reservada

Guillermo et Laura de Barcelone ont réservé une chambre dans un hôtel au Mexique.

2.1 Remplissez les cases du tableau ci-dessous avec les informations appropriées. Vous aurez peut-être besoin de consulter la page 33 pour savoir comment se disent les nombres en espagnol.

Tipo de habitación:	
Número de la habitación:	

Recepcionista Buenas noches. ¿Qué desean?
Guillermo Buenas noches. Tenemos una habitación reservada. Una habitación doble.
Recepcionista ¿A qué nombre?
Guillermo Guillermo Torrens.
Recepcionista ¿Cómo se escribe su apellido, por favor?
Guillermo T-o-r-r-e-n-s. Torrens.
Recepcionista Sí, sus pasaportes, por favor.
Guillermo Aquí tiene.
Recepcionista Gracias. Su habitación es la número treinta y cinco. Aquí tienen la llave.
Guillermo ¿Dónde se puede cambiar dinero, por favor?
Recepcionista Pueden cambiar aquí mismo.

2.2 Reprenez maintenant le dialogue et répondez à ces questions :
a Comment Guillermo dit qu'ils ont une chambre réservée ?
b Comment le réceptionniste demande à Guillermo d'épeler son nom de famille ?
c Comment Guillermo demande où il est possible de changer de l'argent ?

¿Qué desean?	*Que désirez-vous ?, En quoi puis-je vous aider ?* (vouvoiement, pluriel)
¿A qué nombre?	*À quel nom ?*
reservada	*réservée*
la llave	*la clé*
¿Dónde se puede...?	*Où peut-on... ?*
pueden	*vous pouvez* (vouvoiement, pluriel)

Comment dit-on… ?

Demander une chambre dans un hôtel

Quiero una habitación individual/para una persona.	*Je veux une chambre simple/pour une personne.*
¿Tiene una habitación doble/para dos personas?	*Avez-vous une chambre double/pour deux personnes ?*

Demander à quelqu'un d'épeler son nom

¿Cómo se escribe su nombre/apellido?	*Comment s'écrit votre prénom/nom de famille ?*

Demander où l'on peut faire quelque chose et répondre

¿Dónde se puede cambiar dinero/cenar?	*Où peut-on changer de l'argent/dîner ?*
Pueden cambiar/cenar aquí mismo.	*Vous pouvez changer de l'argent/dîner ici même.*

Grammaire

1 Le pluriel

On forme le pluriel de la plupart des mots en leur ajoutant un **-s**. Pour les noms se terminant par une consonne, on ajoutera **-es**.

una persona	*une personne*	cuatro personas	*quatre personnes*
una habitación	*une chambre*	dos habitaciones	*deux chambres*

Notez que l'accent écrit sur la voyelle disparaît lorsque l'on ajoute **-es**.

2 Los, las (*les*)

Le pluriel de **el** (*le*) est **los** (les) et le pluriel de **la** (*la*) est **las** (*les*).

el hotel	*l'hôtel*	**los** hoteles	*les hôtels*
la llave	*la clé*	**las** llaves	*les clés*

3 Mis, tus, sus… (*mes, tes, ses*)

On ajoute un **-s** à **mi, tu, su** (voir Unité 2) lorsque l'on désigne plusieurs objets.

su habitación	*sa/leur/votre* (vouvoiement) *chambre*
sus habitacion**es**	*ses/leurs/vos* (vouvoiement) *chambres*

Notez que lorsque l'on s'adresse à plusieurs personnes que l'on tutoie, on utilisera **vuestros/as** (*vos*) et non **sus**.

Éstas son vuestras habitaciones. *Voici vos chambres.*

4 ¿Cuántos? (*Combien ?*), todos (*tous*)

¿Cuántos? *Combien ?*, devient **¿cuántas?** devant un mot féminin.

el día	¿Cuánt**os** días?	*Combien de jours ?*
la noche	¿Cuánt**as** noches?	*Combien de nuits ?*

On utilise **¿cuánto/a?** devant des noms au singulier.

¿Cuánto dinero?	*Combien d'argent ?*

Todos *tous*, devient **todas** *toutes*, devant un mot féminin.

el hotel	Todos **los** hoteles.	*Tous les hôtels.*
la habitación	Todas **las** habitaciones.	*Toutes les chambres.*

Devant des noms au singulier, on utilise **todo/a**.
Todo el tiempo. *Tout le temps.*

5 Querer (*vouloir*), poder (*pouvoir*)

a Les verbes à diphtongues

Les voyelles du radical de certains verbes changent selon le temps et la personne utilisés. Leurs terminaisons sont toutefois les mêmes que pour les verbes réguliers.

- Pour certains verbes, comme **querer**, le **-e** du radical (ici, **quer-**) devient **-ie**.
- Pour d'autres, comme **poder**, le **-o** devient **-ue**.

On appelle ces verbes des verbes à diphtongues. Nous utiliserons dans le livre le symbole **>** à côté d'un verbe à diphtongues pour indiquer le changement de voyelles qu'il subit, par exemple **querer (e > ie)**.
Nous emploierons ce même symbole pour les verbes dont le -**e** du radical devient -**i**, par exemple : **pedir** *demander*, **pido** *je demande*.

b Conjugaisons au présent

Vous trouverez ci-dessous les verbes **querer** et **poder** conjugués au présent, ces pronoms y sont indiqués :

nosotros/as, *nous* (masculin/féminin),
vosotros/as, *vous* (tutoiement, masculin/féminin),
ustedes, *vous* (vouvoiement, pluriel),
ellos, ellas, *ils*, *elles*.

En Amérique latine, on n'utilise jamais **vosotros/as** *vous* mais plutôt **ustedes** aussi bien pour le tutoiement que pour le vouvoiement.

Remarquez que le radical des verbes à diphtongues ne change jamais à la première et à la deuxième personne du pluriel (**nosotros/as** *nous* ; **vosotros/as** *vous*).

	querer	poder
yo	qu**ie**ro	p**ue**do
tú	qu**ie**res	p**ue**des
él, ella	qu**ie**re	p**ue**de
usted	qu**ie**re	p**ue**de
nosotros/as	queremos	podemos
vosotros/as	queréis	podéis
ellos/as	qu**ie**ren	p**ue**den
ustedes	qu**ie**ren	p**ue**den

Quiero una habitación doble. *Je veux une chambre double.*
Queremos el desayuno en la habitación. *Nous voulons le petit-déjeuner dans la chambre.*
¿Podemos pasar? *Peut-on entrer ?*
Sí, pueden pasar. *Oui, vous pouvez entrer.*

Lorsque vous demandez quelque chose, il est plus poli d'utiliser **quisiera** ou **querría** *je voudrais* que **quiero** *je veux*. La forme correspondante pour **nosotros** est **quisiéramos** ou **querríamos**.

6 Les tournures impersonnelles

Pour dire *on*, comme dans *Comment dit-on* argent *en espagnol ? Où peut-on changer de l'argent ?* on utilise en espagnol la troisième personne du singulier.

¿Cómo **se puede** ir al aeropuerto? *Comment peut-on aller à l'aéroport ?*
¿Dónde se puede aparcar? *Où peut-on se garer ?*

Prononciation

ll, comme dans **apellido**, **calle** se prononce en général en plaçant le bout de la langue derrière les dents et en le collant au palais, c'est un son spécifique à l'espagnol. Cependant, dans certaines régions comme en Andalousie, on le prononce davantage comme le « ill » de « paille ». Dans plusieurs pays d'Amérique du sud, notamment en Argentine et au Chili, sa prononciation ressemble au « j » de « je ».

Entraînez-vous avec :

El Hotel del Valle en Valladolid es un hotel de tres estrellas y está en la calle de Mallorca.

¿Cómo te llamas?
Me llamo Estrella.
¿Y cómo te apellidas?
Ulloa. Estrella Ulloa.

Exercices

1 Los números del 21 a 100

Écoutez et répétez chaque chiffre puis complétez cette liste.

21	veintiuno	30	treinta	59	______
22	veintidós	31	treinta y uno	60	sesenta
23	veintitrés	32	treinta y dos	64	______
24	veinticuatro	36	______	70	setenta
25	veinticinco	40	cuarenta	76	______
26	veintiséis	42	cuarenta y dos	80	ochenta
27	veintisiete	45	______	88	______
28	veintiocho	50	cincuenta	90	noventa
29	veintinueve	53	cincuenta y tres	93	______
				100	cien

2 ¿La habitación del señor Luis García, por favor?

Écoutez ces courtes conversations ou reportez-vous à leur transcription page 284, et complétez les cases avec le numéro de chambre ou de bureau de ces personnes.

	Nombre	Habitación	Oficina
a	Sr. García		
b	Srta. Sáez		
c	Sres. Silva		

3 Palabra por palabra

Nous vous indiquons sur la page suivante une liste de services et d'installations que vous pourrez trouver dans certains hôtels. Associez-les aux dessins page 34.

a la ducha
b el lavabo
c la calefacción
d el hilo musical
e el ascensor
f la piscina

4 Un moderno hotel a su servicio

Votre patron part en voyage dans un pays hispanophone. Il a trouvé cette publicité et vous demande de lui indiquer en français tous les services et installations proposés par cet hôtel. Faites une liste.

PLAYA DORADA

Hotel VICTORIA RESORT Primera

Playa Dorada – Puerto Plata – Tel. 508 586 12 00

Una edificación tropical, situada en el corazón de Playa Dorada, considerada como uno de los edificios más bellos de la costa norte, rodeado de un lago poblado de exuberantes jardines. Todas las habitaciones con terraza y baño privado, aire condicionado central, T.V. por cable y teléfono. Dispone de Club de Playa, piscina y jacuzzi. Restaurante, piano-bar y night club.

Programa completo de actividades desde clases de buceo hasta
excursiones en bicicleta, caballos, tenis, wind-surfing, etc.
Acceso directo al campo de golf.
Suplemento habitación individual por noche: 45 euros.

una edificación	*une construction*
un lago	*un lac*
un edificio	*un bâtiment*
poblado	*rempli*
rodeado	*entouré*

5 En un país de habla española

Vous venez d'arriver avec un(e) ami(e) dans un hôtel d'un pays hispanophone. Ces phrases et questions utilisent les verbes **querer** et **poder** conjugués au présent simple. Complétez-les en écrivant les lettres manquantes.

a Q - - r - m - s dos habitaciones individuales.
b ¿Q - - - r - n ustedes media pensión o pensión completa?
c ¿Dónde p - d - m - s cambiar dinero?
d ¿P - - d - usted lavar esta ropa para mañana?
e ¿Dónde se p - - d - alquilar un coche?

la media pensión	*la demi-pension*
la pensión completa	*la pension complète*
lavar	*se laver*
alquilar	*louer*

6 Hoteles y servicios

Lisez ce texte sur les hôtels et services en Espagne et en Amérique latine. Lisez ensuite les phrases **a**, **b**, **c** et **d** ci-dessous et dites si elles sont vraies ou fausses (vrai = **verdadero** ; faux = **falso**). Certains mots utilisés dans le texte ont déjà été vus dans cette unité ou dans les précédentes, d'autres en revanche seront nouveaux et vous devrez les deviner en vous aidant du contexte.

a Todos los hostales tienen baño privado.
b El desayuno es normalmente aparte.
c Los paradores nacionales son hoteles muy exclusivos.
d Los paradores no están normalmente en la ciudad.

(i) En España y en Latinoamérica hay una enorme variedad de hoteles y servicios, desde grandes y lujosos hoteles de cinco estrellas hasta hostales y pensiones o casas de huéspedes. En España los hostales pueden ser de una, dos o tres estrellas y, dependiendo de la categoría, las habitaciones pueden tener baño, ducha o sólo lavabo. Las pensiones o casas de huéspedes son más económicas y generalmente no tienen baño privado. El desayuno, normalmente, no está incluido en el precio de la habitación.

Los paradores nacionales, en España, son hoteles de primera categoría, situados generalmente en las afueras de las ciudades. Para los jóvenes existen los albergues juveniles, informales y económicos, pero con todos los servicios básicos.

hay	*il y a*
en las afueras de	*en dehors de*
desde... hasta	*depuis... à*
los jóvenes	*les jeunes*
primera categoría	*première classe*
el albergue juvenil	*l'auberge de jeunesse*

7 ¿Qué servicios tienen?

Regardez maintenant le tableau ci-dessous, il répertorie tous les services que devraient proposer les hôtels selon leur catégorie.

a Quels services devraient-il y avoir dans un hôtel trois étoiles ?

b Quels services supplémentaires devrait-on proposer dans un hôtel quatre étoiles ?

c Quel(s) hôtel(s) propose(nt) un coffre ? Et une sortie de secours ?

Lo que tienen que tener					
	5★	4★	3★	2★	1★
Aire acondicionado	●	●	●(1)	–	–
Teléfono en habitación	●	●	●	●	–
Bar	●	●	●	–	–
Salidas de incendios	●	●	●	●	●
Suites	●	–	–	–	–
Caja fuerte individual	●	●	–	–	–
Superficies mínimas por habitación (en metros cuadrados)					
Doble	17	16	15	14	12
Individual	10	9	8	7	7
(1) En salón, comedor y bar					

8 El alfabeto

Écoutez les lettres de l'alphabet espagnol et répétez-les. Consultez la page 280 pour obtenir plus d'informations sur « ch » et « ll ».

a	a	Ana	**n**	ene	no
b	be	Bilbao	**ñ**	eñe	mañana
c	ce	Cuba, gracias	**o**	o	Colombia
d	de	día	**p**	pe	Perú
e	e	Elena	**q**	cu	que, quinto
f	efe	Francia	**r**	erre	París, Río, perro
g	ge	Gloria, Algeciras	**s**	ese	Susana
h	hache	hasta, hispanoamérica	**t**	te	Tarragona
i	i	Isabel	**u**	u	Murcia
j	jota	Juan	**v**	uve	Venezuela
k	ca	kilo	**w**	uve doble	Washington
l	ele	Londres	**x**	equis	taxi
ll	elle	calle	**y**	i griega	yo, Paraguay
m	eme	María	**z**	zeta	Cádiz

9 ¿Cómo se escribe?

Un groupe d'hispanophones arrivent sur votre lieu de travail et vous devez épeler leurs noms de famille à un autre Espagnol. Notez que **á** se dit **a acentuada**.

a Aguirre
b Fernández
c Arredondo
d Bravo
e Collado
f Julián

10 Ahora tú

Épelez les informations suivantes.

tu nombre, tu apellido
el nombre de tu barrio
el nombre de tu calle
el nombre y apellido de tu jefe/a
el nombre y apellido de tu profesor/a.

04

¿dónde está?

où c'est ?

Dans cette unité vous apprendrez à :

- demander et dire si un lieu est proche ;
- demander et dire où se situe un lieu ;
- demander et dire à quelle distance se situe un lieu.

1 ¿Hay una oficina de cambio por aquí cerca?

Au croisement de la rue *Agustinas* et *San Martín*, Carmen arrête un passant et lui demande son chemin. Elle se trouve en face de la rue *Morandé*.

1.1 Référez-vous au dialogue plusieurs fois en vous concentrant tour à tour sur une information différente, suivez en même temps sur la carte les directions données. Les mots clés ici sont :

hay	*il y a*	**izquierda**	*gauche*
derecha	*droite*	**calle**	*rue*

a Quel mot utilise Carmen pour interpeller le passant ?

b Que cherche-t-elle ? Cochez les réponses qui conviennent.

☐ una estación ☐ una oficina de turismo ☐ una plaza
☐ un banco ☐ una oficina de cambio ☐ un hotel

c Que dit-elle pour demander où se trouvent les endroits qu'elle cherche ? Complétez ses phrases :

¿ ... por aquí cerca? ¿Y ... por aquí?

d Quels mots utilise-t-on dans le dialogue pour dire *à gauche*, *à droite* ?

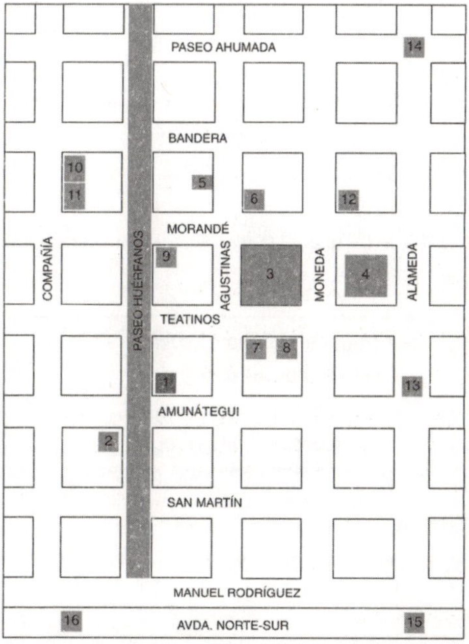

1 oficina de cambio
2 museo
3 plaza
4 aparcamiento
5 restaurante
6 banco
7 hotel
8 iglesia
9 hotel
10 banco
11 oficina de turismo
12 Correos

Carmen	Perdone, ¿hay una oficina de cambio por aquí cerca?
Señor	Hay una en la calle Amunátegui, la primera calle a la izquierda.
Carmen	¿Y hay un hotel por aquí?
Señor	Sí, hay uno en esta calle, la calle Agustinas, a la derecha, al lado de una iglesia. Hay otro en la calle Morandé, la tercera a la izquierda, en la primera esquina.
Carmen	Muchas gracias.
Señor	De nada.

1.2 Lisez maintenant le dialogue et suivez sur la carte les directions données par le passant, essayez d'y retrouver les lieux que cherche Carmen. Vous pouvez vérifier vos réponses en comparant les nombres que vous avez trouvés sur la carte avec ceux de la liste ci-dessus.

1.3 Utilisez maintenant la carte et la conversation ci-dessus comme modèles pour créer des dialogues similaires.

por aquí cerca	*près d'ici*
al lado de	*à côté de*
primero/a	*premier(ère)*
tercero/a	*troisième*

2 ¿Dónde está?

Pablo vient d'arriver dans une ville espagnole et il demande son chemin. Il est devant un bureau de poste au croisement de la rue Moneda et Morandé (consultez la carte utilisée avec le Dialogue 1).

2.1 À partir du dialogue suivez sur la carte les indications données, essayez ensuite de répondre aux questions ci-dessous. Les mots clés ici sont :

¿dónde?	*où ?*
estar	*être*

a Quel lieu cherche Pablo ?
b Que veut dire d'après vous **no lo sé** ?
c Pouvez-vous retrouver le numéro du lieu qu'il cherche sur la carte ?

Pablo	Por favor, ¿sabe usted dónde está la oficina de turismo?
Señora	Lo siento, no lo sé. No conozco muy bien la ciudad.
Pablo	La oficina de turismo, por favor, ¿está muy lejos?
Policía	Está al final de esta calle, a la derecha, a cinco minutos de aquí.
Pablo	Muchas gracias.

2.2 Reprenez maintenant le dialogue et retrouvez l'équivalent en espagnol de :
a C'est au bout de la rue.
b À cinq minutes d'ici.

2.3 Utilisez maintenant la carte et la conversation ci-dessus comme modèles pour créer des dialogues similaires.

saber	*savoir*
lo siento	*je suis désolée*
conocer	*connaître*
lejos	*loin*

(i) Dans la plupart des villes en Espagne, vous trouverez un office de tourisme, **una Oficina de Información y Turismo**, où vous pourrez obtenir gratuitement des plans, **planos**, des cartes, **mapas**, des listes d'hôtels, **listas de hoteles** et des brochures, **folletos**. Pour demander l'un de ces documents, vous pourrez dire :
Por favor, ¿tiene un plano de la ciudad/una lista de hoteles?
Vous avez un plan de la ville/une liste d'hôtels, s'il vous plaît ?
Vous pouvez aussi utiliser **querer** *vouloir* :
Por favor, quiero un folleto de Valencia.
Je veux une brochure sur Valence, s'il vous plaît.

3 Están en el primer piso

Ignacio est dans un restaurant et il cherche les toilettes. Répondez à ces questions :

a Comment demande-t-il où sont les toilettes (**los servicios**) ?
b Que signifie d'après vous la réponse donnée ?

Ignacio	Por favor, ¿dónde están los servicios?
Camarero	Están en el primer piso, al final del pasillo.
Ignacio	Gracias.

el piso	*l'étage*
el pasillo	*le couloir*

Comment dit-on... ?

Demander et dire si un lieu est proche

¿Hay una oficina de cambio/ un hotel por aquí (cerca)?	*Y a-t-il un bureau de change/un hôtel près d'ici ?*
Hay una/uno en...	*Il y en a une/un (dans).../dans cette rue/en esta calle.*

Demander et dire où se situe un lieu

¿Dónde está/están...?	*Où est/sont... ?*
Está/Están...	*Il, elle est/Ils, elles sont/C'est...*
al lado de...	*à côté de...*
al otro lado de...	*de l'autre côté de...*
enfrente de...	*en face de...*
al final de...	*au bout de...*
delante de.../detrás de...	*devant.../derrière...*
entre... y...	*entre... et...*
a la derecha/izquierda	*à droite/à gauche*
en la esquina	*au coin (de la rue)*
en el primer/segundo piso	*au premier/second étage*

Demander et dire à quelle distance se situe un lieu

¿Está cerca/lejos?	*Est-ce que c'est près/loin ?*
Está (bastante/muy) cerca/ lejos (de aquí).	*C'est (assez/très) près/loin (d'ici).*
Está a... minutos /... metros/ ... calles de aquí.	*C'est à... minutes/... mètres/... rues d'ici.*

Grammaire

1 Hay (*il y a*)

a Pour dire *il y a* ou *y a-t-il ?* utilisez **hay** :

¿Hay un banco por aquí?	*Y a-t-il une banque près d'ici ?*
Hay uno en la esquina.	*Il y en a une au coin de la rue.*
¿Hay teléfonos aquí?	*Y a-t-il un téléphone ici ?*
No hay.	*Non, il n'y en a pas.*

Remarquez que le mot **banco** *banque* est masculin en espagnol.

b Pour demander où se trouve quelque chose, vous pouvez aussi utiliser : **¿Dónde hay…?**

¿Dónde hay un aparcamiento?	*Où est-ce qu'il y a un parking ?*
¿Dónde hay una estación de metro?	*Où est-ce qu'il y a une station de métro ?*

2 ¿Dónde está? (*Où c'est ?*)

Pour demander et dire où se trouve un lieu, utilisez **estar** *être* (pour sa conjugaison et ses emplois, reportez-vous à l'Unité 2).

¿Dónde está el mercado?	*Où se trouve le marché ?*
Está detrás de la estación.	*Il est derrière la gare.*
¿Dónde están los teléfonos?	*Où sont les téléphones ?*
Están en el primer piso.	*Ils sont au premier étage.*

3 Está a cinco minutos (*C'est à cinq minutes*)

a Pour dire à quelle distance se trouve un lieu, utilisez **estar** suivi de **a** et d'une expression indiquant une distance.

Está a cinco minutos de aquí.	*C'est à cinq minutes d'ici.*
Está a cien metros de la estación.	*C'est à cent mètres de la gare.*

b Pour demander à quelle distance se trouve un lieu, vous pouvez dire :

¿A qué distancia está/están? *C'est à quelle distance ?*

Ou simplement :

¿Está/están cerca/lejos? *C'est près/loin ?*

4 Otro, otros (*autre, autres*)

Otro s'accorde en genre (masculin ou féminin) et en nombre (singulier ou pluriel) avec le nom qui le suit.

otro banco	*autre banque*
otra oficina de cambio	*autre bureau de change*
otros bancos	*autres banques*

Otro, **otros** peuvent remplacer un nom dans une phrase lorsque celui-ci est sous-entendu :

Hay un banco en la esquina y otro enfrente del mercado.	*Il y a une banque au coin et une autre en face du marché.*

5 Saber (*savoir*) et conocer (*connaître*)

Ces deux verbes sont irréguliers à la première personne du présent.

saber	conocer
sé	**conozco**
sabes	conoces
sabe	conoce
sabemos	conocemos
sabéis	conocéis
saben	conocen

¿Sabe usted dónde está el museo?	*Savez-vous où se trouve le musée ?*
No sé dónde está.	*Je ne sais pas où il se trouve.*
No (lo) sé.	*Je ne (le) sais pas.*
No conozco este barrio.	*Je ne connais pas ce quartier.*

6 Les nombres ordinaux

1er primero
2ème segundo
3ème tercero
4ème cuarto
5ème quinto
6ème sexto
7ème séptimo/sétimo
8ème octavo
9ème noveno
10ème décimo

Les nombres ordinaux s'accordent en genre (masc. ou fém.) et en nombre (sing. ou pl.) avec les noms qu'ils désignent.

el segundo piso	*le deuxième étage*
la segunda calle	*la deuxième rue*
las primeras dos calles	*les deux premières rues*

Devant un nom masculin singulier, **primero** et **tercero** deviennent **primer** et **tercer** :

el primer/tercer piso *le premier/troisième étage*

Prononciation

Le **c**, devant **a**, **o**, **u**, comme dans « **c**asa, **c**onozco, **C**uba » se prononce comme le « k » de « kaki ».

Le **c**, devant **e**, **i**, comme dans « **c**erca, **c**inco » se prononce en mettant la langue entre les dents et en soufflant.

Le **z**, comme dans « pla**z**a, i**z**quierda » se prononce aussi en mettant la langue entre les dents.

Entraînez-vous avec :

¿Conoce usted la ciudad? No, no la conozco.
¿Hay una oficina de cambio por aquí cerca? Hay una en la plaza de Cádiz, a la izquierda, entre la oficina de turismo y la estación de metro.

Prononciation en Amérique latine

Le **c**, devant **e**, **i**, comme dans « **c**erca, **c**inco » se prononce comme le « s » de « sale ».
Le **z**, comme dans « pla**z**a, i**z**quierda » se prononce aussi comme le « s » de « sale ».

Exercices

1 ¿Hay o está?

Complétez ces conversations avec **hay** ou **está(n)**.

a ¿Dónde ______ una panadería, por favor?
La más cercana es la Modelo, a dos calles de aquí.

b Perdone, ¿la Telefónica ______ muy lejos?
A unos cinco minutos en coche.

c Oiga, perdone, ¿ ______ una lavandería por aquí cerca?
Sí, en la calle de Zamora, la tercera a la izquierda.

d Perdone, ¿sabe dónde ______ el mercado central?
Lo siento, no lo sé. No conozco bien este barrio.

e Los teléfonos, por favor, ¿dónde ______?
En la planta baja.

f ¿Dónde ______ un camping, por favor?
En la Avenida del Mar, la segunda a la derecha.

la planta baja *le rez-de-chaussée*

2 Ahora tú

Vous passez quelques jours dans une ville espagnole et vous voulez vous rendre à certains endroits. Comment feriez-vous pour demander si l'un de ces lieux se trouve aux alentours ?

a un restaurante
b una librería
c una tienda de ropa
d una tienda de comestibles

Et comment feriez-vous pour demander où vous pouvez trouver ces lieux ?

e la estación de autobuses
f la iglesia
g la biblioteca
h la Plaza Mayor

una librería *une librairie* **la biblioteca** *la bibliothèque*

3 ¿Saber o conocer?

Martín vient d'arriver dans une ville espagnole et il cherche un petit hôtel (**un hostal**). Complétez cette conversation avec les formes appropriées de **saber** et **conocer**. Notez que le ton utilisé ici est familier.

Martín Perdona, ¿______ (tú) dónde hay un hostal por aquí cerca?
Chica No (lo) ______. No ______ este barrio. ______ un hostal, pero está un poco lejos de aquí, en la calle de Los Olivos. ¿______ (tú) la calle de Los Olivos?
Martín No soy de aquí. No ______ la ciudad.

4 Entre el banco y la papelería

Vous travaillez dans un pays hispanophone et on vous a demandé de vous occuper de quelques visiteurs qui ne connaissent pas la région. Regardez attentivement la carte p.47 et répondez aux questions des visiteurs en utilisant les expressions de la liste ci-dessous. Lisez d'abord l'exemple proposé.

al lado (de)
a la derecha/izquierda
al final (de)
enfrente (de)
detrás (de)
delante (de)
entre
en la esquina

Ejemplo: ¿Hay un restaurante por aquí?

Hay dos, uno enfrente y otro cerca de la parada de autobuses, entre el banco y la papelería.

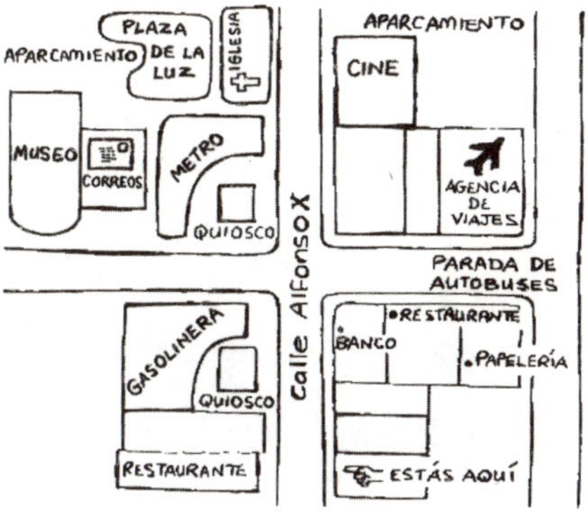

a ¿Hay un aparcamiento por aquí cerca?
b ¿Dónde hay un banco?
c ¿Dónde está Correos?
d ¿Dónde hay un quiosco de periódicos?
e La parada de autobuses, ¿dónde está?
f ¿Dónde hay una agencia de viajes?
g ¿Hay una papelería por aquí?
h La Plaza de la Luz, ¿dónde está?

5 ¿Dónde están?

Vous êtes au Mexique, une guide touristique explique en espagnol où se situent certains lieux. Écoutez les questions et réponses plusieurs fois (ou reportez-vous à la transcription du dialogue page 284) en vous concentrant tour à tour sur un lieu différent ; notez ensuite où se trouvent ces lieux en français.

a la avenida del Mar
b la playa
c Correos
d el museo

a cuadra (Am. l.) ici, *la rue* (littéralement, *le pâté de maison*)

6 Ahora tú

a ¿En qué calle está tu casa? ¿Y en qué barrio está?
b ¿Hay una parada de autobús o estación (de metro) cerca de tu casa? ¿A qué distancia está?
c ¿Qué tiendas hay en tu barrio?
d ¿Qué sitios importantes hay?

05

¿qué van a tomar?

que prendrez-vous ?

Dans cette unité vous apprendrez à :

- commander de la nourriture et des boissons ;
- demander ce qu'il y a à manger et à boire ;
- dire ce que vous préférez.

1 Queremos el menú del día

Marisol et Antonio déjeunent dans un restaurant. Vous verrez dans l'encadré ci-dessous un menu du jour traditionnel dans un restaurant espagnol. Combien de mots pouvez-vous reconnaître ? Vérifiez le sens du reste du vocabulaire avant de vous référer au dialogue.

RESTAURANTE SANTA MARIA
Menú del día
Sopa
Gazpacho*
Ensalada mixta
Guisantes con jamón
*****
Paella
Merluza a la plancha con ensalada
Pollo con patatas
Cordero asado
*****
Pan, vino, helado, flan, fruta

*Le gazpacho est une soupe froide faite avec de la tomate, des poivrons, des concombres, de l'oignon, de l'ail et du pain.

1.1 Répondez à ces questions :

- **a** Que va manger Marisol ?
- **b** Et Antonio ?
- **c** Quelle boisson va prendre Marisol ?
- **d** Que préfère prendre Antonio ?

Camarero ¿Qué van a tomar?
Marisol Queremos el menú del día. Para mí, gazpacho de primero, y de segundo quiero merluza a la plancha con ensalada.
Camarero ¿Y para usted?
Antonio Yo, guisantes con jamón, y de segundo pollo con patatas fritas.
Camarero ¿Y para beber?
Marisol Agua mineral sin gas.
Antonio Yo prefiero vino tinto.

1.2 Lisez maintenant le dialogue et trouvez l'équivalent en espagnol de :

a Nous voulons le menu du jour
b Pour moi…
c en entrée/en plat de résistance
d Moi, je préfère…

¿Qué van a tomar?	*Que prendrez-vous ?*
beber	*boire*
patatas fritas	*frites*

Notez que **patatas fritas** signifie aussi « chips ».

2 ¿Me trae otra agua mineral, por favor?

Antonio appelle le serveur pour commander autre chose.

2.1 Que commandent Marisol et Antonio ? Référez-vous au dialogue.

Antonio Por favor, ¿nos trae un poco más de pan?
Marisol ¿Y me trae otra agua mineral, por favor?
Camarero Muy bien.
(Antonio et Marisol commandent un dessert.)
Marisol ¿Qué tienen de postre?
Camarero Hay flan, helados y fruta.
Marisol Un helado de chocolate para mí.
Antonio Yo quiero un flan.

2.2 Retrouvez comment se disent ces questions en espagnol.

a Vous pouvez nous apporter… ?
b Vous pouvez m'apporter… ?

2.3 Utilisez le menu de la page 49 et la conversation que vous venez d'étudier comme modèles pour créer des dialogues similaires.

traer	*apporter*
un poco más de	*un peu plus de*
el postre	*le dessert*
el helado	*la glace*

ⓘ Les habitudes alimentaires ont beaucoup changé ces dernières années en Espagne et dans les grandes villes d'Amérique latine. Traditionnellement, les travailleurs rentraient chez eux pour prendre un déjeuner (**una comida** ou **un almuerzo**) au calme ; aujourd'hui, nombre d'entre eux optent plutôt pour un menu du jour (**un menú del día**) dans un restaurant près du bureau ou pour un repas rapide (**una comida rápida**) dans un fast-food. Beaucoup de restaurants proposent **el menú del día**, aussi appelé **la comida corrida** au Mexique, à des prix raisonnables, avec du vin (**vino**) ou une autre boisson (**una bebida**) normalement compris dans le prix du menu.

Comment dit-on... ?

Commander de la nourriture et des boissons

¿Qué van a tomar?	*Que prendrez-vous ?*
Para mí/Yo, ensalada/ guisantes con jamón.	*Pour moi ce sera une salade/des petits pois avec du jambon.*
Quiero merluza a la plancha/ pollo con patatas.	*Je veux du colin grillé/poulet avec des pommes de terre.*
¿Me/Nos trae (un poco) más (de) pan/agua?	*Vous pouvez m'/nous apporter (un peu) plus de pain/d'eau ?*

Demander ce qu'il y a à manger ou à boire

¿Qué tienen de postre/ de segundo/para beber?	*Qu'avez-vous en dessert/comme plat de résistance/à boire ?*

Dire ce que vous préférez

Prefiero melón/flan.	*Je préfère du melon/flan.*

Grammaire

1 Les prépositions

On appelle les mots tels que **para**, **con**, **sin**, **de** des *prépositions*. Comme en français, les prépositions peuvent avoir en espagnol plusieurs utilisations et sens différents.

Para mí, una sopa.	*Pour moi, ce sera une soupe.*
¿Y para usted/ti?	*Et pour vous/toi ?*
¿Y para beber?	*Et comme boisson ?*
De segundo quiero merluza a la plancha.	*Comme plat de résistance je veux du colin grillé.*
Yo, cordero asado con patatas.	*Pour moi, ce sera de l'agneau rôti avec des pommes de terre.*
Un agua mineral con/sin gas.	*Une eau minérale gazeuse/plate.*

2 ¿Me/nos trae...? (*Pouvez-vous m'/nous apporter... ?*)

Pour demander quelque chose poliment, conjuguez le verbe que vous voulez utiliser au présent, à la troisième personne du singulier et faites-le précéder de **me** (*m'*) ou **nos** (*nous*).

¿Me trae una botella de vino?	*Vous pouvez m'apporter une bouteille de vin ?*
Por favor, ¿me trae una gaseosa?	*Vous pouvez m'apporter une limonade, s'il vous plaît ?*
¿Nos trae dos cafés con leche?	*Vous pouvez nous apporter deux cafés au lait ?*
¿Nos trae la cuenta, por favor?	*Vous pouvez nous apporter l'addition, s'il vous plaît ?*

3 Preferir (*préférer*)

Pour indiquer ce que l'on préfère, on utilise en espagnol le verbe **preferir**. **Preferir** est un verbe à diphtongues, le **-e** du radical devient **-ie**, comme **querer** *vouloir* (voir Unité 3). Le voici ci-dessous conjugué au présent.

(yo)	prefiero
(nosotros)	preferimos
(tú)	prefieres
(vosotros)	preferís
(él/ella/usted)	prefiere
(ellos/ellas/ustedes)	prefieren

¿Qué prefieres?	*Que préfères-tu ?*
Prefiero un café solo.	*Je préfère un café.*
¿Prefieren cerveza o vino? (*vouvoiement pluriel*)	*Vous préférez une bière ou du vin ?*
Preferimos vino blanco.	*Nous préférons du vin blanc.*

4 Un mot, plusieurs sens

Les mots pour la nourriture et les repas ont des sens différents selon les régions. Le mot standard pour *petit-déjeuner* est **el desayuno**, pour *déjeuner*, **el almuerzo** ou **la comida** et pour *dîner*, **la cena**. Cependant, **el almuerzo** désigne aussi dans certains endroits (par exemple à Barcelone ou à Mexico) un en-cas que l'on prend en milieu de matinée. De même, dans certains pays d'Amérique latine, **la comida** se réfère au dîner. En Espagne, **un sandwich** désigne un casse-croûte avec du pain de mie tandis qu'**un bocadillo** est fait avec de la baguette. Dans la plupart des pays d'Amérique latine, on utilise indifféremment **sandwich** sans faire de distinction entre les deux types de pains. Au Mexique, **una torta** se fait avec de la baguette, les Mexicains en sont fervents.

Prononciation

Le **j**, comme dans « **j**amón, a**j**o », n'a aucun équivalent en français, c'est un raclement de gorge plus marqué que notre « r ».
Le **g**, devant **e**, **i**, comme dans « li**g**ero, **G**ibraltar », se prononce comme le « j » espagnol (son guttural).
Le **g**, devant **a**, **o**, **u**, comme dans « **g**as, se**g**undo » se prononce comme le « g » de « garçon ». On le prononcera également ainsi devant les lettres **r** et **n** comme dans « g**r**is, i**gn**orante ».
Le **g**, dans **gue** et **gui**, comme dans « **Gue**rnica, **gui**sante », se prononce comme le « g » de « garçon ». Le « u » ne se prononce pas.

Entraînez-vous avec :

Para mí un sandwich de jamón y un agua con gas. Para Jaime un gazpacho, y de segundo pollo con guisantes y judías verdes.

Exercices

1 Una comida

Raquel et Francisca déjeunent ensemble. Complétez la conversation avec ces mots : **a, con, de, sin, para**.

- ¿Qué van a tomar?
- ______ mí, sopa de verduras, ______ primero, y ______ segundo quiero cordero asado ______ arroz.
- ¿Y ______ usted?
- Yo, pescado ______ la plancha ______ puré.
- ¿Y ______ beber?
- Dos aguas minerales.
- ¿ ______ gas o ______ gas?
- Una ______ gas y la otra ______ gas.

2 ¿Tú o usted?

Plusieurs personnes demandent différentes choses, à partir de l'enregistrement (ou de sa transcription page 287), dites si elles tutoient ou vouvoient leur interlocuteur en écrivant **tú** *tu* ou **usted** *vous* à côté des lettres.

a ______	c ______	e ______
b ______	d ______	f ______

la servilleta	*la serviette*
el azúcar	*le sucre*
la sal	*le sel*

Notez que le mot « sel » est féminin en espagnol, on dira donc : **la sal**.

3 Ahora tú

Vous êtes au *Restaurante Santa María*. Utilisez le menu page 49 pour compléter votre partie du dialogue avec la serveuse.

Camarera	**Tú**
¿Qué va a tomar?	______
¿De segundo qué quiere?	______
¿Y para beber? ¿Vino blanco, tinto, cerveza, agua…?	______
Muy bien.	*Demandez-lui quels desserts elle a.*
Hay helado, flan y fresas con nata.	______
	Demandez un café et l'addition.
Sí, un momento, por favor.	

4 En un bar

Que sert-on dans ce bar espagnol ? Lisez d'abord attentivement la carte du bar puis écoutez Ramón, Silvia et Clara passer leur commande. Vous pouvez également reprendre la transcription du dialogue page 287. Que vont-ils prendre ? Écrivez dans le tableau ci-dessous ce que chacun a commandé.

BAR Las Gaviotas

Tapas	Bocadillos
champiñones	jamón
gambas	queso
calamares	chorizo
tortilla de patatas	salchichón

	Para comer	Para beber
Silvia		
Clara		
Ramón		

5 ¿Qué restaurante prefieres?

Vous êtes au Chili avec un collègue et vous repérez dans un journal local des publicités de deux restaurants. Lequel choisiriez-vous pour dîner ? Lisez leurs présentations :

FICHA:

Restaurante Montealpino
Ubicación: Camino El Bajo 16.749, con Pastor Fernández, a pocos metros de la Plaza San Enrique.
Horario: Martes a sábado, 20 a 00:00 horas.
Domingo: almuerzo.
Comida: centroeuropea, incluye suiza, alemana, francesa e italiana.
Modalidad: A la carta.
Dos comen por: $14.000 aproximadamente.
Cómo ir: de sport o formal.
Otros: En otros horarios se abre para eventos de empresas.

FICHA:

Restaurante Salvaje
Dirección: Providencia 1177
Fono reservas: 235 25 15
Horario: de 12:00 a 01:00 horas (incluso domingos y festivos durante todo el año).
Viernes y sábado hasta las 02:00
Capacidad: 240 personas
Especialidad: comida internacional
Modalidad: a la carta
Dos comen por: 9 mil pesos aproximadamente
Cómo ir: informal
Importante: hay estacionamiento propio.

a Quelle sorte de nourriture servent-ils ?

b Quel est le prix moyen pour un repas pour deux dans chaque restaurant ? (L'un des prix est en pesos, la monnaie du Chili)

c Quelles sont les tenues vestimentaires de rigueur dans les deux restaurants ?

d Lequel des deux met des places de parking à disposition des clients ?

e Lequel choisiriez-vous si vous vouliez aller dîner un dimanche ?

6 Palabra por palabra

Voici quelques mots courants liés à la nourriture. Lisez-les puis replacez-les dans les catégories proposées ci-dessous en gras.

cuchillo	lechugas	uvas	merluza	cerdo
piñas	pollo	manzanas	cordero	tenedor
atún	cuchara	ajos	cebollas	plato

Pescado, Carne, Verdura, Fruta, Utensilio

Connaissez-vous d'autres mots que vous pourriez rajouter dans ces listes ?

7 ¡Que aproveche! ¡Buen provecho!

Lisez le texte ci-dessous sur les repas principaux en Espagne et en Amérique latine et comparez ces informations avec les habitudes de votre pays. Lisez ensuite les phrases **a**, **b**, **c** et **d** puis dites si elles sont vraies ou fausses (vrai = **verdadero** ; faux = **falso**).

En España y en Latinoamérica hay tres comidas principales: el desayuno, la comida o el almuerzo, y la cena.
En España, el desayuno es una comida ligera, consistente normalmente en café y tostadas, pero en algunos países latinoamericanos, México por ejemplo, el desayuno es generalmente abundante. Aparte de café, un desayuno mexicano puede incluir frutas, huevos, y algún plato típico de la región.
La comida o el almuerzo es la comida principal, se toma entre la una y las tres y consiste normalmente en dos platos, postre y café. El plato principal o segundo plato, generalmente lleva carne o pescado. A la hora de la comida, españoles y latinoamericanos consumen muchas legumbres, verduras y frutas frescas.
La cena se toma entre las nueve y las diez y es normalmente una comida ligera.

a En España se toma un desayuno muy abundante.
b En México se toma un desayuno ligero.
c La comida principal en España y Latinoamérica es la comida o almuerzo.
d El primer plato normalmente lleva pescado o carne.

¡que approveche! ¡buen provecho! *bon appétit (Am. l.)*
ligero *léger* **la legumbre** *légume sec* **la verdura** *le légume vert*

Notez que l'on n'utilise jamais le mot **legumbres** pour les légumes verts.

06

¿a qué hora llega?

à quelle heure arrive-t-il ?

Dans cette unité vous apprendrez à :

- demander et dire l'heure ;
- demander quels sont les horaires d'un moyen de transport ;
- dire quels billets vous voulez acheter et demander combien ils coûtent ;
- demander l'itinéraire à suivre pour aller quelque part avec un transport public.

1 ¿Qué hora es?

1.1 Écoutez plusieurs personnes demander et dire l'heure et regardez en même temps les horloges ci-dessous. Répétez ensuite après chacune d'elle les questions et réponses plusieurs fois. Ces deux questions seront utilisées :

¿Qué hora es? (*Quelle heure est-il ?*)/¿Tiene hora? (*Vous avez l'heure ?*)

a Es la una (en punto)

b Son las cuatro y diez

c Son las seis y cuarto

d Son las siete y media

e Son las diez menos cinco

f Son las doce menos cuarto

1.2 Écoutez de nouveau plusieurs fois les questions et réponses ; dites-les ensuite à haute voix jusqu'à ce que vous les ayez bien apprises. Puis, masquez les phrases et entraînez-vous à demander et à dire l'heure avec les horloges. Vous pouvez aussi changer les heures si vous souhaitez vous exercer davantage.

en punto *pile*

2 Deme un billete de ida y vuelta

Madame Molina, du Mexique, est dans une gare en Espagne, Elle achète un billet. Notez que, comme en français, on utilise l'horloge de 24 heures en espagnol pour les horaires officiels, « treize heures » se dit ainsi **las trece horas** et, les heures fractionnées comme « dix-huit heures quarante-cinq », **las dieciocho cuarenta y cinco**.

2.1 Référez-vous à cette conversation en vous concentrant tour à tour sur une information différente. Les deux mots clés de ce dialogue sont : **salir** *partir* et **llegar** *arriver*.

- **a** Où madame Molina veut-elle aller ?
- **b** Achète-t-elle un billet simple, **un billete de ida**, ou un billet aller-retour, **un billete de ida y vuelta** ?
- **c** Voyage-t-elle en première ou en deuxième classe ?
- **d** Demande-t-elle un wagon fumeur, **fumador**, ou non-fumeur, **no fumador** ?

Sra. Molina	Buenos días. Quiero reservar un asiento para Barcelona para el domingo.
Empleada	Pues, hay un tren a las once y media de la mañana, otro a las dieciséis quince...
Sra. Molina	¿A qué hora llega el tren de las dieciséis quince a Barcelona?
Empleada	A las veinte cuarenta y cinco.
Sra. Molina	Muy bien, deme un billete de ida y vuelta, por favor.
Empleada	¿Primera o segunda clase?
Srs. Molina	Segunda. ¿Cuánto cuesta?
Empleada	Sesenta euros. ¿Fumador o no fumador?
Sra. Molina	No fumador.

2.2 Reprenez maintenant le dialogue et retrouvez les équivalents de :

- **a** las nueve menos cuarto (de la noche),
- **b** las cuatro y cuarto (de la tarde).

2.3 Recréez des dialogues similaires en changeant les destinations, les jours de la semaine et les heures. Les jours de la semaine sont donnés page 62.

deme	*donnez-moi*
domingo	*dimanche*
un asiento	ici, *place* (littéralement, *siège*)

3 ¿Qué línea tengo que tomar?

Pilar veut aller à Tolède, elle demande à son ami Raúl comment il faut faire pour aller à la gare d'Atocha. Elle loge près de la station de métro (**la estación de metro**) Ópera à Madrid (voir la carte p.60).

3.1 Dites si les phrases **a**, **b** et **c** sont vraies ou fausses (vrai = **verdadero** ; faux = **falso**). Les mots clés ici sont **tomar** *prendre*, **cambiar** *changer*, **la línea** *la ligne*. Pilar tiene que... (*Pilar doit...*)

a tomar la línea dos en Sol
b cambiar en Ópera
c tomar el metro en dirección a Congosto

Pilar ¿Qué línea tengo que tomar para ir a Atocha?
Raúl Tienes que tomar la línea dos en Ópera, cambias en Sol, tomas la línea uno en dirección a Congosto y te bajas en Atocha. La estación está allí mismo.
Pilar Vale.

tener que	*devoir*
bajarse	*descendre*

3.2 Trouvez les expressions signifiant :

a Quelle ligne dois-je prendre ?
b Tu dois prendre…
c Tu descends à…
d Elle est juste là.

3.3 Utilisez la carte du métro de Madrid et la conversation entre Pilar et Raúl pour créer des dialogues similaires.

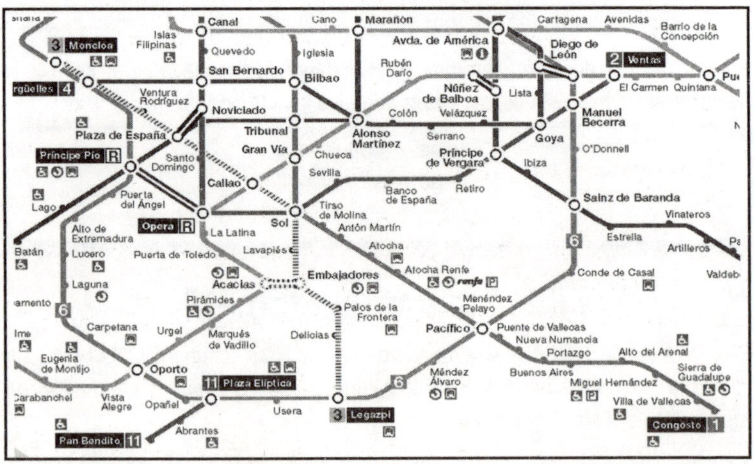

ⓘ Les grandes villes espagnoles comme Madrid, Barcelone, Valence et Séville offrent des réseaux de transports modernes et relativement bon marché. Madrid, Barcelone et Séville disposent d'un réseau de métro, **el metro**, et de bus, **los autobuses** desservant pratiquement toute la ville. Le réseau public espagnol des chemins de fer appelé *RENFE* (*Red Nacional de los Ferrocarriles Españoles*) propose de nombreux services : des trains interurbains modernes et rapides comme *el Talgo* ; le train à grande vitesse, *el AVE* qui va de Madrid jusqu'à Huesca dans le nord et jusqu'à Séville dans le sud; les trains s'arrêtant à toutes, les stations comme *el electrotrén*; le train de nuit moins rapide, *el expreso* ; et les trains de banlieue appelés los trenes de cercanía.

Comment dit-on… ?

Demander et dire l'heure

¿Qué hora es?	*Quelle heure est-il ?*
¿Tiene/s hora?	*Vous avez/Tu as l'heure ?*
Es la una.	*Il est une heure.*
Son las diez menos cuarto.	*Il est dix heures moins le quart.*
Son las doce y cuarto/media.	*Il est midi/minuit et quart/et demi.*

Demander quels sont les horaires d'un moyen de transport

¿A qué hora sale/llega?	*À quelle heure part/arrive-t-il ?*
Sale/llega a las…	*Il part/arrive à…*

Acheter des billets et demander combien ils coûtent

Quiero reservar un asiento/ hacer una reserva para…	*Je veux réserver une place/faire une réservation pour…*
Deme/Quiero un billete de ida/ de ida y vuelta.	*Donnez-moi/Je veux un billet simple/ aller-retour.*
¿Cuánto cuesta/vale? Cuesta/ Vale…	*Combien ça coûte ? Ça coûte…*

Demander l'itinéraire à suivre pour aller quelque part avec un transport public et répondre

¿Qué línea/autobús tengo que tomar/coger?	*Quelle ligne/Quel bus dois-je prendre ?*
Toma(s)/Coge(s) la línea…/el autobús número…	*Tu prends/Vous prenez la ligne…/le bus numéro…*
Cambia(s) a la línea…	*Tu changes/Vous changez ligne…*
Se baja/te bajas en…	*Vous descendez/Tu descends à…*

Grammaire

1 Dire l'heure

Pour dire l'heure, on utilise le verbe **ser** *être*, on dira donc **es** avec midi, minuit et une heure et **son** pour toutes les autres heures.

Es mediodía/medianoche.	*Il est midi/minuit.*
Es la una y cuarto.	*Il est une heure et quart.*
Son las nueve y veinticinco.	*Il est neuf heures vingt-cinq.*
Son las once y dieciocho minutos.	*Il est onze heures dix-huit.*
Son las seis menos cuarto.	*Il est six heures moins le quart.*

Dans certains pays d'Amérique latine, on utilise des expressions telles que **es un cuarto para las seis** *il est six heures moins le quart*, **son diez para las ocho** *il est huit heures moins dix* au lieu de **son las seis menos cuarto**, **son las ocho menos diez**.

Pour exprimer l'heure, on utilise toujours en espagnol un article devant un nom de nombre (**hora**, **horas** étant sous-entendues) : **son las seis** *il est six heures.*

2 Los días de la semana (*les jours de la semaine*)

lunes	martes	miércoles	jueves	viernes	sábado	domingo
lundi	*mardi*	*mercredi*	*jeudi*	*vendredi*	*samedi*	*dimanche*

Notez l'utilisation de l'article **el** devant les jours de la semaine, on dira par exemple : **Vendré el lunes** *Je viendrai lundi.*

el lunes	*lundi*
los martes	*le(s) mardi(s)*
para el miércoles	*pour mercredi*

3 D'autres prépositions

para

- la destination :

  para Málaga *pour Malaga*

- dans les expressions de temps :

  para el sábado *pour samedi*

por

- avec des moments de la journée :

por la mañana/tarde	*le matin/l'après-midi*
por la noche	*le soir, la nuit*
el jueves por la mañana	*(le) jeudi matin*

de

- avec des moments de la journée, lorsque l'heure est précisée :

Sale/Llega a las tres de la tarde.	*Il part/arrive à trois heures de l'après-midi.*

- avec **salir** *partir* :

Sale de Madrid a las seis.	*Il part de Madrid à six heures.*

a

- Avec **llegar** *arriver* :

Llega a Sevilla a las nueve.	*Il arrive à Séville à neuf heures.*

- Avec l'heure :

¿A qué hora llega?	*À quelle heure arrive-t-il ?*
Sale a las seis.	*Il part à six heures.*

4 Que (*qui, que*)

Pour dire « qui » ou « que » comme dans *Il y a un train qui part de Barcelone à midi* et *Le train que j'attends arrive à dix heures* utilisez **que** : Hay un tren **que** sale de Barcelona al mediodía, El tren **que** espero llega a las diez.

5 Dire à quelqu'un quel transport il doit prendre

a Le présent :

Tomas/Coges un tren.	*Tu prends un train.*
Toma/Coge un autobús.	*Vous prenez un bus.*
Cambias en Sol.	*Tu changes à Sol.*
Cambia a la línea 2.	*Vous changez ligne 2.*

En Amérique latine, on utilise généralement **tomar** *prendre* avec les moyens de transport plutôt que **coger**. En effet, **coger**, qui est plus courant en Espagne, est un mot tabou dans certains pays d'Amérique latine puisqu'il a une connotation sexuelle. **Tomar** sera compris et accepté partout.

b Tener que *devoir*

Tienes que cambiar en Sol.	*Tu dois changer à Sol.*
Para ir de Valencia a Mallorca tiene que tomar un avión o un barco.	*Pour aller de Valence à Majorque, vous devez prendre un avion ou un bateau.*

Prononciation

q s'utilise seulement pour **que** et **qui** et se prononce [ke] et [ki].

Entraînez-vous avec :

¿A qué hora sale el avión para Quito?
Quiero un billete para el tren que sale a las quince treinta.
Queremos cambiar quinientos euros.

Exercices

1 La hora en el mundo

Vous devez appeler à l'étranger depuis le Chili où vous êtes en voyage d'affaires. Comment demanderiez-vous à l'opérateur quelle heure il est dans les villes suivantes, et comment répondrait-il ? Regardez le tableau ci-dessous, posez les questions appropriées et répondez en utilisant une horloge de douze heures et des expressions telles que **de la mañana/de la tarde**.

LA HORA

Cuando en Chile es mediodía en el resto del mundo es:

New York	12:00
Madrid	18:00
Londres	17:00
Roma	18:00
Tokio	01:00
San Francisco	09:00
México	10:00
Sao Paulo	13:00
París	18:00
Sidney	02:00

a Madrid
b Londres
c Tokio
d San Francisco
e Sao Paulo
f Nueva York

2 De Sevilla a Málaga

Vous êtes maintenant en Espagne avec un ami et vous voulez prendre un train pour aller de Séville à Malaga. Regardez les horaires ci-dessous et répondez aux questions de votre ami en utilisant une horloge de douze heures.

ORIGEN				
SEVILLA STA. JUSTA	7.50	12.20	17.30	18.40
La Salud	–	12.28	–	–
Dos Hermanas	8.01	12.35	17.41	18.51
Utrera (LL)	8.13	12.47	17.53	19.03
Utrera (S)	8.15	12.50	17.55	19.05
El Arahal	–	13.07	–	–
Marchena	8.39	13.18	18.19	19.29
Osuna	9.05	13.45	18.44	19.55
Pedrera	9.34	14.12	19.08	–
La Roda Andalucía	9.47	14.26	19.21	20.36
Fuente Piedra	–	14.37	–	–
Bobadilla (LL)	10.05	14.46	19.42	21.00
Bobadilla (s)	10.09	15.04	–	21.01
MALAGA (LL)	10.58	16.17	–	22.03

a ¿A qué hora hay trenes para Málaga?

b ¿A qué hora llegan a Málaga?

3 Un recado

María Luisa est en voyage d'affaires à l'étranger, son agence de voyages l'appelle et lui laisse un message, **un recado**, sur son répondeur avec les horaires de son vol. À partir de l'enregistrement ou de sa transcription page 287, remplissez l'encadré ci-dessous avec les informations appropriées.

Destino	Salida	Llegada	Presentación en aeropuerto
-----	-----	-----	-----

la salida *le départ*
la llegada *l'arrivée*

4 Números

Écoutez l'enregistrement et faites une croix à côté des nombres que vous entendez puis essayez de les apprendre tous.

100	cien	800	ochocientos
101	ciento uno	900	novecientos
200	doscientos	1 000	mil
299	doscientos noventa y nueve	2 000	dos mil
300	trescientos	3 500	tres mil quinientos
400	cuatrocientos	10 000	diez mil
500	quinientos	100 000	cien mil
600	seiscientos	1 000 000	un millón
700	setecientos	2 000 000	dos millones

Remarque **-cientos** devient **-cientas** devant un nom féminin pluriel.

doscientos euros	*deux cents euros*
doscientas libras	*deux cents livres*

Le pluriel de **millón** est **millones**, on ne met pas d'accent à **millones**.

Les années se lisent ainsi :

1985	mil novecientos ochenta y cinco
1999	mil novecientos noventa y nueve
2006	dos mil seis

5 Ahora tú

Vous avez vu cette publicité d'une agence de voyages dans un journal espagnol et vous appelez un ami espagnol pour lui en parler. Comment liriez-vous ces nombres ?

EUROPA
AMSTERDAM. 3 días
Hotel 2* desde 240,00 €
MALTA. 3 días
Hotel 3* desde 328,00 €
CAPITALES DE RUSIA. 7 días
Hotel 4* desde 900,00 €
Visitando Moscú y San Petersburgo.

AFRICA
TWENDE (KENIA). 10 días
Hotel 4* desde 1.477,00 €
Visitando Nairobi, Samburu, Treetops, Lago Nakuru, Massai Mara.

ASIA
BANGKOK-BALI. 10 días
Hotel 5* desde 933,00 €
Visitando Bangkok y Bali
INDIA. 8 días
Hotel 4/5* desde 1.206,00 €
Visitando Delhi, Jaipur, Sariska, Fatehpur, Sikri, Agra.
MALDIVAS. 10 días
Hotel 4* desde 1.218,00 €
CHINA MILENARIA + GUILIN. 15 días
Hoteles 5* desde 1.693,00 €
Visitando Shanghai, Suzhou, Hangzhou, Guilin, Xian, Pekín.

6 El vuelo dura una hora

Vous êtes en voyage d'affaires à Bogotá, en Colombie, et décidez de passer quelques jours dans une ville coloniale à Cartagena de Indias. Suivez les instructions données en italique et complétez votre partie du dialogue avec l'employée de l'agence de voyages.

- Buenos días.
- *Saluez-la et demandez-lui combien coûte un billet aller-retour pour Cartagena en avion.*
- Doscientos cuarenta dólares.
- *Dites que vous voulez réserver un ticket pour vendredi matin et demandez à quelle heure il y a des vols.*
- Hay un vuelo a las ocho y cuarto y otro a las once y media.
- *Dites que vous préférez le vol de 8h15 et demandez à quelle heure il arrive à Cartagena.*
- El vuelo dura una hora aproximadamente. Llega a Cartagena a las nueve y veinte.
- *Dites que c'est bien.*

durar *durer*

7 Tienes que tomar la línea 2

Vous êtes maintenant à Madrid et vous voulez aller de Sol à Lista (regardez page 60).

a Comment demanderiez-vous quelle ligne vous devez prendre ?

b Les indications que l'on vous a données ne sont pas bonnes, corrigez-les.

Tienes que tomar la línea dos en Sol, en dirección a Ventas, cambias en Príncipe de Vergara y tomas un tren en dirección a Núñez de Balboa. Lista está una estación después de Núñez de Balboa.

07

¿cuánto cuestan?

combien ça coûte ?

Dans cette unité vous apprendrez à :

- dire quels aliments vous voulez et quelle quantité ;
- dire quels vêtements vous voulez ;
- demander le prix de quelque chose.

1 ¿Cuánto cuestan los plátanos?

Lola fait ses courses dans un supermarché espagnol.

1.1 Regardez d'abord la liste des fruits et des légumes ci-dessous. Pouvez-vous deviner le sens de certains mots ? Cherchez ceux que vous ne connaissez pas dans le **Lexique espagnol-français** situé à la fin du livre.

Frutas

el albaricoque/damasco (Am. l.)
la fresa/frutilla (Cône sud)
el limón
la manzana
el melocotón/durazno (Am. l.)
el melón
la naranja
la piña/ananá (région Río de la Plata)
el plátano/banana (Pérou, région Río de la Plata)
la uva

Verduras

el ajo	el pepino
la cebolla	el perejil
la coliflor	el pimiento (verde/rojo)
la lechuga	el tomate/jitomate (Mex.)
la patata/papa (Am. l.)	la zanahoria

Notez bien que **tomate** est masculin en espagnol : **el tomate**.

1.2 Référez-vous au dialogue pour trouver ce que va acheter Lola et combien elle en veut.

Dependiente	Buenos días. ¿Qué le pongo?
Lola	Quería un kilo y medio de naranjas.
Dependiente	¿Algo más?
Lola	¿Cuánto cuestan los plátanos?
Dependiente	Un euro con cuarenta el kilo.
Lola	Quiero un kilo.
Dependiente	¿Qué más?
Lola	Los tomates, ¿cuánto valen?
Dependiente	Un euro el kilo.
Lola	¿Me da dos kilos? Y deme una lechuga y dos kilos de patatas, también.

Dependiente ¿Algo más?
Lola Nada más. ¿Cuánto es?
Dependiente Son seis euros con ochenta.

1.3 Lisez maintenant le dialogue et trouvez les expressions signifiant :

a Deme **b** ¿Cuánto cuestan? **c** ¿Qué más?

1.4 Entraînez-vous avec ce vous avez appris en jouant le rôle du client. Remplacez les noms de fruits et de légumes du dialogue par d'autres noms de la liste ci-dessus et utilisez des expressions telles que **un cuarto de kilo** *un quart de kilo*, **medio kilo** *un demi-kilo*, **un kilo (y medio)** *un kilo (et demi)*, etc. Notez par ailleurs que l'on n'utilise pas d'article en espagnol devant **medio kilo** *un demi-kilo*.

¿Qué le pongo?	*Qu'est-ce que je vous sers ?*
quería	ici, *j'aurais voulu* (littéralement, *je voulais*)
dar	*donner*

2 ¿Puedo probármelos?

Agustín est dans un magasin, il s'achète des vêtements ; écoutez l'enregistrement ou reportez-vous au dialogue page 71. Vous apprendrez à dire quelle couleur et taille de vêtements vous voulez, vous découvrirez également les mots que l'on utilise en espagnol pour dire *ceux-ci*, *ceux-là*.

2.1 Retrouvez d'abord à quels dessins correspondent les mots de cette liste, puis dites ce qu'Agustín va s'acheter.

1 una chaqueta
2 un par de calcetines
3 un par de zapatos
4 un suéter (Am. l.)/un jersey
5 unos pantalones/un pantalon
6 una camisa

Notez que l'on utilise indifféremment **unos pantalones/un pantalón** pour dire « un pantalon » en espagnol.

2.2 De quelle couleur sont les vêtements qu'Agustín choisit ? Les mots pour les couleurs sont donnés page 74.

Dependienta	Buenos días. ¿Qué desea?
Agustín	Quisiera ver esos pantalones que están en el escaparate, por favor.
Dependienta	¿Éstos?
Agustín	Sí, ésos.
Dependienta	¿Qué talla tiene?
Agustín	La cuarenta y seis.
Dependienta	¿De qué color los quiere?
Agustín	Negros. ¿Son de algodón?
Dependienta	Sí, de algodón.
Agustín	¿Puedo probármelos?
Dependienta	Sí, sí, el probador está por aquí.
Agustín	Gracias.
Dependienta	¿Cómo le quedan?
Agustín	Me quedan muy bien. Me los llevo.
Dependienta	¿Desea algo más?
Agustín	Sí, quisiera ver esa camisa blanca.

2.3 Lisez maintenant le dialogue et trouvez les expressions signifiant :

a Je peux l'essayer ?
b Comment vous va-t-il ?
c Il me va très bien.
d Je le prends.

2.4 Entraînez-vous maintenant avec ce que vous avez appris en jouant le rôle du client dans le dialogue. Remplacez les noms de vêtements et de couleurs par d'autres mots de la même famille. Vous aurez peut-être besoin de consulter la section **Grammaire**, p 72 pour comprendre l'emploi des mots tels que **este, ese, lo, los,** etc.

quisiera	*je voudrais*
quedar	*aller* (vêtements)
el algodón	*le coton*
llevar	*prendre*
el probador	*la cabine d'essayage*
éstos/ésos	*ceux-ci, ceux-là*
probarse algo	*essayer quelque chose*

Comment dit-on… ?

Dire quels aliments vous voulez et combien

Quiero/Quería/Deme un kilo/ un kilo y medio de…	*Je veux/J'aurais voulu/Donnez-moi un kilo/un kilo et demi de…*
¿Me da medio kilo de…?	*Vous me donnez un demi-kilo de… ?*

Dire quels vêtements vous voulez

Quisiera ver…, de la talla…	*Je voudrais voir…, taille…*
Lo/La quiero en (blanco/negro).	*Je le/la veux en (blanc/noir).*
¿Es/Son de algodón/lana?	*Est-il/Sont-ils en coton/laine ?*

Demander si vous pouvez essayer quelque chose

¿Puedo probármelo(s)/la(s)?	*Je peux l'/les essayer ?* (masc./fém.)

Demander et dire si des vêtements vont bien

¿Cómo te/le queda(n)?	*Comment il(s)/elle(s) te/vous va/vont ?*
Me queda(n) bien.	*Il(s)/Elle(s) me va/vont bien.*
Me queda(n) largos(s)/corto(s).	*Il(s)/Elle(s) est/sont long(s)/court(s).*

Remarquez dans ce dernier exemple l'utilisation du verbe **quedar** en espagnol et *être* en français.

Demander combien coûte quelque chose

¿Cuánto cuestan/valen las lechugas/esos zapatos?	*Combien coûtent les laitues/ces chaussures ?*
¿Cuánto es?	*Ça coûte combien ?*

Grammaire

1 Este… ; ese…/aquel… (*ce, cet – objet proche ; ce, cet – objet éloigné*)

Este, **ese**, **aquel** s'accordent en genre (masculin ou féminin) et en nombre (singulier ou pluriel) avec le nom qu'ils désignent.

Notez que **este**, **ese**, **aquel** se traduisent tous les trois par « ce, cet » mais qu'ils s'emploient différemment. On utilisera **este** lorsque l'objet que l'on désigne est proche de nous, **ese** lorsqu'il est assez loin et **aquel** lorsqu'il est beaucoup plus éloigné ; le choix entre ces mots dépend donc du degré d'éloignement de l'objet désigné.

Singulier			Pluriel	
masc.	este traje	*ce costume(-ci)*	estos pantalones	*ces pantalons(-ci)*
fém.	esta camisa	*cette chemise(-ci)*	estas chaquetas	*ces vestes(-ci)*
masc.	ese melón	*ce melon(-là)*	esos limones	*ces citrons(-là)*
fém.	esa fruta	*ce fruit(-là)*	esas verduras	*ces légumes(-là)*
masc.	aquel jersey	*ce pull(-là)*	aquellos zapatos	*ces chaussures(-là)*
fém.	aquella lechuga	*cette laitue(-là)*	aquellas fresas	*ces fraises(-là)*

On peut utiliser ces mots à la place de noms, on les écrira alors avec des accents.

esta corbata	*cette cravate*
esos pantalones	*ces pantalons*
ésta	*celle-ci*
ésos	*ceux-là*

Cette fois-ci le degré d'éloignement est bien rendu en français : **éstos** = ceux-ci ; **ésos** = ceux-là.

2 Lo, los (*le, les*)

Pour dire « le » ou « les » comme dans *De quelle couleur vous le/les voulez ? Je le prends*, utilisez **lo** lorsque vous vous référez à un mot masculin et **la** lorsqu'il s'agit d'un mot féminin. Au pluriel, on employera : **los** et **las**.

¿De qué color quiere el jersey?	*De quelle couleur voulez-vous votre pull ?*
Lo quiero en negro.	*Je le veux en noir.*
¿Y la falda?	*Et la jupe ?*
La quiero en blanco.	*Je la veux en blanc.*
Me los llevo.	*Je les prends.*

On appelle ces mots des *pronoms compléments directs*, ils se placent normalement avant le verbe. Pour plus d'informations, reportez-vous à l'Unité 8 et au point 5.2 du **Précis grammatical**.

3 Me quedan muy bien (*Ils/Elles me vont très bien*)

Comme vous pourrez le constater dans ces phrases, **me** (*me*) s'utilise de différentes manières en espagnol :

¿Me da una piña?	*Vous me donnez un ananas ?*
Me queda estrecho.	*Il est trop serré pour moi.*
Me lo llevo.	*Je le prends (avec moi).*

Te s'utilise pour le tutoiement et **le** pour le vouvoiement :

¿Cómo te queda?	*Comment ça te va ?*
¿Le queda un poco largo?	*Il est un peu long pour vous ?*

Le signifie aussi « pour lui » ou « pour elle » :

Los zapatos le quedan grandes.	*Les chaussures sont trop grandes pour lui/elle.*

On appelle ces mots des *pronoms compléments indirects*. Pour plus d'informations, reportez-vous aux Unités 8 et 12 et au point 5.2 du **Précis grammatical**.

4 Les couleurs

Le mot **color** *couleur* est masculin en espagnol ainsi que le nom des couleurs, on dira par exemple : **De todos los colores, prefiero el negro**. *De toutes les couleurs, c'est le noir que je préfère.*

Les couleurs se terminant par un **-o** peuvent se mettre au féminin et au pluriel :

	singulier	*pluriel*
masc.	traje negro *costume noir*	guantes negros *gants noirs*
fém.	chaqueta negra *veste noire*	camisas negras *chemises noires*

Les couleurs se terminant par une consonne ou un **-e** ne peuvent pas se mettre au masculin ou au féminin :

masc./fém.

corbata (fém.) marrón	*cravate marron*
zapatos (masc.) marrones	*chaussures marrons*

Les couleurs se terminant par un **-a** sont généralement invariables :

abrigo (masc. sing.) naranj**a**	*manteau orange*
blusas (fém. pl.) ros**a**	*chemisiers roses*

negro	*noir*	**blanco**	*blanc*
marrón	*marron*	**azul**	*bleu*
naranja	*orange*	**rosa**	*rose*
rojo	*rouge*	**amarillo**	*jaune*
gris	*gris*	**verde**	*vert*
violeta	*violet*	**malva**	*mauve*

Prononciation

Les Espagnols ne font pas de différence à l'oral entre le **b** et le **v**. Le « b » de « Colombia » et le « v » de « Valencia » se prononcent de la même manière, ce son se rapproche beaucoup du « b » français. Leur prononciation est souvent plus douce, comme par exemple lorsqu'ils sont placés entre deux voyelles : Sevilla, La Habana.

Entraînez-vous avec :

¿Cuánto vale ese vestido blanco?
Quisiera probarme esa blusa verde.
¿Dónde está el probador?
Me queda muy bien. Me la llevo.

Exercices

1 Una lista de compras

Vous passez quelques jours dans une petite ville avec un ami espagnol. C'est aujourd'hui votre tour d'acheter de la nourriture et vous devez préparer une liste. Complétez chaque groupe de mots dans l'encadré avec le nom du produit approprié. Utilisez les dessins pour trouver le nom des produits et le **Lexique français-espagnol** situé à la fin du livre.

1 un kilo de...	*4 medio litro de...*
2 una lata de...	*5 media docena de...*
3 una barra de...	*6 una botella de...*

a

b

c

d

e

f

2 Ahora tú

Vous êtes en train de faire quelques courses dans un marché espagnol. Suivez les instructions données ci-dessous en italique pour compléter votre partie du dialogue avec le marchand.

Dependiente ¿Qué le pongo?
Tú *Dites que vous auriez voulu un kilo et demi de tomates.*
Dependiente ¿Qué más?
Tú *Demandez combien coûtent les fraises.*
Dependiente Tres euros el kilo.
Tú *Demandez-lui de vous en donner un kilo.*
Dependiente ¿Algo más?
Tú *Demandez-lui s'il a des poivrons verts.*
Dependiente Sí, ¿cuántos quiere?
Tú *Dites-lui que vous en voulez quatre.*
Dependiente ¿Quiere algo más?
Tú *Oui, vous voulez aussi du persil.*
Dependiente ¿Qué más?
Tú *Ce sera tout, merci.*

3 Palabra por palabra

Un intrus s'est glissé dans chacun de ces groupes de mots, retrouvez-les.

a camisa, falda, harina, vaqueros, abrigo, camiseta
b algodón, aguacate, lana, pana, lino, seda
c marrón, galleta, amarillo, rojo, verde, azul

4 Quisiera ver…

Vous trouverez ci-dessous un bref échange entre une cliente et un vendeur. Écrivez des dialogues semblables en utilisant les mots proposés dans le tableau. Notez que les mots servant à décrire des choses, par exemple, **negro** *noir*, **estrecho** *serré* doivent s'accorder en genre (masculin ou féminin) et en nombre (singulier ou pluriel) avec le nom qu'ils désignent. On dira par exemple, **el** sombrer**o** blanc**o** *le chapeau blanc*, **las** camisa**s** blanca**s** *les chemises blanches*.

Artículo	Color	Característica
botas	negro	estrecho
zapatos	marrón	grande
camiseta	amarillo	ancho
abrigo	gris	largo

Clienta	Por favor, quisiera ver esas botas negras.
Dependiente	¿Éstas?
Clienta	Sí, ésas. ¿Puedo probármelas?
Dependiente	Sí, por supuesto. ¿Cómo le quedan?
Clienta	Me quedan estrechas.

las botas *les bottes* **por supuesto** *bien sûr*

5 Ahora tú

Vous achetez des vêtements. Comment diriez-vous :

a Je voudrais voir (donnez le nom d'un vêtement)
b Combien coûte-t-il/coûtent-ils ?
c Je le(s) veux taille ... (votre taille).
d Je le(s) préfère en ... (couleur).
e Je peux le(s) essayer ?
f Il(s) me va/vont bien.
g Il(s) est/sont trop court(s).
h Je le(s) prends.

(i) Cette section qui s'intéresse aux caractéristiques de la culture espagnole et latino-américaine était jusque-là écrite en français. À partir de cette unité, elle sera en espagnol. Essayez de comprendre l'essentiel des textes en vous aidant des mots clés qui vous sont donnés. Aucune question n'est posée sur ces courts textes et certains sont introduits par quelques phrases en français pour vous aider à les comprendre.
Le texte ci-dessous donne quelques informations sur les habitudes des Espagnols et des Latino-américains quand ils font leurs achats. Où préfèrent-ils d'après vous faire leurs courses ? Pensez-vous que les heures d'ouverture des magasins sont les mêmes que celles de votre pays ? Lisez le texte pour en savoir plus.

De compras
En España y en Latinoamérica la mayoría de la gente compra los alimentos en pequeñas tiendas y mercados. Esta costumbre es mucho más evidente en pueblos y ciudades pequeñas donde no hay supermercados. Pero aún en ciudades grandes, como Barcelona o Madrid, donde hay muchos supermercados, la gente prefiere el contacto directo con el dependiente o el tendero.
Las tiendas, en España y en Latinoamérica, normalmente abren entre las 9:00 y 10:00, cierran al mediodía y abren nuevamente a las 3:00 o 4:00 de la tarde. En ciudades grandes, muchas tiendas, especialmente los grandes almacenes, están abiertas todo el día.

aún	*même*	**cerrar (e > ie)**	*fermer*
el tendero	*le commerçant*	**abrir**	*ouvrir*
nuevamente	*de nouveau*		

08

quisiera cambiar dinero

je voudrais changer de l'argent

Dans cette unité vous apprendrez à :

- changer de l'argent ;
- donner votre adresse ;
- louer une voiture.

1 En el banco

Ester est mexicain - Elle est en voyage d'affaires en Espagne et change de l'argent à la banque.

1.1 Regardez d'abord les mots clés dans l'encadré ci-dessous puis dites si ces phrases sont vraies ou fausses en vous référant au dialogue (vrai = **verdadero** ; faux = **falso**).

a	Ester quiere cambiar euros a dólares.
b	El cambio está a setenta y nueve céntimos de euro.
c	Ester quiere cambiar doscientos cincuenta euros.

Ester	Buenos días. Quisiera cambiar doscientos cincuenta dólares a euros. ¿A cuánto está el cambio? Tengo cheques de viaje.
Empleada	Está a setenta y nueve céntimos de euro. ¿Me da su pasaporte, por favor?
Ester	Aquí tiene.
Empleada	Bien. Puede firmarlos. ¿Qué dirección tiene aquí en Madrid?
Ester	Calle Salvador Nº 26, 2º, 4ª.

1.2 Lisez le dialogue et trouvez l'équivalent en espagnol de :

a Je voudrais changer…

b Quel est le taux de change ?

c Quelle est votre adresse ?

cambiar	*changer*
el cheque de viaje	*le chèque-voyage*
el cambio	*le taux de change*
firmar	*signer*

(i) En espagnol, les adresses ne s'écrivent pas de la même manière qu'en français. Lisez ce texte pour découvrir les différences.

Observa esta dirección: **Salvador nº 26, 2º, 4ª. Salvador** corresponde a la calle (*rue*), 26 indica el número de la casa o edificio (*maison ou bâtiment*), **2º**, segundo, corresponde al piso (*étage*) y **4ª**, cuarta, indica la puerta (*porte, numéro de l'appartement*). En **Avenida del Mar nº 150, quinto, B**, 'B' indica la puerta B. En **Calle Rosas nº 40, sexto, derecha**, 'derecha' indica la puerta derecha. **En Paseo de la Castellana nº 379, quinto, izquierda**, 'izquierda' indica la puerta izquierda.

En cartas, las direcciones se utilizan normalmente en forma abreviada: C/ = calle; Avda. = avenida; Pº = paseo; dcha. = derecha; izq. o izda. = izquierda.

2 Queríamos alquilar un coche

Pilar et son mari Luis veulent louer une voiture.

2.1 Regardez d'abord les mots clés puis à partir du dialogue dites si les phrases ci-dessous sont vraies ou fausses (vrai = **verdadero** ; faux = **falso**).

a Pilar y Luis quieren un coche para una semana.
b Quieren un coche mediano.
c El seguro obligatorio está incluido en el precio.
d Los impuestos también están incluidos.

2.2 Remplissez le tableau et la phrase du texte avec le prix de la location.

		KMS. ILIMITADOS		
Grupo	Modelo	1–2 Días Por día	3–6 Días Por día	7+ Días Por día
A	Ford Fiesta 1.1 Renault Clio		16 €	13 €
C	R. 19RL/Megane 1.4 A/C – Radio	25 €	19 €	15 €
D	Ford Escort 1.6 A/C – Radio	30 €	23 €	17 €
F	Seat Toledo 1.8 A/C – Radio	72 €	51 €	45 €
P	Renault Espace A/C 7 Pax. – Radio	92 €	79 €	67 €

Empleado ¿Dígame?
Pilar Queríamos alquilar un coche mediano para el fin de semana. ¿Qué nos recomienda?
Empleado Pues, les recomiendo el Ford Fiesta.
Pilar ¿Cuánto vale el alquiler?
Empleado Para uno o dos días vale ______ euros por día. El seguro obligatorio está incluido, pero los impuestos no.
Pilar Vale. ¿Y podemos pagar con tarjeta de crédito?
Empleado Sí, por supuesto.

2.3 Reprenez le dialogue et retrouvez l'équivalent en espagnol de :

a Que nous recommandez-vous ?

b Pouvons-nous payer par carte de crédit ?

2.4 Regardez de nouveau la grille indiquant les prix de location et changez le dialogue p.80 en utilisant d'autres types de voitures, durées de location et prix. Vous pouvez utiliser les mots **pequeño** *petit* et **grande** *grand* pour décrire le type de voitures que vous souhaitez. Notez que **coche** *voiture* est masculin en espagnol, d'où l'utilisation de **pequeño**.

mediano *de taille moyenne* **los impuestos** *les taxes*
el seguro *l'assurance*

Comment dit-on... ?

Changer de l'argent

Quisiera/Quiero cambiar dólares/euros a pesos.	*Je voudrais/Je veux changer des dollars/euros en pesos.*
¿A cuánto está el cambio?	*Quel est le taux de change ?*

Demander l'adresse de quelqu'un et donner la vôtre

¿Qué dirección tienes/tiene Vd.?	*Quelle est ton/votre adresse ?*
¿Cuál es tu/su dirección?	
(Vivo en la) calle/avenida...	*(J'habite) (dire le numéro) rue/avenue...*

Louer une voiture

Queríamos/Queremos alquilar un coche.	*Nous voulions/voulons louer une voiture.*
¿Cuánto cuesta/vale el alquiler?	*Combien coûte la location ?*
¿Está incluido el seguro/ IVA (masc.)?	*L'assurance/La TVA est-elle comprise ?*
¿Va con gasolina o gasóleo?	*Il faut mettre de l'essence ou du gasoil ?* (littéralement, *Elle marche avec de l'essence ou du gasoil ?)*

Grammaire

1 ¿A cuánto está el cambio? (*Quel est le taux de change ?*)

Notez l'utilisation du verbe **estar** *être* dans cette expression. On utilise **estar** pour exprimer un coût lorsque les taux ou les prix fluctuent comme pour les taux de change.

El peso argentino está a treinta céntimos de euro.	*Le peso argentin est à trente centimes d'euro.*

2 Queríamos (*nous voulions*), quisiéramos/querríamos (*nous voudrions*)

Dans l'Unité 7, nous avons vu plusieurs fois les mots **quería** *je voulais* et **quisiera/querría** *je voudrais* du verbe **querer** *vouloir*. À la première personne du pluriel, ces mots deviennent **queríamos** et **quisiéramos/querríamos**.

Queríamos alquilar un coche.	*Nous voulions louer une voiture.*
Quisiéramos llevarlo ahora mismo.	*Nous voudrions la prendre tout de suite.*

3 ¿Qué nos recomienda? (*Que nous recommandez-vous ?*)

Dans l'Unité 7, nous avons appris à utiliser les mots **me** *me*, **te** *te* et **le** *lui*, *elle*, *vous*. Par exemple :

¿Cómo le quedan?	*Comment vous vont-ils ?*
Me quedan muy bien.	*Ils me vont très bien.*

Dans le Dialogue 3 de cette unité, les mots **nos** *nous* et **les** *vous* (vouvoiement pluriel) ont été introduits.

¿Qué coche nos recomienda?	*Quelle voiture nous recommandez-vous ?*
Les recomiendo el Ford Fiesta.	*Je vous recommande la Ford Fiesta.*

Si vous vous adressez à plusieurs personnes que vous tutoyez, utilisez **os**.

Os recomiendo este hotel.	*Je vous recommande cet hôtel.*

Vous trouverez plus d'informations sur les emplois de ces mots dans l'Unité 12 et la section 5 du **Précis grammatical**.

4 Puede firmarlos (*Vous pouvez les signer*)

Remarquez que **los** *les* est ici attaché à **firmar** *signer*, qui est un infinitif. Dans ce type de phrases, les pronoms tels que **me**, **te**, **lo**, **la**, **le** peuvent à la fois se placer avant le verbe principal, ici **puede** *vous pouvez* ou après le verbe à l'infinitif. Voici quelques exemples :

¿Me puede recomendar uno? *ou* ¿Puede recomendarme uno?	*Pouvez-vous m'en recommander un ?*
¿Lo quiere llevar ahora? *ou* ¿Quiere llevarlo ahora?	*Voulez-vous l'emmener maintenant ?*

S'il n'y a pas de verbe à l'infinitif dans la phrase, le pronom doit se placer avant le verbe.

¿Me da su pasaporte? *Vous me donnez votre passeport ?*

Exercices

1 Quisiera cambiar…

Vous entendrez trois personnes changer de l'argent en euros. Quel est le taux de change pour chaque monnaie et combien vont-ils changer chacun ? Remplissez la grille suivante avec les informations appropriées. Notez que **céntimo** signifie *centime*.

Moneda	Cambio	Cantidad
libras		
francos suizos		
coronas suecas		

la moneda	*la monnaie*
la corona sueca	*la couronne suédoise*
la cantidad	*la quantité*

2 En una casa de cambio

Vous êtes dans un bureau de change au Chili et vous changez de l'argent. Remplissez ce dialogue en vous aidant des taux de change indiqués dans le tableau de la page 84, ne tenez pas compte des décimales. Vous logez *calle Vergara 640, 6°, C.*

Tú ______ dólares americanos a pesos. ¿ ______?
Empleado/a ¿Tiene billetes?

Tú	No, tengo cheques ______.
Empleado/a	Está a ______ ¿Cuánto quiere ______?
Tú	(*Dites que vous voulez changer deux cents dollars*)
Empleado/a	Muy bien.
Tú	Y el cambio de los francos suizos, ¿______?
Empleado/a	Los francos suizos están a ______ ¿______ francos suizos quiere ______?
Tú	(*Dites que vous voulez changer cent francs suisses*)
Empleado/a	¿Cuál es su dirección en Santiago?
Tú	______.

los billetes	*les billets*
la casa de cambio (Am. l.)	*le bureau de change*
EE.UU. = Estados Unidos	*États-Unis*

Remarque : les lettres des abréviations sont doublées en espagnol lorsque le mot abrégé est pluriel : **EE.UU.** (**Estados Unidos** *États-Unis*), **NN.UU.** (**Naciones Unidas** *Nations Unies*).

Monedas extranjeras

TIPO DE CAMBIO	PESO CHILENO
corona sueca	74,60
dólar australiano	449,49
dólar canadiense	471,73
dólar EE.UU.	580,75
euro	700,75
franco suizo	455,17
libra esterlina	1.056,06
nuevo sol peruano	178,44
peso colombiano	0,25
peso mexicano	53,92
real brasileño	242,13

3 Ahora tú

Vous êtes à Santiago et vous demandez à un ami chilien son adresse, vous donnez également la vôtre.

- *Demandez-lui son adresse.*
- Vivo en la avenida Santa María 45, departamento 22. ¿Y tú?
- *Donnez votre adresse.*
- ¿Y la dirección de tu oficina?
- *Donnez l'adresse de votre lieu de travail.*

4 Con cheque

Remplissez cette conversation avec les pronoms **lo**, **me** et **le**. Vous pouvez ensuite écouter l'enregistrement.

Clienta	Quería alquilar un coche pequeño. ¿Cuál ______ recomienda Vd.?
Empleado	______ recomiendo éste. Es pequeño y económico. ¿Para cuándo ______ quiere Vd.?
Clienta	Quisiera llevar______ mañana a ser posible. ¿Puedo pagar el alquiler con cheque?
Empleado	Sí, puede pagar______ con cheque, con tarjeta de crédito o en efectivo.

pequeño	*petit*
en efectivo	*en liquide*
cuándo	*quand*
el alquiler	*la location*
a ser posible	*si possible*

5 Ahora tú

Vous voulez louer une voiture avec des amis. Quelles questions poseriez-vous pour obtenir ces réponses ?

a El alquiler del Ford Escort cuesta 30 euros por día.
b Sí, el seguro obligatorio está incluido.
c No, los impuestos no están incluidos.
d Va con gasolina.
e Por supuesto. Pueden pagar con tarjeta de crédito.
f Sí, sí, pueden llevarlo ahora mismo.

tampoco *non plus*

6 Crucigrama

Horizontales

1	Puede pagar con cheque o en ______ .
2	Queremos ______ un coche.
3	(Yo) ______ llevarlo mañana.
4	¿Puedo pagar con ______ de crédito?
5	El seguro y los impuestos no están ______ .
6	Va con ______.
7	Le ______ este coche. Es estupendo.

Verticales

1	¿Cuánto cuesta el ______ de este coche?
2	¿A ______ está el cambio del dólar?
3	¿Puede ______ los cheques, por favor?
4	Quería ______ cien euros.
5	¿Tiene cheques o ______?
6	¿Puedo pagar con cheques de ______?
7	¿Hay una ______ de cambio por aquí? (Am. l.)

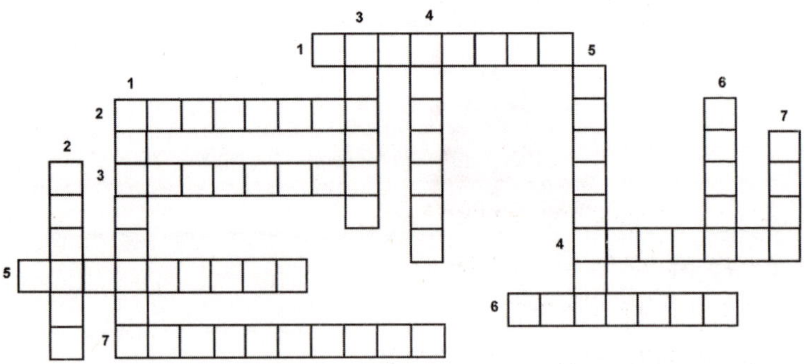

09

¿cuántos años tienes?

quel âge as-tu ?

Dans cette unité vous apprendrez à :

- parler de vous et de votre famille ;
- dire quel âge vous avez ;
- décrire votre maison et votre quartier ;
- faire des comparaisons.

1 Tengo dos hijos

María a commencé un nouveau travail. Elle discute avec son collègue Pablo, ils parlent de leur famille.

1.1 Reprenez leur conversation et dites si les phrases ci-dessous sont vraies ou fausses (vrai = **verdadero** ; faux = **falso**). Notez l'utilisation de **tener** *avoir*.

- **a** María tiene una hija de ocho años y un hijo de seis.
- **b** Pablo está soltero (*célibataire*).
- **c** Pablo vive con su familia.
- **d** Pablo es el menor de dos hermanos.

Pablo	Estás casada, ¿verdad?
María	Sí, tengo dos hijos.
Pablo	¿Cuántos años tienen?
María	El mayor, Gonzalo, tiene ocho años, y la menor, Laura, tiene seis. ¿Tú estás soltero?
Pablo	Sí, y vivo con mis padres y mis hermanos.
María	Eres muy joven. ¿Cuántos años tienes?
Pablo	Tengo veintidós años.
María	¿Cuántos hermanos tienes?
Pablo	Dos. Un hermano y una hermana. Yo soy el más pequeño.

1.2 Dites comment ces phrases sont exprimées en espagnol :

- **a** Tu es mariée, n'est-ce pas ?
- **b** Tu es célibataire ?
- **c** J'ai vingt-deux ans.
- **d** le plus vieux/la plus jeune

2 ¿Qué tal tu nuevo piso?

María et Pablo parlent maintenant de leur maison et de leur quartier.

2.1 Reprenez la conversation plusieurs fois en vous concentrant tour à tour sur une information différente. Les mots clés sont : **el piso** *appartement* (utilisé en Espagne) et **el barrio** *quartier*.

- **a** Comment est l'appartement de María ?
- **b** Comment est le quartier où elle habite ?
- **c** Comment est l'appartement de Pablo ?

Pablo ¿Qué tal tu nuevo piso?

María No está mal. Tiene cuatro habitaciones, un gran salón, cocina equipada, dos baños, y mucho sol.

Pablo ¿Y qué tal el barrio?

María Es muy bueno y es más tranquilo que el centro.

Pablo Nosotros vivimos en un piso en la calle Génova. No es tan grande como tu piso, pero es muy cómodo. Tiene tres habitaciones, el salón, la cocina, el baño, y calefacción individual. Pero el barrio es bastante ruidoso.

L'expression **¿Qué tal?** ne s'emploie pas seulement pour dire *Ça va ?*, elle est aussi souvent utilisée pour demander si quelque chose est bien ou s'est bien passé. Par exemple **¿Qué tal tu nuevo piso?** *Il est bien ton nouvel appartement ?*, **¿Qué tal anoche?** *C'était bien hier soir ?*

2.2 Dites quel appartement décrit dans les annonces ci-dessous correspond le mieux à :

a la description de María

b à celle de Pablo.

el barrio	*le quartier*	**más tranquilo que**	*plus calme que*
ruidoso	*bruyant*	**tan grande como**	*aussi grand que*
buenos acabados	*bonnes finitions*	**la calefacción**	*le chauffage*
la cocina equipada	*la cuisine équipée*	**el aseo**	*le cabinet de toilette*
reformado	*refait*	**jto. (junto a)**	*près de*

GENOVA
V. MONTSERRAT
Luminoso, sol, 3 hab. salón, cocina equip. baño nuevo, calef. indiv. buenos acabados.
210.000 €

GRACIA
T. VIDALET
Todo reformado, alto, mucho sol, gran salón, 4 hab. cocina equip. y 2 baños.
270.000 €

RONDA SAN ANTONIO
2 hab. salón, cocina y aseo.
140.000 €

COLLBLANCH
JTO METRO
Muy tranquilo, sol, 3 hab. gran salón, coc. y baño completo.
170.500 €

Comment dit-on… ?

Parler de vous et de votre famille

¿Estás soltero(a) o casado(a)?	*Es-tu célibataire ou marié(e) ?*
Estoy soltero(a)/casado(a).	*Je suis célibataire/marié(e).*
¿Cuántos hijos/hermanos tienes?	*Combien d'enfants/de frères et de sœurs as-tu ?*
Tengo (dos) hijos/hermanos.	*J'ai (deux) enfants/frères et sœurs.*

Demander et dire l'âge de quelqu'un

¿Cuántos años tienes/tienen?	*Quel âge as-tu/ont-ils ?*
Tengo/Tiene… años.	*J'ai/il, elle a… ans.*

Décrire votre maison et votre quartier

¿Qué tal el piso/la casa/ el barrio?	*L'appartement/la maison/le quartier est bien ?*
Tiene tres habitaciones/ dormitorios.	*Il, elle a trois pièces/chambres.*
Es un piso cómodo/ un barrio bueno.	*C'est un appartement confortable/un bon quartier.*

Faire des comparaisons

Es más tranquilo que el centro.	*C'est plus calme que le centre-ville.*
No es tan grande como tu piso.	*Il n'est pas aussi grand que ton appartement.*

Notez que le mot **habitación** peut signifier « chambre » ou « pièce » selon le contexte et qu'il ne porte pas d'accent au pluriel.

Grammaire

1 Dire sa situation de famille

On utilise généralement le verbe **estar** pour exprimer sa situation de famille. Notez que le **-o** de **soltero** *célibataire* et de **casado** *marié* devient **-a** au féminin et **-os**, **-as** au pluriel.

Pablo está soltero.	*Pablo est célibataire.*
María está casada.	*María est mariée.*
Estamos divorciados.	*Nous sommes divorcés.*

Dans ce contexte, on a tendance à utiliser en Amérique latine **ser** plutôt que **estar**.

¿Es usted soltero(a) o casado(a)?	*Vous êtes célibataire ou marié(e) ?*

2 Les mots pour les membres de la famille

Les mots tels que **el padre** *père*, **el hijo** *fils*, **el hermano** *frère* peuvent désigner, lorsqu'ils sont au masculin pluriel, plusieurs membres de la famille de sexes différents.

Tengo dos hijos Carlos y Teresa.	*J'ai deux enfants, Carlos y Teresa.*
Vivo con mis padres y mis hermanos.	*Je vis avec mes parents et mes frères et sœurs.*

3 Faire des comparaisons

a Plus… que

Pour dire qu'une chose est meilleure marché, plus chère, etc. qu'une autre chose, on utilise la construction **más… que**.

Este barrio es más barato que el centro.	*Ce quartier est meilleur marché que le centre-ville.*
Los alquileres son más caros (que aquí).	*Les loyers sont plus chers (qu'ici).*

b Comparatifs irréguliers

bueno	*bon*
mejor	*mieux*
malo	*mauvais*
peor	*pire*
grande	*grand*
mayor	*plus grand, plus vieux*
pequeño	*petit*
menor	*plus petit, plus jeune*

Remarque : on utilise normalement **más grande** et **más pequeño** pour la taille et aussi parfois pour l'âge.

Mi apartamento/departamento (Am. l.) es mejor.	*Mon appartement est mieux.*
Soy menor que Antonia.	*Je suis plus jeune qu'Antonia.*

c Aussi… que

Pour dire qu'une chose (n')est (pas) aussi chère que ou (pas) aussi confortable qu'une autre chose, on utilise **tan… como**.

Este piso no es tan caro como el otro.	*Cet appartement n'est pas aussi cher que l'autre.*
Mi habitación es tan cómoda como la de Pepe.	*Ma chambre est aussi confortable que celle de Pepe.*

d Le plus...

Pour dire que quelqu'un est le plus jeune ou que quelque chose est le plus grand ou le plus agréable etc., on utilise la construction **el, la, los** ou **las + más +** adjectif.

Soy el más pequeño.	*Je suis le plus jeune.*
Es la casa más grande.	*C'est la maison la plus grande.*
Son los barrios más agradables.	*Ce sont les quartiers les plus agréables.*

Notez bien qu'il n'y a pas d'article devant **más** dans ces deux derniers exemples. L'article s'utilise en effet dans les constructions avec un verbe comme dans le premier exemple mais pas après un nom.

Más ne s'utilise pas avec les formes irrégulières :

Ella es la menor de todas.	*Elle est la plus jeune de toutes.*
Este coche es el mejor.	*Cette voiture, c'est la meilleure.*

Prononciation

Le double **r**, comme dans « ba**rr**io, pe**rr**o » est fortement roulé.
Le **r**, après **n**, **l**, **s** comme dans « En**r**ique, al**r**ededor (*autour*), Is**r**ael » et au début d'un mot comme dans « **R**onda, **r**osa » est fortement roulé et se prononce comme **rr**.
Le **r**, entre deux voyelles, comme dans « ca**r**o, pe**r**o » est beaucoup plus doux.

Entraînez-vous avec :

Enrique y Rosa viven en un barrio muy caro de Tarragona.
Sara vive en Gerona.
Ramón y Carmen tienen un apartamento en las afueras de Sanlúcar de Barrameda.

Exercices

1 Yo y mi familia

Ricardo écrit pour la première fois à une nouvelle correspondante, il parle de lui et de sa famille. Remplissez le texte avec les mots appropriés.

Querida Pat:
¡Hola! Como ésta es mi primera carta, quiero contarte algo sobre mí y mi familia. Me (a) ________ Ricardo Gutiérrez, (b) ________ veintiún años, (c) ________ soltero, y (d) ________ con mi madre, mis tres hermanos y mi abuela. Mis (e) ________ están divorciados. Yo soy el (f) ________ de los cuatro hermanos. El segundo se (g) ________ Javier y (h) ________ diecinueve años, después viene Carmen, (i) ________ tiene dieciséis, y la (j) ________ es mi hermana Isabel, que va a cumplir catorce.

contar	ici, *parler* (littéralement, *raconter*)	**después**	*ensuite*
sobre	ici, *de* (littéralement, *sur*)	**venir**	*venir*
la abuela	*la grand-mère*	**va a cumplir**	*elle va avoir*
algo	*un peu*		

2 Ricardo y su familia

Comment décririez-vous Ricardo et sa famille à une autre personne ? Commencez ainsi : *Se llama Ricardo Gutiérrez…*

3 Me llamo Luisa…

Regardez cet arbre généalogique. Que dirait Luisa si elle devait parler d'elle et de sa famille ?

4 Una entrevista personal

Lors d'un entretien, Monsieur Bravo a dû fournir quelques informations personnelles. Écoutez cet entretien (ou reprenez sa transcription page 288) et complétez le formulaire ci-dessous avec les informations le concernant. La personne qui lui fait passer l'entretien utilise le mot **esposa** *épouse*.

Nombre:	
Edad:	
Estado civil:	
Nombre de su mujer:	
Edad de su mujer:	
Nº de hijos:	

la edad	*l'âge*
la mujer	*la femme*
el estado civil	*l'état civil*
la esposa	*l'épouse*

5 Ahora tú

¿Cómo te llamas? ¿Cuántos años tienes? ¿Estás casado(a) o soltero(a)? ¿Cómo se llama tu marido/mujer? ¿Cuántos años tiene? ¿Tienes hijos/hermanos? ¿Cómo se llaman? ¿Cuántos años tienen?

6 Un nuevo piso

Elena a emménagé dans un nouvel appartement, elle envoie un e-mail à son ami Roberto pour lui en faire la description. Voici un extrait de son message, lisez-le puis répondez aux questions **a**, **b**, **c** et **d**.

> ¡Hola Roberto!
> ¡No te imaginas lo contenta que estoy! Tengo un nuevo piso. Es estupendo, mucho mejor que el anterior y más barato. Tiene dos dormitorios y un salón bastante grande, con mucha luz. Es exterior y da a una pequeña plaza. El barrio es muy tranquilo y la calle donde vivo no tiene mucho tráfico. Además, tiene calefacción y aparcamiento, pero no tiene terraza. ¡Una lástima! Pero está muy cerca del metro. Tienes que venir. Es muy fácil llegar aquí ...

a ¿Cuántos dormitorios tiene el piso de Elena?
b ¿Qué tal es?
c ¿Cómo es el barrio?
d ¿Qué servicios tiene?

el dormitorio	*la chambre*
es exterior	*il donne sur l'extérieur*
el salón	*le salon*
da a	*il donne sur*

7 Alquileres

Vous êtes dans un pays hispanophone et vous cherchez un logement. Quelles sont les caractéristiques de chacun des appartements présentés dans ces annonces ? Cochez les cases qui conviennent dans la liste p.95, cherchez les mots que vous ne connaissez pas.

a **PS. CARLOS I.** Amueblado, 130 m², cocina office, 4 hab., baño, aseo, parket, parking, gas natural, calefac., piscina com. 1800 € Ref. 3320. Tel 93 451 14 72.

b **Pº VALLDAURA**. Amueblado, 75 m², 2 hab., baño, teléf., gas natural, exterior. 800 €. Ref. 3343. Tel. 93 451 14 72.

c **PL LESSEPS.** Sin muebles, 85 m², 3 hab., baño, aseo, coc. office, parket, teléf., parking opc., gas natural, calefac. 1480 €. Ref. 3427. Tel. 93 451 14 72.

		a	b	c
1	Meublé	☐	☐	☐
2	Non meublé	☐	☐	☐
3	Donnant sur la rue	☐	☐	☐
4	Cuisine avec cellier	☐	☐	☐
5	Cabinet de toilette	☐	☐	☐
6	Parking	☐	☐	☐
7	Chauffage	☐	☐	☐
8	Téléphone	☐	☐	☐
9	Piscine	☐	☐	☐

d ¿Cuál piso es más grande y cuántas habitaciones tiene?

com. (común)	*commune*
los muebles	*meubles*

8 ¿Cuál es el mejor?

Vous avez pris des notes sur deux autres appartements que vous avez vus ; vous avez décidé d'utiliser un barème allant de 0 à 5 pour noter chacune de leurs caractéristiques (5 étant la meilleure note). Écrivez des phrases comparant les deux appartements, utilisez pour ce faire les mots entre parenthèses. La première phrase vous est donnée en exemple.

	calle Lorca	avenida Salvador
precio	1	3
tamaño	5	3
situación	2	5
comodidad	4	4
seguridad	2	0
tranquilidad	3	3

a (barato) El piso de la avenida Salvador es más barato que el de la calle Lorca.
b (grande)
c (céntrico)
d (cómodo)
e (seguro)
f (tranquilo)

9 Ahora tú

Décrivez l'endroit où vous vivez et votre quartier. Utilisez l'Activité 6 comme modèle.

(i) Cet extrait décrit les principales tendances concernant le mariage, le taux de natalité et l'espérance de vie dans la société espagnole. Répondez à ces questions sur votre pays puis lisez le texte et comparez vos réponses avec les informations données.

a Les gens ont-ils tendance à se marier jeune dans votre pays ? Autour de quel âge ?
b D'après vous, combien d'enfants ont en moyenne les femmes dans votre pays ?
c Les gens vivent plus longtemps maintenant. Quelle est selon vous l'espérance de vie en moyenne pour les hommes et les femmes dans votre pays ?

Los españoles no se casan tan jóvenes. Los hombres suelen casarse entre los 29 y los 33 años; las mujeres se casan alrededor de los 28 y suelen tener el primer hijo a los 30 años.
España tiene la tasa de natalidad más baja del mundo, con 1,23 hijos por mujer. Como consecuencia de la caída de la natalidad y del incremento de la esperanza de vida, la población española envejece. El 16 por ciento de los españoles tiene más de 65 años y una esperanza de vida de 75 años los hombres y 82 las mujeres.

soler (o > ue)	*avoir l'habitude de, (faire, etc.) généralement*
la esperanza de vida	*l'espérance de vie*
la caída	*la chute*
la tasa de natalidad	*le taux de natalité*

10

¿a qué te dedicas?

que fais-tu dans la vie ?

Dans cette unité vous apprendrez à :

- dire ce que vous faites comme travail ;
- dire depuis combien de temps vous faites quelque chose (1) ;
- dire vos horaires de travail et les vacances que vous avez.

1 ¿Qué haces?

Lors d'une fête, Patricia rencontre Ramón, ils parlent de leur travail.

1.1 Référez-vous au dialogue et dites si les phrases suivantes sont vraies ou fausses (vrai = **verdadero** ; faux = **falso**). Les mots clés situés dans l'encadré vous aideront à comprendre la conversation.

a Ramón es estudiante.
b Estudia arquitectura en un colegio de Madrid.
c Patricia es bibliotecaria.
d Trabaja en la biblioteca de la Universidad de Granada.

Patricia	¿Qué haces? ¿Trabajas o estudias?
Ramón	Soy estudiante. Estudio arquitectura en la universidad de Granada. Y tú, ¿a qué te dedicas?
Patricia	Soy bibliotecaria. Trabajo en la biblioteca de un colegio de Madrid.
Ramón	¿Cuánto tiempo hace que trabajas allí?
Patricia	Desde hace un año solamente.

1.2 Comment Ramón demande à Patricia depuis combien de temps elle travaille dans cet endroit ? Reprenez le dialogue pour le savoir. Que répond-elle ?

trabajar	*travailler*
el/la bibliotecario/a	*le/la bibliothécaire*
estudiar	*étudier*

2 Trabajo de 8.00 a 3.00

Ramón demande à Patricia quels sont ses horaires.

2.1 Complétez les phrases **a**, **b**, **c** et **d**. Regardez les mots clés situés dans l'encadré page 99 si vous ne comprenez pas certains mots.

a Patricia trabaja ______ horas al día.
b Trabaja de ______ de la ______ a ______ de la ______.
c Trabaja de lunes a ______.
d Tiene ______ semanas de vacaciones al ______.

Ramón	¿Cuántas horas trabajas al día?
Patricia	Siete horas.
Ramón	¿Qué horario tienes?
Patricia	De ocho de la mañana a tres de la tarde, de lunes a viernes. Los sábados no trabajo.
Ramón	¿Y cuántas semanas de vacaciones tienes al año?
Patricia	Tengo tres semanas solamente.

2.2 Reprenez maintenant le dialogue plusieurs fois jusqu'à ce que vous le maîtrisiez. Réécoutez-le ensuite et essayez de jouer le rôle de Patricia.

al día	*par jour*
al año	*par an*
el horario	*les horaires*

Comment dit-on… ?

Demander à quelqu'un ce qu'il fait dans la vie et dire ce que vous faites

¿Qué haces?	*Que fais-tu ?*
¿A qué te dedicas/se dedica Vd.?	*Tu fais/Vous faites quoi dans la vie ?*
Soy…	*Je suis… (métier).*
Estudio…/Trabajo en…	*J'étudie…/Je travaille à, dans… (lieu)*

Demander à quelqu'un depuis combien de temps il fait quelque chose et donner les mêmes informations vous concernant

¿Cuánto tiempo hace que trabajas/estudias?	*Depuis combien de temps travailles-tu/étudies-tu ?*
(Trabajo/estudio) desde hace un año/mucho tiempo.	*(Je travaille/j'étudie) depuis un an/longtemps.*

Dire combien d'heures et de jours vous travaillez et les vacances que vous avez

Trabajo siete horas al día/treinta y cinco horas a la semana.	*Je travaille sept heures par jour/trente-cinq heures par semaine.*
Trabajo de 9:00 a 5:00/ lunes a viernes.	*Je travaille de 9h à 5h/du lundi au vendredi.*
Tengo… días/semanas de vacaciones al año.	*J'ai… jours/semaines de vacances par an.*

Grammaire

1 Demander à quelqu'un depuis combien de temps il fait quelque chose

Pour demander à quelqu'un depuis combien de temps il fait quelque chose, utilisez l'une de ces deux expressions :

- **¿Cuánto tiempo hace que?** + verbe au présent

¿Cuánto tiempo hace que estás aquí?	*Ça fait combien de temps que tu es ici ?*

- **¿Desde cuándo?** + verbe au présent

¿Desde cuándo vive Vd. en España?	*Depuis combien de temps habitez-vous en Espagne ?*

2 Dire depuis combien de temps vous faites quelque chose

Pour dire depuis combien de temps vous faites quelque chose, utilisez ces expressions :

- verbe au présent + **desde hace** + expression de temps

Estoy aquí desde hace bastante tiempo.	*Je suis ici depuis pas mal de temps.*

- **Hace** + expression de temps + **que** + verbe au présent

Hace varios años que vivo en España.	*Ça fait plusieurs années que j'habite en Espagne.*

- Réponses courtes

Desde hace mucho tiempo.	*Depuis longtemps.*
Desde 1980.	*Depuis 1980.*
Desde la edad de 25 años.	*Dès l'âge de 25 ans.*

3 D'autres prépositions

Regardez bien comment s'utilisent ces prépositions et faites attention à leurs traductions en français :

siete horas **al** día/**a** la semana	*sept heures par jour/par semaine*
de 10:00/lunes **a** 1:00/sábado	*de 10h/du lundi à 1h/au samedi*
desde las 11:00 **de** la mañana **hasta** las 4:00 **de** la tarde	*de 11h du matin jusqu'à 4h de l'après-midi*
desde hace mucho tiempo	*depuis longtemps*
en la biblioteca **de** un colegio **de** Madrid	*à/dans la bibliothèque d'une école/d'un collège de Madrid*

Prononciation

Le **h**, comme dans « **h**ace », ne se prononce pas. Notez que les combinaisons « ph, rh, th » n'existent pas en espagnol.
Le **ch**, comme dans « o**ch**o », se prononce comme le « tch » de « tchèque ».

Entraînez-vous avec :

Hace ocho años que Charo trabaja en Chile.
Hernán trabaja desde las ocho de la mañana hasta las nueve de la noche.

Exercices

1 Palabra por palabra

Reliez chaque métier à l'activité qui lui correspond.

a	Soy enfermero/a.	**1**	Enseño en un colegio.
b	Soy azafata.	**2**	Tengo una industria.
c	Soy conductor/a.	**3**	Escribo artículos para una revista.
d	Soy profesor/a.	**4**	Trabajo en un hospital.
e	Soy dependiente/a.	**5**	Hago muebles.
f	Soy cartero/a.	**6**	Conduzco camiones.
g	Soy periodista.	**7**	Reparto cartas.
h	Soy abogado/a.	**8**	Vendo ropa en una tienda.
i	Soy carpintero/a.	**9**	Trabajo en una línea aérea.
j	Soy empresario/a.	**10**	Trabajo en los tribunales.

2 ¿A qué se dedica?

Regardez les dessins page 102, que diraient ces personnes de leur travail ? Lisez les phrases **1**, **2**, **3**, **4** et retrouvez les dessins qu'elles décrivent.

1 Soy muy rico y no necesito trabajar.
2 Estoy jubilada *(retraitée)*.
3 Soy ama de casa.
4 Estoy sin trabajo.

3 ¿Qué hace Ema?

Écoutez maintenant Ema, du Mexique, parler de son travail et remplissez le tableau ci-dessous avec les informations qu'elle donne. (Vous pouvez également vous référer à la transcription du dialogue page 287.)

Profesión		
Trabaja en		
Desde hace		
Horario	**Mañana**	**Tarde**
Vacaciones	**Semana Santa** **Invierno** **Verano**	

la Semana Santa	*Pâques*
el verano	*l'été*
el invierno	*l'hiver*
alrededor	*autour*

4 Busco trabajo

Regardez ces annonces rédigées par des personnes offrant leurs services. Lisez ensuite les métiers indiqués sous ces annonces et dites qui ils pourraient intéresser. Donnez le nom de chaque personne ou leur numéro de téléphone.

- Profesora de ESO, con título de inglés a nivel Proficiency, da clases particulares y traduce artículos. Eugenia. 91 543 03 92. Madrid
- Busco trabajo cuidando niños por las mañanas. Llamar a partir de las 21 horas. Mª Ángeles. 91 945 33 52. Madrid
- Tengo 20 años y busco trabajo sólo por las mañanas o por las tardes como recepcionista, mecanógrafa o puesto similar. Mónica. 93 209 36 48. Barcelona.
- Licenciada en psicología, en la especialidad industrial, trabajaría preferentemente en una empresa. En cualquier lugar de España. Victoria. 986 85 67 33. Pontevedra.
- Tengo 17 años y estudio segundo de bachillerato nocturno. Me gustaría encontrar trabajo por las mañanas, tengo experiencia como dependienta. Mónica. 93 787 61 70. Badalona, Barcelona.
- Auxiliar administrativa se ofrece para trabajar en oficina o como recepcionista. 94 637 96 35. Vizcaya.

ESO (Enseñanza Secundaria Obligatoria)	*collège*
segundo de bachillerato	*terminale, bac*

a réceptionniste ou dactylographe
b psychologue dans une entreprise
c nourrice
d employé de bureau ou réceptionniste
e professeur ou traducteur
f vendeur

5 Ahora tú

Écrivez une annonce pour demander du travail. Utilisez un des modèles de l'Activité 4. Ces expressions pourront vous aider :

Busco trabajo como… (tu profesión)	*Je cherche du travail comme…* *(profession)*
Se ofrece para trabajar en…/ como…	*Cherche du travail dans…/comme…* (littéralement, *s'offre pour travailler dans*)

6 ¿Cuánto tiempo hace?

Votre ami Paul vient de vous présenter Carmen, elle étudie le français dans votre pays et habite dans votre quartier. Comment lui demanderiez-vous depuis combien de temps elle fait chacune des choses indiquées dans cette liste et comment répondrait-elle ? Utilisez les mots ci-dessous.

	actividad	*período de tiempo*
a	estar aquí	dos meses y medio
b	estudiar inglés	dos meses
c	vivir en este barrio	tres semanas
d	conocer a Paul	un año y medio

7 Ahora tú

a ¿Cómo te llamas? ¿A qué te dedicas? ¿Dónde trabajas? ¿Cuánto tiempo hace que trabajas allí? ¿Cuántas horas al día trabajas? ¿Qué horario tienes? ¿Trabajas los fines de semana? ¿Cuántas vacaciones tienes al año?

b ¿Cuánto tiempo hace que estudias español? ¿Estudias por tu cuenta o estudias en un colegio o universidad? ¿Qué horario de clases tienes? ¿Qué días tienes clases?

(i) D'après vous, dans quel secteur de l'économie travaille la majorité des Espagnols ? Quel pourcentage représentent les femmes dans le monde du travail ? Pensez-vous que beaucoup d'entre elles occupent des postes de direction dans la fonction publique ou dans le secteur privé ? Lisez ce texte pour connaître les réponses à ces questions et regardez en même temps les informations données dans les tableaux ci-contre.

Del total de españoles con trabajo, la mayor parte trabaja en el sector servicios. El segundo lugar lo ocupa el sector industrial. El tercero lo ocupa el sector agrícola, seguido muy de cerca por la construcción. Las mujeres trabajan preferentemente en el sector servicios y en menor número en la agricultura y la industria. En la construcción, la mayoría de los trabajadores son hombres. Del total de españoles con trabajo, el 66 por ciento son hombres y sólo el 34 por ciento mujeres. En España, como en otros países, el desempleo afecta principalmente a las mujeres y a los jóvenes que buscan por primera vez un puesto de trabajo. El número de mujeres que ocupa puestos directivos en la administración pública y en las empresas, es muy inferior al de los hombres.

los hombres	*les hommes*
seguido por	*suivi par*
la población activa	*la population active*
las mujeres	*les femmes*
el desempleo	*le chômage*
el puesto directivo	*le poste de direction*

PERSONAL DIRECTIVO DE ÓRGANOS DE LA ADMINISTRACIÓN PÚBLICA, DIRECTORES/AS y GERENTES DE EMPRESAS

	Número	%
MUJERES	28.900	12,7
HOMBRES	199.200	87,3
TOTAL	228.100	100

POBLACIÓN ACTIVA

	Total población activa ocupada por sector	% Hombres	% Mujeres
Sector agrícola	1.681.700	73,2	26,8
Sector industrial	4.138.800	78,4	21,6
Sector construcción	1.540.500	96,4	3,6
Sector servicios	9.016.300	56	44
Total población activa ocupada	16.377.300	66	34

11

empiezo a las nueve

je commence à neuf heures

Dans cette unité vous apprendrez à :

- parler de vos habitudes ;
- parler de ce que vous faites pendant votre temps libre ;
- dire avec quelle régularité vous faites quelque chose.

1 ¿A qué hora te levantas?

Mónica travaille dans un bureau et parle de ses habitudes à Joaquín.

1.1 À partir du dialogue ci-dessous, essayez de compléter les informations dans l'encadré. Vous aurez peut-être besoin de consulter les mots clés situés de l'autre côté de la page.

Joaquín	¿A qué hora te levantas?
Mónica	Normalmente me levanto a las siete menos cuarto.
Joaquín	¡Muy temprano! ¿A qué hora empiezas a trabajar?
Mónica	Empiezo a las nueve, y siempre tardo casi una hora en llegar a la oficina. A esa hora el tráfico es fatal.
Joaquín	¿Cómo vas al trabajo? ¿En coche?
Mónica	No, ¡qué va! Voy en autobús.
Joaquín	¿Y dónde comes?
Mónica	Pues, hay un restaurante enfrente de la oficina que no está nada mal. Normalmente como allí.
Joaquín	¿A qué hora sales?
Mónica	Salgo de la oficina a las siete y suelo volver a casa sobre las ocho.

Mónica…

a se levanta a las ______
b empieza a trabajar a las ______
c va al trabajo en ______
d tarda ______
e come en ______
f sale de la oficina a las ______
g suele volver a casa sobre las ______

1.2 Lisez maintenant le dialogue et cherchez les formes manquantes des verbes ci-dessous.

levantarse *se lever*	(yo) ________	(tú) te levantas
empezar *commencer*	(yo) empiezo	(tú) ________
tardar *mettre*	(yo) ________	(tú) tardas
ir *aller*	(yo) ________	(tú) vas
comer *manger*	(yo) como	(tú) ________
salir *sortir*	(yo) ________	(tú) sales

1.3 Jouez maintenant le rôle de Mónica en répétant d'abord ce qu'elle dit et en adaptant ensuite les réponses à votre propre situation.

levantarse	*se lever*
empezar (e > ie)	*commencer*
va	*elle va*
¡qué va!	*pas du tout !*
tardar	*mettre*
suele (de **soler o > ue**) **volver**	*elle rentre normalement*

2 ¿Te acuestas muy tarde?

Mónica raconte à Joaquín ce qu'elle fait pendant son temps libre.

2.1 Mónica explique dans ce dialogue ce qu'elle fait le soir et les week-ends. Vous trouverez ci-dessous une liste d'activités, cochez les cases appropriées.

Por la noche, Mónica…

- **a** lee novelas ☐
- **b** lee el periódico ☐
- **c** visita a sus amigos ☐
- **d** ve televisión ☐
- **e** friega los platos ☐
- **f** prepara la cena ☐
- **g** escucha música ☐

Los fines de semana, ella…

- **h** sale con amigos ☐
- **i** hace la compra ☐
- **j** va al cine ☐
- **k** toma unas copas con amigos ☐
- **l** va a bailar ☐
- **m** limpia la casa ☐
- **n** lava la ropa ☐

Joaquín ¿Qué haces por la noche?
Mónica Pues, en casa cenamos sobre las nueve y después de cenar a veces veo la televisión o leo el periódico y escucho música.
Joaquín ¿Te acuestas muy tarde?
Mónica Nunca me acuesto antes de las once y media o doce.
Joaquín Y los fines de semana, ¿qué haces normalmente?
Mónica Pues, hago la compra, lavo la ropa, a veces salgo con amigos, vamos a tomar unas copas o vamos a bailar a alguna discoteca.

2.2 Trouvez l'équivalent en espagnol de :

- **a** vers neuf heures
- **b** après avoir dîné
- **c** Je regarde parfois la télévision.
- **d** Je ne me couche jamais avant 11h 30

ver	*regarder*	**la compra**	*les courses*
leer	*lire*	**lavar**	*laver*
escuchar	*écouter*	**una copa**	*un verre*

Comment dit-on… ?

Parler de ses activités au quotidien

¿A qué hora te levantas/ empiezas a trabajar/sales?	*À quelle heure te lèves-tu/commences-tu à travailler/sors-tu ?*
Me levanto/empiezo/ salgo a las siete.	*Je me lève/Je commence/Je sors à sept heures.*
¿Cómo vas al trabajo/a clases?	*Comment vas-tu au travail/en cours ?*
Voy al trabajo/a clases en coche/autobús/metro.	*Je vais au travail/en cours en voiture/ bus/métro.*
¿Dónde comes/sueles comer?	*Où manges-tu/as-tu l'habitude de manger ?*
Como/suelo comer en un restaurante.	*Je mange/J'ai l'habitude de manger dans un restaurant.*

Parler de ce que vous faites pendant votre temps libre

¿Qué haces por la noche/los fines de semana?	*Que fais-tu le soir/les week-ends ?*
Hago la compra, lavo la ropa, salgo con amigos…	*Je fais les courses, je lave le linge, je sors avec des amis…*

Dire avec quelle régularité vous faites certaines choses

Normalmente veo la televisión/escucho la música.	*Normalement je regarde la télévision/j'écoute de la musique.*
A veces salgo con amigos/ vamos a tomar unas copas.	*Parfois je sors avec des amis/ nous allons prendre un verre.*
Siempre/nunca me acuesto antes de las 11:30.	*Je me couche toujours/je ne me couche jamais avant 11h 30.*

Grammaire

1 Parler de vos habitudes

a Le présent

Pour décrire les choses que l'on fait régulièrement, on utilise comme en français le présent. Vous avez déjà étudié ce temps dans les unités précédentes. Vous aurez ici l'occasion de revoir toutes ses formes avec des exemples sur les habitudes. Trois verbes réguliers au présent sont donnés en exemple page 110, ces verbes sont : lav**ar** *laver*, com**er** *manger*, viv**ir** *habiter*.

Lavo la ropa	*Je lave mes vêtements.*
Como en un bar.	*Je mange dans un bar.*
Vivo lejos de la oficina.	*J'habite loin du bureau.*

verbes en **-ar**	verbes en **-er**	verbes en **-ir**
lav**o**	com**o**	viv**o**
lav**as**	com**es**	viv**es**
lav**a**	com**e**	viv**e**
lav**amos**	com**emos**	viv**imos**
lav**áis**	com**éis**	viv**ís**
lav**an**	com**en**	viv**en**

b Soler + infinitif

Pour décrire une habitude, vous pouvez aussi utiliser le verbe **soler** (**o > ue**) *avoir l'habitude de, faire (ou un autre verbe) normalement* suivi d'un infinitif.

¿Qué sueles hacer por la noche?	*Que fais-tu normalement le soir ?*
Suelo estudiar.	*Normalement, j'étudie.*

2 Les verbes à diphtongues

Les dialogues ainsi que les sections précédentes de cette unité utilisent des verbes à diphtongues. Les verbes à diphtongues sont des verbes dont les voyelles du radical changent à toutes les formes du présent, *sauf* à la première personne du pluriel, **nosotros/as** et à la deuxième personne du pluriel, **vosotros/as** (voir Unité 3). Leurs terminaisons sont les mêmes que pour les verbes réguliers.

- le -**e** devient -**ie**

empezar *commencer :*	emp**ie**zo, emp**ie**zas…
fregar *laver :*	fr**ie**go, fr**ie**gas…

- le -**o** devient -**ue**

acostarse *se coucher :*	me ac**ue**sto, te ac**ue**stas…
almorzar *déjeuner :*	alm**ue**rzo, alm**ue**rzas…
volver *rentrer :*	v**ue**lvo, v**ue**lves…
soler *avoir l'habitude de :*	s**ue**lo, s**ue**les…
Empiezo a trabajar a las nueve.	*Je commence à travailler à neuf heures.*
Vuelvo a casa sobre las seis.	*Je rentre à la maison vers six heures.*

Nunca me acuesto tarde. *Je ne me couche jamais tard.*

3 Les verbes irréguliers

a La *première personne du singulier* des verbes **salir** *sortir*, **ver** *voir* et **hacer** *faire* est irrégulière. Les autres personnes sont régulières.

Salgo del trabajo a las seis.	*Je sors du travail à six heures.*
Por la noche veo la televisión.	*Le soir, je regarde la télévision.*
Los fines de semana hago la compra.	*Les week-ends, je fais les courses.*

b Le verbe **ir** *aller* est complètement irrégulier.

Singulier	*Pluriel*
voy *je vais*	**vamos** *nous allons*
vas *tu vas*	**vais** *vous allez* (tutoiement)
va *il, elle va* *vous allez* (vouvoiement, singulier)	**van** *ils, elles vont*

4 Les verbes pronominaux

Levantarse *se lever*, comme un certain nombre d'autres verbes, est accompagné de la particule **se** (*se* en français) ; elle se place à la fin du verbe et se soude à lui quand il est à l'infinitif. On appelle ces verbes des verbes pronominaux.

Vous remarquerez qu'un verbe pronominal en espagnol ne correspond pas toujours à un verbe pronominal en français et vice-versa.

acostarse	*se coucher*	llamarse	*s'appeler*
quedarse	*rester*	divertirse	*s'amuser*
dedicarse a	*se consacrer à*	recordar	*se souvenir de*

Les terminaisons de ces verbes sont les mêmes que celles des verbes réguliers, la seule différence est qu'il faut les utiliser avec : **me** *me*, **te** *te* etc. Voici le verbe **levantarse** conjugué au présent :

(yo)	me levanto	*je me lève*
(tú)	te levantas	*tu te lèves*
(Vd./él/ella)	se levanta	*il/elle se lève,* *vous vous levez* (vouvoiement, singulier)
(nosotros/as)	nos levantamos	*nous nous levons*
(vosotros/as)	os levantáis	*vous vous levez* (tutoiement)
(Vds./ellos/as)	se levantan	*ils/elles se lèvent,* *vous vous levez* (vouvoiement, pluriel)

¿A qué hora te levantas?	*À quelle heure te lèves-tu ?*
Me levanto a las seis y media.	*Je me lève à six heures et demie.*

Prononciation

Le **y**, comme dans « yo », se prononce comme le « y » de « yaourt » mais dans certaines régions il est plus accentué et se prononce quasiment comme le « j » de « je ». Dans d'autres régions, il se dit comme le « ll » de « calle ».
Lorsque **y** signifie « et », il se prononce comme le « i » de « gris ».

Entraînez-vous avec :

yo, yoga, yogur, desayuno, mayo
Yo desayuno en un bar de la calle dos de Mayo.
Yolanda hace yoga.

Exercices

1 Palabra por palabra

Voici dans la liste ci-dessous des verbes courants liés aux habitudes. Regardez-les attentivement puis classez-les dans ces catégories :

a	hygiène personnelle	**b**	apparence personnelle	**c**	s'habiller
1	ponerse la ropa	**4**	peinarse	**7**	afeitarse
2	bañarse	**5**	vestirse	**8**	lavarse
3	maquillarse	**6**	ducharse	**9**	lavarse los dientes

Notez que le verbe **vestirse** connaît un changement de voyelles lorsqu'il est conjugué, le **-e** du radical devient **-i** ; on dira par exemple : me visto. **Ponerse** est irrégulier à la première personne du singulier : me **pongo**.

2 La rutina de Ramiro

Ramiro est un homme très méthodique. Tous les matins, il fait exactement les mêmes choses. Comment expliquerait-il à quelqu'un ce qu'il fait ? Rédigez des phrases à partir des dessins pour décrire ses habitudes. La phrase du premier dessin vous est donnée en exemple.

Me levanto a las seis.

3 Mi rutina diaria

Écoutez Ema, du Mexique, parler de ses habitudes ou reprenez la transcription de l'enregistrement page 289.

3.1 Reliez chaque activité à l'heure qui lui correspond.

	Actividad		*Hora*
a	Se levanta	**1**	a las 6:00
b	Llega al trabajo	**2**	a las 7:00
c	Almuerza	**3**	a las 9:00
d	Regresa	**4**	a la 1:00

3.2 Regardez de nouveau la première colonne. Pouvez-vous y trouver des synonymes de **vuelve** et de **come** ?

tomar desayuno (Am. l.) **(desayunar)** *prendre le petit-déjeuner*

4 ¿A qué hora?

On vous a demandé de faire passer un entretien à Delia, une institutrice, et de lui demander quelles sont ses habitudes. Voici ses réponses. Retrouvez les questions que vous lui avez posées, utilisez pour cela ces mots interrogatifs : **¿Dónde? ¿Qué? ¿A qué hora? ¿Cuánto tiempo? ¿Cómo?** et tutoyez-la.

a Me levanto a las siete y media.
b Voy al colegio en coche.
c Tardo media hora en llegar.
d Empiezo las clases a las 9:30.
e Almuerzo en la cafetería del colegio.
f Salgo a las 3:00.
g Vuelvo a casa sobre las 3:30.
h Por la noche ceno algo ligero, y ayudo a mis hijos con sus deberes.
i Los fines de semana me dedico a mi familia.

ayudar *aider*	**los deberes** *les devoirs*

5 Ahora tú

On vous a demandé de parler de vos habitudes. Donnez le plus d'informations possibles, utilisez comme modèles les activités précédentes et les dialogues que l'on a vus au début de l'unité.

6 Un día en la vida de Plácido Domingo

Le célèbre ténor espagnol, Plácido Domingo, parle de ses habitudes à un journaliste. Lisez l'interview et essayez de répondre aux questions **a**, **b**, **c** et **d**. Les mots clés situés dans l'encadré vous aideront à mieux comprendre le dialogue.

a Que fait normalement le ténor avant une représentation ?
b Que mange-t-il lorsqu'il a une représentation ?
c Combien d'heures dort-il la nuit ?
d Où passe-t-il normalement ses vacances d'été ?

¿Cómo es un día de Plácido Domingo antes de una función?
Completamente tranquilo, trato de no aceptar ningún compromiso, no hacer absolutamente nada. Me quedo en casa, repaso, estudio, leo, y trato de estar en silencio.
¿Algún régimen especial?
Como una comida muy ligera, puede ser un poquito de pollo a la parrilla, o un poco de ternera y algo de sopa.
¿Cuántas horas duerme en la noche?
En días normales ocho horas. El día de la función trato de dormir hasta once.
¿Dónde veranea Plácido Domingo?
Depende, en la playa la mayoría de las veces.

la función	*la représentation*
quedarse	*rester*
tratar de	*essayer de*
repasar	*réviser*
el compromiso	*l'engagement*
a la parrilla	*grillé*

ⓘ Cet article porte sur l'intérêt qu'ont les Espagnols pour la lecture. Réfléchissez d'abord, avant de lire le texte, à la place accordée à la lecture dans votre pays.
Quel est le pourcentage d'Espagnols qui ne lit jamais ? Quels sont les journaux et magazines les plus populaires ? Les hommes et les femmes lisent-ils les mêmes choses ? Lisez le texte pour connaître les réponses à ces questions.

Los españoles leen poco

En España, con alrededor de cuarenta millones de habitantes, casi la mitad de los españoles mayores de 18 años no lee nunca, y el 63 por ciento no compra libros. Lo que más se lee son los periódicos deportivos y las revistas del corazón, la más popular de ellas *¡Hola!*. De los periódicos serios, el más vendido es *El País*, con 400.000 ejemplares al día.

Sólo doce millones de españoles leen periódicos, dieciocho millones leen revistas, treinta millones de personas ven televisión y sólo dos millones van al cine.

los españoles leen poco

El hombre lee el doble de periódicos que la mujer; la mujer lee más revistas semanales. El hombre prefiere escuchar radio, pero hombres y mujeres ven por igual la televisión.

la mitad	*la moitié*
la revista del corazón	*la revue « people »*
el ejemplar	*l'exemplaire*
por igual	*autant*

12

me gusta...

j'aime...

Dans cette unité vous apprendrez à :

- demander à quelqu'un ce qu'il aime et dire ce que vous aimez ou n'aimez pas ;
- parler de vos centres d'intérêt et de vos préférences ;
- dire ce que vous aimez et n'aimez pas dans votre travail.

1 ¿Te gusta?

Margarita,Victoria et Jorge parlent de ce qu'ils aiment faire pendant leur temps libre.

1.1 À partir du dialogue répondez aux questions suivantes. Les mots clés sont ici : **gustar** *aimer*, **encantar** et **fascinar** *adorer*, **interesar** *intéresser* et **preferir** *préférer*.

a Qu'aime faire Margarita pendant son temps libre ?
b Qu'aime regarder Victoria à la télévision ?
c Quelles émissions Margarita préfère-t-elle regarder ?
d Le mari de Margarita aime regarder quelque chose de bien précis, de quoi s'agit-il ?

Victoria	¿Qué te gusta hacer en tu tiempo libre, Margarita?
Margarita	Me gusta tocar la guitarra y cantar. Me encanta la literatura, y me gusta mucho el cine.
Jorge	A mí también me gusta el cine. Las películas españolas me gustan mucho. ¿Te gusta el cine, Victoria?
Victoria	A mí, la verdad, el cine no me interesa mucho. Prefiero ver la televisión. Me fascinan las telenovelas.
Jorge	A mí no me gustan nada.
Margarita	A mí tampoco. Las detesto. Prefiero los documentales y los programas deportivos. A mi marido le encanta el fútbol. Y a ti Jorge, ¿te gusta el fútbol?
Jorge	Sí, pero prefiero el tenis.

1.2 Complétez ces phrases.

a A Margarita le gusta ______ Le encanta ______ y le gusta mucho ______
b A Victoria no le interesa mucho ______ Prefiere ______ Le fascinan ______
c A Jorge le gusta ______ Las ______ le gustan mucho. Las ______ no le gustan nada.
d Al marido de Margarita le encanta ______

la película	*le film*
la telenovela	*le feuilleton*
el documental	*le documentaire*
el programa deportivo	*l'émission de sport*

2 ¿Qué tal tu trabajo?

Jorge et Margarita expliquent ce qu'ils aiment de leur travail et les activités qu'ils aiment faire pendant leurs vacances.

2.1 Regardez d'abord ces dessins décrivant différentes activités que les gens aiment faire pendant leurs vacances et retrouvez les phrases (indiquées sous **Me gusta**) leur correspondant.

Me gusta...

1 ir de camping/a campar
2 viajar al extranjero
3 montar en bicicleta
4 dormir hasta muy tarde
5 nadar
6 tomar el sol

2.2 Répondez maintenant à ces questions :

a Pourquoi Margarita aime-t-elle son travail ?
b Quelles activités parmi celles citées ci-dessus aime-t-elle faire pendant ses vacances ?
c Et Jorge, qu'aime-t-il faire ?

Jorge ¿Qué tal tu trabajo, Margarita? ¿Te gusta?
Margarita Estupendo, me gusta mucho. El sueldo no está mal, tengo un horario muy bueno, y el ambiente es excelente. Me encanta.
Pero el sitio en que está no me gusta nada. Es horrible.

Jorge	¿Y qué te gusta hacer en las vacaciones?
Margarita	Me gusta ir a la playa, nadar, tomar el sol y dormir hasta muy tarde.
Jorge	A mí me gusta ir de camping, montar en bicicleta, viajar al extranjero. Me encanta Nueva York.

2.3 Trouvez comment se dit en espagnol :

a Ça va ton travail ? **b** Ce n'est pas mal.

el sueldo	*le salaire*
el ambiente	*l'ambiance*
el sitio	*le lieu, l'endroit*

Comment dit-on... ?

Demander à quelqu'un ce qu'il aime et dire ce que vous aimez ou n'aimez pas

¿Qué te gusta?	*Qu'est-ce que tu aimes ?*
Me gusta/encanta/fascina el cine/ver televisión.	*J'aime/J'adore/le cinéma/regarder la télévision.*
Me gustan (mucho) las películas/los documentales.	*J'aime (beaucoup)les films/les documentaires.*
¿Te gustan las telenovelas?	*Aimes-tu les feuilletons ?*
No me gustan (nada). Las detesto.	*Je n'aime pas (du tout) ça. Je les déteste.*

Parler de vos centres d'intérêt et de vos préférences

La televisión (no) me interesa mucho.	*La télévision (ne) m'intéresse (pas) beaucoup.*
Prefiero los programas deportivos/ver DVD.	*Je préfère les émissions de sport/ regarder des DVD.*

Dire ce que vous aimez ou n'aimez pas dans votre travail

No/me gusta (mucho) mi trabajo.	*Je n'aime pas/J'aime (beaucoup) mon travail.*
Me gusta el ambiente/mi jefe/a.	*J'aime l'ambiance qu'il y a/mon, ma chef.*
El horario no me gusta (nada).	*Je n'aime pas (du tout) les horaires.*

Grammaire

1 Me gusta, te gusta… (*J'aime, tu aimes…*)

Pour dire ce que l'on aime ou n'aime pas, on utilise en espagnol le verbe **gustar** qui signifie littéralement *plaire* mais se traduit par *aimer*. Celui-ci doit être précédé d'un mot comme **me** *me*, **te** *te*, **le** *il, elle, vous* ; nous avons appris à utiliser ces mots dans des phrases telles que **me quedan bien** (Unité 7), **le recomiendo este coche** (Unité 8). À la différence de ces expressions, les mots **me**, **te**, **le** etc. ne se traduisent pas en français dans la construction avec **gustar**.

Vous n'aurez besoin pour l'instant que de la troisième personne du singulier, **gusta** et du pluriel, **gustan**. La troisième personne du singulier s'utilise avec un infinitif, par exemple, **escuchar** *écouter* pour dire ce que vous aimez faire et aussi avec des noms au singulier, comme par exemple, **el cine** *le cinéma*. La troisième personne du pluriel s'emploie avec des noms au pluriel comme **las telenovelas** *les feuilletons.*

Me gusta tocar la guitarra.	*J'aime jouer de la guitare.*
(Jouer de la guitare me plaît.)	
¿Te gusta el cine?	*Tu aimes le cinéma ?*
(Ça te plaît le cinéma ?)	
Le gustan las telenovelas.	*Il/Elle aime les feuilletons.*
(Les feuilletons lui plaisent.)	

Pour dire que vous n'aimez pas faire quelque chose, vous n'aurez qu'à ajouter le mot **no** devant la construction avec **gustar**.

No me gusta.	*Je n'aime pas.*
No me gustan (nada).	*Je n'aime pas (du tout).*

D'autres verbes se construisent de la même manière : **encantar** et **fascinar** *adorer*. Entraînez-vous à former des questions et des phrases avec ces verbes en utilisant les mêmes constructions que celles présentées ci-dessous.

me gusta/n	*j'aime*
te gusta/n	*tu aimes*
le gusta/n	*il/elle aime*
	vous aimez (vouvoiement, singulier)
nos gusta/n	*nous aimons*
os gusta/n	*vous aimez* (tutoiement)
les gusta/n	*ils/elles aiment*
	vous aimez (vouvoiement, pluriel)

2 A él/ella le gusta (*il/elle aime*)

Notez les différents sens de ces constructions :

Le gusta.	*Il/elle aime, vous aimez* (vouvoiement, singulier).
Les gusta.	*Ils/elles aiment, vous aimez* (vouvoiement, pluriel).

Le contexte permet généralement de définir quelle est la personne désignée, toutefois, si ce n'est pas clair, on peut préciser en faisant précéder ces constructions de la préposition **a**. Le sens des phrases reste alors le même :

Singulier			*Pluriel*		
A	usted él ella	le gusta/n.	A	ustedes ellos ellas	les gusta/n.

Remarquez qu'il faut garder **le** et **les**.

On utilise aussi la préposition **a** devant les noms de personnes :

A Antonio le gusta el flamenco.	*Antonio aime le flamenco.*
A Carmen y Sandra les gusta jugar a las cartas.	*Carmen et Sandra aiment jouer aux cartes.*

3 A mí me gusta (*j'aime*), a ti te gusta (*tu aimes*)

On utilise aussi la construction expliquée dans le point 2 pour donner de l'emphase ou pour exprimer un contraste entre vos goûts, vos centres d'intérêt et ceux de quelqu'un d'autre. Pour **yo** *je* et **tú** *tu*, on emploie respectivement **mí** et **ti**.

A mí me gustan los deportes.	*(Moi) j'aime le sport.*
A ti no te gustan, ¿verdad?	*Et toi tu n'aimes pas, n'est-ce pas ?*

Pour **nosostros/as** *nous* et **vosotros/as** *vous* (tutoiement, pluriel) on utilisera les mêmes mots :

A nosotros nos encanta la ópera.	*(Nous) nous adorons l'opéra.*
¿**A vosotros** también os gusta?	*Vous aussi vous aimez ?/Et vous, vous aimez aussi ?*

4 Questions et réponses courtes

Pour former des questions et des réponses courtes, vous aurez besoin des constructions expliquées dans les points 2 et 3 comme vous pourrez le constater dans ce dialogue :

Carlos	A mí me fascina el jazz.	*J'adore le jazz.*
Ana	A mí también. ¿Y a ti, María?	*Moi aussi. Et toi María?*
María	A mí no.	*Je n'aime pas.*
Ignacio	A mí tampoco.	*Moi non plus.*
María	A Victoria tampoco.	*Victoria non plus.*

Prononciation

Le **d** se prononce pratiquement comme notre « d » dans par exemple « suel**d**o », « an**d**ar » ou « **d**eporte ».

Cependant, il n'a pas la même prononciation lorsqu'il est placé à la fin des mots. Dans certaines régions, comme en Catalogne, il se dit comme un « t ». À Madrid ou dans certaines parties de la Castille, le **d** final se prononce comme un « z » atténué. « Madrid » peut donc se dire : « Madri^{d} » ou « Madriz ». En revanche, dans d'autres régions comme en Andalousie, il se prononce à peine.

Entraînez-vous avec :

A David le gusta hacer deportes, andar y sobre todo ver vídeos, pero detesta las tareas domésticas.

El sueldo de Delia no está mal y las condiciones de trabajo son estupendas.

Exercices

1 ¿Qué te gusta hacer?

On a demandé à un groupe de personnes d'indiquer ce qu'ils aimaient faire pendant leur temps libre. Regardez attentivement leurs réponses, elles sont placées par ordre de préférence dans la liste ci-dessous. Quelles activitiés aimez-vous et n'aimez-vous pas faire ? Remplissez ce tableau avec vos réponses.

Me encanta	Me gusta	No me gusta (nada)	Detesto

¿Qué te gusta hacer en tu tiempo libre?

1 ver TV/cable/DVD
2 hacer deportes
3 escuchar música
4 realizar tareas domésticas
5 salir con amigos/ir a fiestas
6 leer
7 viajar
8 andar
9 ir al cine
10 trabajar/estudiar
11 ir al teatro/conciertos
12 asistir a cursos

Me encanta planchar

ⓘ Quel est d'après vous le loisir le plus courant dans votre pays ? Et quel pourrait être l'activité privilégiée des Espagnols et des habitants d'Amérique latine ? Lisez ce texte si vous voulez en savoir plus.

Los españoles y latinoamericanos son grandes adictos a la televisión. Sólo turcos, ingleses e italianos ven más televisión que los españoles. Cada español ve una media de tres horas y treinta y un minutos de televisión al día. Los programas más populares son los "del corazón" y la telerrealidad, así como las películas y teleseries o "culebrones" y, por supuesto, los deportivos.
Entre los deportes, lejos el más popular es el fútbol, aunque en los últimos años se aprecia un mayor interés por otros deportes, especialmente el tenis.

una media	*une moyenne*
aunque	*bien que*
culebrones	*séries télévisées à l'eau de rose aux très nombreux épisodes et qui proviennent souvent d'Amérique latine*
programas del corazón	*émissions de télévision sous forme d'entretiens, de reportages souvent fondées sur des rumeurs et portant sur la vie privée des stars ou des personnes plus ou moins connues (participants de programmes de télé réalité, du monde de la tauromachie, etc.)*

2 ¿Qué le gusta hacer a Hortensia?

Hortensia est mexicaine, elle explique ce qu'elle aime faire pendant son temps libre.

2.1 Quelles activités mentionne-t-elle ? Cochez les cases appropriées.

a	ir a conciertos	☐	**e**	ver televisión	☐
b	leer	☐	**f**	viajar	☐
c	hacer deportes	☐	**g**	escuchar música	☐
d	salir de paseo	☐	**h**	trabajar en el jardín	☐

2.2 Qu'aime-t-elle regarder à la télévision ?

el jardín	*le jardin*

3 Pasatiempos

Les annonces ci-dessous ont été écrites par quatre jeunes qui cherchaient des correspondants, ils les ont envoyées en indiquant quels étaient leurs loisirs. Utilisez votre dictionnaire ou le **Lexique espagnol-français** à la fin du livre pour trouver le sens des mots que vous ne connaissez pas.

Yadira Gutiérrez
Vicente Guerrero #6, Las Pintitas, Jalisco. México.
Pasatiempos: escribir canciones, coleccionar calcomanías, bailar música moderna, leer, ver películas de acción, jugar con mi gato y dibujar.

David G. Escobar D.
Calle Lorca, 16, Granada.
***Pasatiempos**: escribir cartas, cuentos, artículos, obras de teatro, etc., ver tele, coleccionar revistas de distintos países, leer y jugar en el ordenador.*

Gabriela A. Casas Alba
Francisco Sarabia #301, esq. con Felipe Ángeles. Col. Ampliación Unidad Nacional. C.P. 89510. Cd. Madero. Tamaulipas. México.
Pasatiempos: leer, escribir poesía, jugar "Scrabble", jugar voleibol, nadar, escribir, contestar mi correspondencia y jugar en la computadora.

Víctor D. Hernández Rodríguez
RR 2 Box 114. Río Piedras, Puerto Rico. 00928.
Pasatiempos: estar con mis amigos, ir al cine, jugar básquet y hablar por teléfono.

3.1 Relisez les annonces et dites qui aime faire chacune de ces activités.

a écrire des pièces de théâtre
b écrire des poèmes
c jouer avec son chat
d regarder des films d'action
e écrire des nouvelles
f jouer au basket-ball

3.2 Écrivez vous aussi une annonce en indiquant vos centres d'intérêt, vous pouvez vous inspirer de celles données auparavant.

4 ¿Qué te gusta?

Lisez les activités page 125 et dites celles que vous aimez et celles que vous n'aimez pas. Utilisez des expressions telles que :

Me gustan/encantan/fascinan los concursos.
Las películas del Oeste no me gustan (nada).
Detesto las teleseries.

Televisión	**Lectura**
• documentales	• periódicos
• teleseries	• revistas
• películas	• novelas
• boletines informativos (Am. l.)	• cuentos
• programas deportivos	• ensayos
• concursos	• poesía
Deportes	**Películas**
• tenis	• históricas
• fútbol	• románticas
• baloncesto	• de guerra
• natación	• del Oeste
• golf	• de suspense/suspenso (Am. l.)
• atletismo	• de terror

5 Me encanta guisar

Lors d'une interview avec un magazine, Lola parle de ses centres d'intérêt et de ce qu'elle aime faire.

Complétez ce texte avec les formes appropriées des verbes entre parenthèses.

> A mí (gustar) estar con mi familia, mis amigos y mis dos perros. (Encantar) guisar y arreglar la casa, pero (detestar) fregar los platos y planchar. (Interesar) la lectura, especialmente la novela y la poesía, y también (gustar) la fotografía y la pintura.
> Los fines de semana (preferir) desayunar en la cama y levantarme tarde, y salir de compras con Antonio, mi marido.
> En las vacaciones, Antonio y yo (preferir) ir a la playa. A él y a mí (encantar) nadar y tomar el sol. En invierno a Antonio y a mí (gustar) esquiar.

el perro	*le chien*
arreglar	*ranger*
guisar (cocinar)	*cuisiner*
planchar	*repasser*

6 Ahora tú

Vous écrivez à un correspondant et lui expliquez ce que vous aimez faire. N'oubliez pas de préciser votre intérêt pour l'espagnol et peut-être aussi pour d'autres langues ! Suivez le modèle utilisé page 125 ainsi que les mots de cette même activité et des précédentes.

7 Me interesa mucho la pintura

Une hispanophone vient visiter votre lieu de travail, on vous a demandé de vous occuper d'elle. Avant d'organiser quoi que ce soit, vous décidez de lui demander ce qu'elle aime faire. Suivez les instructions données en italique pour compléter votre partie de la conversation.

- *Demandez-lui quelle nourriture elle aime.*
- Me gusta todo tipo de comida, pero prefiero la francesa.
- *Dites que vous aussi vous aimez. Demandez-lui si elle aime le théâtre.*
- Sí, me encanta el teatro.
- *Dites que vous aussi. Vous adorez le théâtre anglais. Demandez-lui si elle aussi.*
- Sí, a mí también. Y el cine también me gusta mucho.
- *Demandez-lui si elle s'intéresse à la peinture. Il y a une excellente galerie d'art* (galería de arte) *en ville.*
- Sí, me interesa mucho la pintura, pero la pintura abstracta no me gusta nada.
- *Dites que vous non plus vous n'aimez pas.*

8 ¿Qué te gusta o no te gusta de tu trabajo?

Enrique a dû classer pour une enquête les choses qu'il aimait et n'aimait pas faire dans son travail. Il a utilisé ce barème :

5 me encanta/n
4 me gusta/n
3 no me gusta/n
2 no me gusta/n nada
1 detesto

Regardez bien ses réponses et donnez votre propre classement en remplissant les cases à droite. Écrivez ensuite une phrase pour chaque ligne, comme par exemple : **Me encanta mi trabajo**.

¿Qué te gusta o no te gusta de tu trabajo?	Enrique	Tú
tu trabajo	4	
tu jefe/jefa	2	
tus compañeros de trabajo	5	
las condiciones de trabajo (e.g. el sueldo)	3	
el ambiente de trabajo	4	
el horario	2	
trabajar horas extras	1	
escribir correspondencia/informes	2	
hablar por teléfono	5	
asistir a reuniones	1	

9 ¿Qué tal tu trabajo?

Angélica et Cristóbal parlent de leur travail. Écoutez l'enregistrement et écrivez en espagnol ce que chacun aime et n'aime pas de leur travail.

13

¿qué vas a hacer?

que vas-tu faire ?

Dans cette unité vous apprendrez à :

- dire ce que vous allez faire ;
- dire ce que vous pensez faire ;
- dire ce que vous voulez et espérez faire.

1 ¿Qué vas a hacer mañana por la noche?

Miguel, Nieves et Eduardo parlent de ce qu'ils pensent faire *demain soir* (**mañana por la noche**). Miguel et Nieves sont espagnols et Eduardo mexicain.

1.1 À partir du dialogue, répondez aux questions suivantes. Vous pouvez regarder les mots clés situés dans l'encadré page 130 si vous ne comprenez pas certains mots.

a Que va faire chacune de ces personnes ? Retrouvez le dessin correspondant à chaque nom, écrivez dans les cases le chiffre approprié.

Nieves ☐ Miguel ☐ Eduardo ☐

b Quel film passe-t-on au cinéma Princesa ?
c Eduardo a-t-il des projets pour demain ?
d Pourquoi ne sort-il pas ?

Miguel	¿Qué vas a hacer mañana por la noche, Nieves?
Nieves	Voy a ir al cine con José María.
Miguel	¿Qué película pensáis ver?
Nieves	*Flamenco*, de Saura. La ponen en el cine Princesa. Y tú Miguel, ¿qué piensas hacer?
Miguel	Voy a cenar con Almudena y después vamos a ir a una discoteca.
Nieves	Y tú Eduardo, ¿tienes algún plan para mañana?
Eduardo	No, ninguno. Estoy muy cansado y quiero quedarme en casa. Voy a ver el tenis en la televisión.

1.2 Trouvez comment se disent en espagnol les phrases suivantes :

a Que vas-tu faire ?
b Que penses-tu faire ?
c Je vais aller au cinéma.
d Je vais aller dîner.

pensar	*penser*
ninguno	*aucun*
poner	*passer (film)*
cansado/a	*fatigué(e)*

2 Espero ir a la universidad

Nieves et Miguel parlent de leurs projets pour l'*année prochaine* (**el año que viene**).

2.1 À partir du dialogue dites qui de Nieves ou de Miguel va faire ce qui est indiqué en **a**, **b**, **c** et **d**. Les mots clés situés dans l'encadré vous aideront à comprendre la conversation.

a estudiar empresariales
b buscar otro trabajo
c ir a la universidad
d dedicarse al diseño o a la publicidad

Nieves	¿Qué planes tienes para el año que viene?
Miguel	Pienso buscar otro trabajo. Estoy harto del sitio donde estoy. Quiero dedicarme al diseño o a la publicidad. Me interesan mucho más. ¿Qué vas a hacer tú?
Nieves	Espero ir a la universidad.
Miguel	¿Qué piensas estudiar?
Nieves	Quiero estudiar empresariales.

2.2 Lisez maintenant le dialogue jusqu'à ce que vous le maîtrisiez bien, essayez ensuite de jouer d'abord le rôle de Nieves puis celui de Miguel en couvrant les parties correspondantes du texte.

buscar	*chercher*
el diseño	*le design*
estar harto de	*en avoir marre de*
esperar	*espérer*

Comment dit-on… ?

Demander à quelqu'un ce qu'il va faire et répondre

¿Qué vas a hacer mañana/ el año que viene?	*Que vas-tu faire demain/l'an prochain ?*
Voy a cenar con…/ir a una discoteca.	*Je vais aller dîner avec…/aller en boîte de nuit.*
¿Qué planes tienes?	*Quels sont tes projets ?*
¿Tienes algún plan?	*Tu as un projet ?*
No tengo ningún plan.	*Non, je n'ai aucun projet.*

Demander à quelqu'un ce qu'il pense faire et répondre

¿Qué piensas hacer/ver?	*Que penses-tu faire/voir ?*
Pienso ir al cine/ver televisión.	*Je pense aller au cinéma/regarder la télévision.*

Dire ce que vous voulez ou espérez faire

Quiero quedarme en casa/ ver el tenis.	*Je veux rester à la maison/regarder le tennis.*
Espero ir a la universidad de /estudiar empresariales.	*J'espère aller à l'université/faire des études de commerce.*

Grammaire

1 Parler de projets et d'intentions

Pour parler de projets et d'intentions, vous pouvez utiliser les constructions suivantes :

a Le *présent* de **ir** + **a** + *infinitif* (pour les conjugaisons de **ir** au présent voir l'Unité 11)

¿Qué vas a hacer (tú)?	*Que vas-tu faire ?*
Voy a comer con Isabel.	*Je vais manger avec Isabel.*
Vamos a mudarnos de casa.	*Nous allons changer de maison.*
¿Vosotros vais a volver pronto?	*Vous allez revenir bientôt ?*

b **pensar (e > ie)** + *infinitif*

¿Qué piensa hacer Vd.?	*Que pensez-vous faire ?*
Pienso cambiar de trabajo.	*Je pense changer de travail.*
Pensamos ir de vacaciones al Caribe.	*Nous pensons aller en vacances aux Caraïbes.*

2 Dire ce que vous voulez et espérez faire

a querer (e > ie) + *infinitif*

Utilisez cette construction pour dire ce que vous *voulez* faire :

¿Qué quieres hacer (tú)?	*Que veux-tu faire ?*
Quiero descansar un rato.	*Je veux me reposer un moment.*
Queremos tomar dos días de descanso.	*Nous voulons prendre deux jours de congé.*

b esperar + *infinitif*

Utilisez cette construction pour dire ce que vous *espérez* faire :

Este año espero ir a Sevilla en el AVE.	*Cette année j'espère aller à Séville avec l'AVE (sorte de TGV).*
Esperan comprar un nuevo apartamento.	*Ils espèrent acheter un nouvel appartement.*

3 Alguno (*un, quelque*), ninguno (*aucun*)

a Alguno s'accorde en genre (masculin ou féminin) et en nombre (singulier ou pluriel) avec le nom qu'il désigne. Il peut donc s'utiliser avec un nom mais aussi seul à la place d'un nom. Devant un nom masculin singulier, **alguno** devient **algún**.

¿Tenéis algún plan?	*Vous avez un projet ?*
Tenemos algunos (planes).	*Nous avons quelques projets./Nous en avons quelques-uns.*
¿Tienes alguna idea?	*Tu as une idée ?*

b ninguno (masculin) et **ninguna** (féminin) peuvent aussi s'utiliser avec un nom ou seuls à la place d'un nom. **Ninguno** devient **ningún** devant un nom masculin singulier.

No tengo ningún plan.	*Je n'ai aucun plan.*
No tengo ninguno.	*Je n'en ai aucun.*
No tengo ninguna idea.	*Je n'en ai aucune idée.*

Madame Raquin

de Emile Zola con
Julia Ibarra, Sebastián Tejada,
Paula Cuenda, Juan A. Galdós

TEATRE POLIORAMA
La Rambla, 115
08002 BARCELONA
Telèfon: 93 318 81 81

Enrique y Alain Cornejo
Presentan

DEL 16 ENERO
AL 10 FEBRERO

Funciones
Lunes – No hay función
Martes 21:00 Miércoles 21:00
Jueves 21:00 Viernes 19:30 y 22:30
Sábado 19:30 y 22:30 Domingo 18:00

Remarquez que le mot *teatre* est catalan, en espagnol on dirait *teatro*.

Exercices

1 Al teatro

Il est dimanche soir et vous voulez aller au théâtre. Votre ami Víctor vous appelle pour vous demander si vous avez des projets. Regardez le programme ci-dessus et répondez aux questions de votre ami.

a ¿Qué piensas hacer esta noche?
b ¿Qué obra vas a ver?
c ¿Dónde la ponen?
d ¿A qué hora es la función?

la obra *la pièce de théâtre* **la función** *la représentation*

2 Un viaje de negocios

Ana est envoyée en Amérique du Sud par son entreprise, elle donne à sa secrétaire les informations concernant son voyage. Écoutez ce qu'elle dit ou référez-vous à la transcription du dialogue page 288, et remplissez en même temps la grille ci-dessous avec les informations appropriées.

Destino 1	
Día y hora de salida	
Días de estancia	
Hotel y teléfono	
Destino 2	
Día y hora de salida	
Días de estancia	
Hotel y teléfono	

3 Una nota

Mario a laissé à Silvia une note sur son bureau. Mettez les verbes entre parenthèses à la forme appropriée.

> *Silvia:*
>
> *¿Tienes algún plan para este fin de semana? Carmen y yo (ir) a pasar el fin de semana en Cuenca. (Pensar) salir el viernes por la noche y regresar el domingo por la tarde. ¿(Querer) venir con nosotros? (Ir) a ir en el coche.*
>
> *Mario*

4 De vacaciones

Elena et Pablo veulent partir en vacances à Cuba, ils ont réservé le deuxième forfait présenté ci-dessous. Comment répondraient-ils aux questions indiquées p.135 ? Regardez la publicité et répondez pour eux. Les verbes que vous utiliserez devront être conjugués à la première personne du pluriel (**nosotros**).

Oferta Especial

Precios Unicos con cosmo

La Habana Varadero 1
- 04 noches Brisas del Caribe
  Régimen Todo Incluído
- 03 noches Comodoro La Habana
  Régimen media pensión

La Habana Varadero 2
- 05 noches Sol Palmeras Varadero
- 02 noches Copacabana La Habana
  Régimen media pensión
  Habana y Varadero
- City Tour La Habana

Programas 8 días/7 noches
Salidas : 10 – 11 febrero

US$ 1.199

Los programas incluyen:
- Ticket aéreo vía Cubana de Aviación
- Valor en base a habitación doble
- Atención personalizada
- Solicite valor noche adicional

OPERADOR INTERNACIONAL DE TURISMO

Consulte a su Agencia de Viajes
Tel.: 341 5095 – Fax: 225 0764

a ¿Adónde pensáis ir de vacaciones?
b ¿Qué ciudades vais a visitar?
c ¿Cuántos días vais a estar en total?
d ¿En qué hoteles vais a quedaros?
e ¿Vais a tomar la pensión completa?
f ¿En qué línea aérea vais a viajar?

¿adónde? *où ?*

5 Ahora tú

Comment raconteriez-vous à un collègue hispanophone vos projets pour *le week-end* **el fin de semana**, pour *l'été* **el verano** ou pour *un voyage d'affaires* **un viaje de negocios** ? Vous pouvez utiliser le Dialogue 1 et les Activités 2 et 4 comme modèles.

6 Los planes de tu amigo/a

Quelles questions poseriez-vous à un ou une ami(e) hispanophone pour obtenir des informations sur ses projets de voyage ? Suivez ces indications :

a demandez ce qu'il/elle va faire cet été ;
b demandez où il/elle va aller ;
c demandez combien de temps il/elle va rester ;
d demandez où il/elle va rester ;
e demandez quand il/elle pense partir ;
f demandez quand il/elle va revenir.

7 Buenos propósitos

Fernando et ses amis Tina et Paco ont pris quelques résolutions. Quels sont leurs projets ? Regardez les verbes ci-dessous et utilisez-les pour compléter les phrases situées dans l'encadré, vous devrez effectuer quelques changements.

mudarse, viajar, ahorrar, estudiar, conseguir (e > i), casarse

Nombres	Propósitos
Fernando	espero _______ un trabajo por las tardes.
	quiero _______ inglés.
	pienso _______ de casa.
Tina y Paco	vamos a _______ dinero.
	esperamos _______ pronto.
	pensamos _______ al Oriente.

8 ¿Qué piensan hacer?

Expliquez à quelqu'un :

a quels sont les projets de Fernando
b quels sont les projets de Tina et de Paco

9 ¿Alguno o ninguno?

Complétez les phrases ci-dessous avec les formes appropriées de **alguno** et de **ninguno**.

a '¿Tienes ______ compromiso para mañana? – No, ______.'
b Héctor y yo tenemos ______ proyectos que ______ día esperamos realizar.
c '¿Hay ______ película interesante en la televisión? – No, ______.'

el compromiso	*quelque chose de prévu*
el proyecto	*le projet*
realizar	*réaliser*

10 Ahora tú

¿Tienes algún plan para el año que viene? ¿Vas a continuar con el español? ¿Qué planes tienes en relación con tu trabajo o tus estudios? ¿Piensas cambiar de trabajo? ¿Tienes algún otro plan importante para el futuro? ¿Qué esperas hacer?

Vous pouvez utiliser l'Activité 7 et le Dialogue 2 comme modèles.

14

¿dígame?

allô ?

Dans cette unité vous apprendrez à :

- demander que l'on vous passe quelqu'un au téléphone ;
- prendre et laisser un message ;
- fixer des rendez-vous par téléphone ;
- dire ce que vous êtes en train de faire.

1 Necesito hablar con él

María Ángeles Castillo appelle une entreprise espagnole, elle veut parler à Monsieur Ruiz.

1.1 À partir du dialogue ci-dessous, répondez aux questions suivantes :

a Pourquoi Monsieur Ruiz ne peut-il pas répondre au téléphone ? Choisissez parmi ces dessins l'activité qui convient.

b Qu'est-ce que la secrétaire propose de faire ?

c Qu'est-ce que Madame Castillo lui demande de dire à son chef ?

Secretaria	Agrohispana, ¿dígame?
M. Ángeles	¿Está el señor Ruiz, por favor?
Secretaria	¿De parte de quién?
M. Ángeles	De María Ángeles Castillo, de Sevilla.
Secretaria	El señor Ruiz no puede ponerse en este momento. Está hablando por otra línea. ¿Quiere dejarle algún recado?
M. Ángeles	Por favor, dígale que voy a llamar más tarde. Necesito hablar con él.
Secretaria	Muy bien, le daré su recado.

1.2 Trouvez l'équivalent en espagnol de :

a C'est de la part de qui ?

b Il ne peut pas répondre pour l'instant.

c Dites-lui s'il vous plaît que…

dejar	*laisser*
más tarde	*plus tard*
le daré su recado	*je lui transmettrai votre message*

2 En seguida le pongo

Luis appelle un ami au travail.

2.1 Complétez les phrases ci-dessous à partir du dialogue.

a ______ Gloria Araya, por favor.
b Su extensión ______ .
c ______ 368.
d ______ se pone.

Voz 1	Ibertour, ¿diga?
Luis	Quisiera hablar con Gloria Araya, por favor.
Voz 1	Se ha equivocado. Su extensión no es ésta. Es la 368. No cuelgue, en seguida le pongo.
Luis	Gracias.
Voz 1	Oiga, un momento, por favor. Está comunicando.
Voz 2	Sí, ¿diga?
Luis	¿Me puede poner con Gloria Araya, por favor?
Voz 2	Sí, ahora mismo se pone.

2.2 Trouvez comment se disent ces expressions en espagnol. Si vous êtes bloqué, consultez la section **Comment dit-on… ?**

a Vous vous êtes trompé(e).
b Je vous la passe tout de suite.
c La ligne est occupée.
d Pouvez-vous me passer… ?

2.3 Plusieurs expressions utiles pour les communications téléphoniques apparaissent dans cette conversation, écoutez et lisez donc le dialogue plusieurs fois. Essayez ensuite de jouer chacun des rôles.

¡No cuelgue!	*Ne raccrochez pas !*
poner	*mettre en communication, passer*
está comunicando	*la ligne est occupée*

3 Un momentito, por favor

Amélie est graphiste, elle a vu ces offres d'emploi qui l'intéressent et appelle pour obtenir un entretien.

Diseñadora Gráfica

Súper despierta
y con la mejor
disposición.

Necesita
Agencia de Publicidad
Llamar por entrevista al fono: **246 08 17**

DISEÑADOR GRÁFICO

Ambiente Macintosh, 3 años

Conocimientos: Page Maker 7.0, Freehand, Photoshop, Disponibilidad inmediata.

Solicitar entrevista:
Lunes 14 ☎ 555.00.68
Depto. Publicidad

3.1 Répondez à ces questions.

a Comment Amélie explique-t-elle pourquoi elle appelle ?
b Quand aura-t-elle son rendez-vous ? Réécoutez puis notez cette information.

Voz	¿Dígame?
Amélie	Llamo por el anuncio para el puesto de diseñadora gráfica. Quería solicitar una entrevista.
Voz	Un momentito, por favor. ¿Puede usted venir el lunes a las nueve y media?
Amélie	Sí, a las nueve y media me va bien.
Voz	Bueno, dígame por favor su nombre y número de teléfono.

3.2 Que signifient d'après vous les phrases suivantes ? Lisez le dialogue et essayez de deviner.

a Llamo por el anuncio.
b Quería solicitar una entrevista.
c Dígame por favor su nombre.

el puesto	*le poste*
la entrevista	*l'entretien*
el anuncio	*l'annonce*
me va bien	*ça me va*
un momentito (de **momento**)	*un instant*

Comment dit-on?

Répondre au téléphone

¿Díga? ¿Dígame?	*Allo ?*
Se ha equivocado (de número).	*Vous vous êtes trompé(e) (de numéro).*

Demander que l'on vous passe quelqu'un au téléphone et répondre

¿Está el señor/la señora… ?	*Est-ce que Monsieur/Madame… est là ?*
Quisiera/Quería hablar con…	*Je voudrais parler à…*
¿Me puede(s) poner con… ?	*Pouvez-vous/Peux-tu me passer… ?*
Soy yo.	*C'est moi.*
¿De parte de quién? De parte de…	*De la part de qui ? De… (le nom de la personne qui appelle)*
En seguida le/te pongo.	*Je vous/te mets en communication tout de suite./Je vous/te le/la passe tout de suite.*
Ahora se pone.	*Il/Elle va vous répondre tout de suite.*

Prendre et laisser un message

¿Quiere dejar(le) algún recado?	*Voulez-vous (lui) laisser un message ?*
Por favor, dígale que…	*Dites-lui s'il vous plaît que…*

Prendre des rendez-vous par téléphone

Quisiera solicitar una entrevista con…/ver a…/ pedir hora con el doctor.	*Je voudrais avoir un entretien avec…/ voir…/prendre un rendez-vous avec le docteur.*

Dire ce que quelqu'un est en train de faire

Está hablando por otra línea.	*Il/Elle est sur une autre ligne.*

ⓘ Ce petit texte explique comment réaliser certains appels en Espagne. Lisez-le, vous y trouverez des informations intéressantes.

Para llamar por teléfono fuera de España tienes que **marcar** *composer* primeramente el 00, que es el número de acceso a la Central Internacional y luego el **prefijo** *indicatif* del país al que quieres llamar, el prefijo de la ciudad, y el número de teléfono de la persona con la que quieres hablar. Por ejemplo, para llamar a París debes marcar: 00 + 33 (Francia) + 1 + número que deseas. Para hacer **una llamada personal** *un appel privé* o **una llamada a cobro revertido** *un appel en PCV* tienes que llamar a la **operadora** o al operador *opératrice, opérateur* y decir: "**Quiero hacer una llamada…**", « *Je veux appeler…* ».

Grammaire

1 Está hablando (*Il/Elle est en train de parler*)

Pour dire ce que vous ou une autre personne est en train de faire, utilisez le verbe **estar** suivi d'un verbe au gérondif (« en chantant » est par exemple un verbe au gérondif en français). En espagnol, le gérondif se forme en ajoutant **-ando** *au radical* des verbes en **-ar** et **-iendo** au radical des verbes en **-er** et en **-ir**.

habl**ar** – habl**ando**   hac**er** – hac**iendo**   escrib**ir** – escrib**iendo**

Está hablando por teléfono.	*Il/Elle est au téléphone.*
¿Qué estás haciendo?	*Qu'es-tu en train de faire ?*
Estoy escribiendo una carta.	*Je suis en train d'écrire une lettre.*

Remarquez l'utilisation de cette construction dans :

Está comunicando.	*La ligne est occupée./C'est occupé.*

2 Poner (*mettre en communication, passer*), ponerse al teléfono (*répondre au téléphone*)

¿Me puedes poner con María?	*Tu peux me passer María ?*
En seguida te pongo.	*Je te la passe tout de suite.*

Notez que le verbe utilisé dans l'expression ci-dessous est : **pone<u>rse</u>**.

Ahora se pone María.	*María va vous répondre tout de suite.*

3 Les expressions idiomatiques utilisées en Amérique latine

Voici d'autres expressions utilisées au téléphone en Amérique latine.

¿Bueno? (Mexique), dans ¿Aló? (la plupart des pays)	*Allo ?*
¿Con quién hablo?	*Qui est à l'appareil ?*
Con él/ella (mismo/misma).	*C'est lui/elle-même.*
(Está) equivocado.	*Vous vous êtes trompé(e).*

4 Por, para

Notez l'utilisation de **por** et de **para** dans :

Llamo por el anuncio para el puesto de traductor.	*J'appelle au sujet de l'annonce pour le poste de traducteur.*
Está hablando por otra línea.	*Il/elle est déjà en ligne.*
Está hablando por teléfono.	*Il/elle est au téléphone.*

Exercices

1 Una conversación telefónica

Ricardo appelle son amie Leonor mais elle n'est pas là. Complétez cette conversation entre Ricardo et la personne qui lui répond.

– ¿Dígame?
– ¿______?
– No, Leonor está en la universidad. ¿______?
– De Ricardo.
– ¿______?
– Sí, por favor. Dígale que me llame al número 580 2133, que necesito hablar urgentemente con ella.
– Muy bien.

2 ¿Qué está haciendo?

Raquel appelle chez son ami Lorenzo, écoutez ce qu'elle dit ou reprenez le script page 288.

a Qu'est-il en train de faire ? Choisissez le dessin approprié, p.143.

b Quel message lui laisse Raquel ?

la entrada *l'entrée*

3 ¿Me puede poner con la señora Mercier?

Un hispanophone appelle sur votre lieu de travail, il veut parler à un de vos collègues. Suivez les instructions données ci-dessous en italique pour compléter votre partie du dialogue.

- *Dites « Allo ? »*
- ¿Me puede poner con la señora Mercier, por favor?
- *Dites que Madame Mercier est pour l'instant en train de parler à un client* (un cliente). *Demandez-lui qui il est.*
- Juan Astaburuaga.
- *Demandez-lui s'il veut lui laisser un message.*
- Sí, dígale por favor que me llame al 763 21 34.
- *Dites que c'est très bien, vous lui transmettrez son message.*

4 Hora con el doctor

Javier prend rendez-vous avec son docteur. Quand pourra-t-il y aller ? Écoutez le dialogue ou reprenez le script page 291.

5 Ahora tú

Vous avez été sélectionné pour l'un des emplois annoncés ci-dessous, vous téléphonez pour fixer un entretien.

EMPRESA DE PLANTAS ARTIFICIALES JARDINERAS Y MUEBLES DE JARDÍN BUSCA:
V E N D E D O R / A
PARA: MADRID Y ZONA CENTRO

Se requiere:
- Persona dinámica y trabajadora
- Dedicación exclusiva ● Vehículo propio
- Experiencia en el Sector de Floristería, Regalo y Mobiliario de Jardín.

Se ofrece:
- Incorporación a una empresa sólida y estable ● Remuneración a convenir más incentivos.

Interesados enviar C.V. o telefonear a: Sr. YBERN C/. Roger de Llúria 29 1°–B, 08009 BARCELONA, telef. 93 802 21 88, Ref. M.C./91

CADENA DE TIENDAS DE ENMARCACION precisa para su tienda de Majadahonda

E N C A R G A D A D E T I E N D A

Se requiere: *Aptitudes para la venta, aunque no es necesaria experiencia en puesto similar.*Buena actitud y predisposición para el trabajo.*Se valorará residencia en zona de Majadahonda. Se ofrece:*Contrato fijo.*Sueldo atractivo con porcentaje en las ventas (Empresa en expansión) Interesados enviar a la mayor brevedad curriculum con fotografía reciente a L.S. CONSULTORES. Clara Rey, 90, 1° F. 28002 Madrid.

SECRETARIA BILINGÜE
Inglés nativo
Técnicas de Secretariado
PARA DESPACHO DE ABOGADOS
C.V.: Castellana, 964
28046 MADRID

Empresa de distribución busca programador que cumpla los siguientes requisitos:

✔ Licenciado o diplomado en Informática o equivalente.
✔ Imprescindible 1 año de experiencia profesional demostrable programando en IFORMIX 4GL y SQL.
✔ Se valorará experiencia en lenguaje "C".
✔ Remuneración bruta 17.000 más incentivos.

Mandar C.V. urgentemente vía fax al 558 04 19

a Comment expliqueriez-vous pourquoi vous appelez ?

b Comment diriez-vous que vous voudriez parler au responsable (**el encargado/ la encargada**) ?

c Comment diriez-vous que vous voudriez avoir un entretien ?

d Ils vous proposent de venir à leurs bureaux le mercredi à 16h30. Comment diriez-vous que cela vous convient ?

15

fue un viaje estupendo

ça a été un voyage formidable

Dans cette unité vous apprendrez à :

- parler d'événements passés ;
- dire combien de temps s'est écoulé depuis qu'un événement a eu lieu ;
- parler du temps qu'il fait.

1 Regresé hace una semana

Alicia est partie au Mexique en voyage d'affaires et, à son retour, elle raconte son voyage à son ami Alejandro.

1.1 Répondez aux questions suivantes à partir du dialogue.

a Qu'a pensé Alicia du Mexique ?

b Combien de temps est-elle restée dans chaque ville ? Que dit-elle ? Remplissez le tableau.

Ciudad de México	
Guadalajara	
Guanajuato	

c Quand est-elle revenue ? Reprenez le dialogue encore une fois.

Alejandro ¿Qué tal tu viaje a México?

Alicia Fue un viaje estupendo. Me encantó México. Conocí a mucha gente y salí muchísimo.

Alejandro Es un país muy bonito. ¿Estuviste en Ciudad de México?

Alicia Sí, estuve diez días allí y luego viajé a Guadalajara. Allí me quedé cinco días. Y después fui a Guanajuato donde pasé un fin de semana.

Alejandro ¿Cuándo regresaste?

Alicia Hace una semana.

1.2 Trouvez comment se dit en espagnol :

a Es-tu allée à Mexico ?

b J'ai rencontré beaucoup de gens et je suis beaucoup sortie.

c Je suis allée à Guanajuato.

fue	*ça a été*
me encantó	*j'ai adoré*
fui	*je suis allée*
estuve	ici, *je suis restée, je suis allée* (littéralement, *j'ai été*)

2 No hace calor

Alejandro et Alicia parlent du temps qu'il fait au Mexique.

2.1 Répondez à ces questions.

- **a** Quel temps fait-il à Mexico ?
- **b** Pourquoi Alicia dit-elle qu'elle a eu de la chance ?
- **c** Quel temps a-t-il fait à Cancún lorsqu'Alejandro y est allé ?

Alejandro ¿Qué tal el tiempo en la Ciudad de México?

Alicia Es muy agradable. No hace mucho calor, aunque en esta época del año llueve bastante. Pero tuve suerte, sólo llovió una vez.

Alejandro Yo estuve diez días en Cancún el año pasado e hizo muchísimo calor.

Estuve diez días en Cancún

2.2 Cherchez tous les mots et expressions liés au temps qu'il fait.

llover	*pleuvoir*
en esta época	*à cette époque*
aunque	*bien que*
una vez	*une fois*
e	*et* (devant **hi** ou **i**)

Comment dit-on… ?

Parler d'événements passés

¿Qué tal tu viaje?	*Ton voyage s'est bien passé ?*
Fue un viaje estupendo.	*Ça a été un voyage formidable.*
¿Dónde fuiste/estuviste?	*Où es-tu allé(e) ?*
Primero fui a…/estuve en…, después/luego viajé a…	*D'abord je suis allé(e) à…, puis j'ai voyagé jusqu'à…*

Dire combien de temps s'est écoulé depuis que vous avez fait quelque chose

Regresé/Volví hace una semana/ un mes.	*Je suis revenu(e) il y a une semaine/ un mois.*

Parler du temps qu'il fait

No hace/hizo (mucho) calor/ frío.	*Il ne fait pas/Il n'a pas fait (très) chaud/froid.*
Llueve/Llovió bastante/ mucho.	*Il pleut/Il a plu assez/beaucoup.*

Grammaire

1 Dire ce que vous avez fait : le passé simple

Pour dire ce que vous avez fait à un moment du passé, comme par exemple « Je suis revenue la semaine dernière », il faut utiliser en espagnol le *passé simple*, appelé **pretérito indefinido**. Remarquez que l'on traduit presque toujours le passé simple espagnol par du passé composé en français : **Volví la semana pasada** *Je suis revenue la semaine dernière ;* le passé simple étant de moins en moins employé en français.

Il existe en espagnol deux groupes de terminaisons pour ce temps : une pour les verbes en **-ar** et une autre pour les verbes en **-er** et en **-ir**. La première personne du pluriel, **nosotros/as** des verbes en **-ar** et en **-ir** se conjugue de la même façon qu'au présent.

regresar *revenir*	**conocer** *to meet*	**salir** *sortir*
regres**é**	conocí	salí
regres**aste**	conoc**iste**	sal**iste**
regres**ó**	conoc**ió**	sal**ió**
regres**amos**	conoc**imos**	sal**imos**
regres**asteis**	conoc**isteis**	sal**isteis**
regres**aron**	conoc**ieron**	sal**ieron**

Regresé hace dos días.	*Je suis revenu(e) il y a deux jours.*
Él la conoció en Mexico.	*Il l'a rencontrée au Mexique.*
Salimos a las tres.	*Nous sommes sortis à trois heures.*

2 Les verbes irréguliers au passé simple

Il y a peu de verbes irréguliers au passé simple mais certains sont très courants, essayez donc de les apprendre au fur et à mesure que vous les rencontrez. Nombre d'entre eux comme **hacer** *faire*, **estar** *être*, **tener** *avoir* ont les mêmes terminaisons, il ne devrait donc pas être difficile de les mémoriser. Notez que **ser** *être* et **ir** *aller* se conjuguent exactement de la même façon.

hacer	**estar**	**tener**	**ser/ir**
hice hic**iste** hi**zo** hic**imos** hic**isteis** hic**ieron**	estuv**e** estuv**iste** estuv**o** estuv**imos** estuv**isteis** estuv**ieron**	tuv**e** tuv**iste** tuv**o** tuv**imos** tuv**isteis** tuv**ieron**	fu**i** fu**iste** fu**e** fu**imos** fu**isteis** fu**eron**

¿Qué hiciste el verano pasado?	*Qu'as-tu fait l'été dernier ?*
Estuve en España.	*Je suis allé(e) en Espagne.*
Tuvimos suerte.	*Nous avons eu de la chance.*
Fue un viaje estupendo.	*Ça a été un voyage formidable.*
Alicia fue a México.	*Alicia est allée au Mexique.*

3 Les expressions de temps utilisées avec le passé simple

On retrouve souvent les mêmes mots et expressions utilisés avec ce temps, voici les plus courants :

anoche	*hier soir*
ayer	*hier*
antes de ayer/anteayer*	*avant-hier*
el lunes/martes pasado	*lundi/mardi dernier*
la semana pasada	*la semaine dernière*
el mes/año pasado	*le mois dernier/l'année dernière*
en 2004	*en 2004*
hace mucho tiempo	*il y a longtemps*

* Certains pays d'Amérique latine, dont le Mexique, utilisent *antier*.

4 Ça fait combien de temps ?

Pour dire combien de temps s'est écoulé depuis que vous avez fait une certaine action, utilisez **hace** avec une *expression de temps* et un verbe *au passé simple*.

¿Cuánto tiempo hace que llegaste?	*Ça fait combien de temps que tu es arrivé(e) ?*
Llegué hace un mes *ou* Hace un mes que llegué.	*Je suis arrivé(e) il y a un mois.*

Comparez cette construction avec la structure **Hace** + *expression de temps* + *verbe au présent* que vous nous avons vue dans l'Unité 10.

Hace poco tiempo que estoy aquí. *Je suis ici depuis peu.*

5 Le verbe *hacer* pour dire le temps qu'il fait

Pour dire quel temps il fait, on utilise le verbe **hacer** *faire* dans des expressions telles que :

Hace frío/calor/sol/viento.	*Il fait froid/chaud/du soleil/du vent.*
Hace bueno.	*Il fait beau temps.*
Hace buen/mal tiempo.	*Il fait beau/mauvais temps.*
Hace un grado bajo cero.	*Il fait moins un.*

Pour dire quel temps il a fait à un moment du passé, on utilise **hizo**.

Ayer hizo mucho calor. *Hier, il a fait très chaud.*

Remarquez aussi l'utilisation de **llover** (**o > ue**) *pleuvoir*, dans :

Llueve (bastante/mucho)	*Il pleut (assez/beaucoup).*
Está lloviendo.	*Il pleut.*
Llovió mucho.	*Il a beaucoup plu.*

Notez que l'on utilise, dans ce deuxième exemple, un gérondif en espagnol.

Exercices

1 Un e-mail

Alicia est au Mexique et écrit à une amie, voici un extrait de son e-mail. Conjuguez les verbes entre parenthèses au passé simple et à la personne qui convient. Remarquez qu'il faut ajouter un **-u** à **llegar** lorsqu'il est conjugué à la première personne du singulier du passé simple pour que la prononciation du **-g** soit la même qu'à l'infinitif (voir Unité 16).

¡Hola Carmen!

Llegué a la ciudad de México hace tres días. El avión (salir) a la hora y el vuelo (ser) estupendo. El primer día (yo) no (hacer) nada especial, (cenar) temprano y luego (acostarse). Al día siguiente (tener) una reunión con nuestro representante aquí en México y por la tarde (ir) al Museo de Antropología. Me (gustar) mucho. Ayer al mediodía (pasar) un rato en uno de los mercados, que son maravillosos, y por la noche (salir) con unos amigos mexicanos a bailar. ¡Lo pasé estupendamente! ¡Me encantó México!

pasarlo estupendamente	*s'éclater*
un rato	*moment*

2 ¿Qué hizo?

Dites ce qu'Alejandro a fait lorsqu'il est allé en vacances à Cancún. Retrouvez les dessins correspondant à ces verbes puis conjuguez-les au passé simple à la troisième personne du singulier.

a (salir) a bailar
b (ir) a pescar
c (nadar) muchísimo
d (conocer) a una chica mexicana
e (hacer) vela
f (tomar) el sol

3 Fui a Estados Unidos

Un ami hispanophone revient d'un voyage. Quelles questions devriez-vous lui poser pour obtenir ces réponses ? Vous aurez besoin d'utiliser pour certaines questions des mots interrogatifs tels que : **¿dónde? ¿cuándo? ¿adónde? ¿con quién? ¿cuánto tiempo?** N'oubliez pas non plus que vous tutoyez votre interlocuteur.

a Fui a Estados Unidos.
b Fui solo.
c Estuve en Nueva York y San Francisco.
d En Nueva York pasé una semana. En San Francisco estuve diez días.
e Sí, me gustó mucho. San Francisco es una ciudad preciosa.
f Volví anteayer.

4 De Madrid a Sevilla

Pepe et Sara ont choisi le circuit indiqué ci-dessous. Que répondraient-ils aux questions de leur ami Ignacio ? Regardez l'itinéraire et répondez à leur place. Notez qu'Ignacio les tutoie et utilise la deuxième personne du pluriel (**vosotros** *vous*), il faudra donc se servir de la première personne du pluriel (**nosotros** *nous*) dans les réponses.

ANDALUCIA – COSTA DEL SOL 3 días

TODO EL AÑO	LUN	MAR	MIE	JUE	VIE	SAB	DOM

ITINERARIO:
Día 1.º MADRID. – Salida a las 09:00 horas hacia Córdoba. Almuerzo y visita de la ciudad (Mezquita, Sinagoga y Barrio Judío). Sevilla. Cena y alojamiento.
Día 2.º SEVILLA. – Media pensión. Por la mañana visita de la ciudad (Catedral, Alcázar, Barrio Sta. Cruz y Parque María Luisa).
Día 3.º SEVILLA. – Desayuno y salida con dirección a Jerez. Visita panorámica. Continuación del viaje hasta Cádiz. Almuerzo y por Estepona y Marbella llegada a Torremolinos/Benalmádena.
FIN DEL VIAJE.

NOTA: Las salidas de los Jueves tendrán las siguientes modificaciones:
–3er. día. SEVILLA - Desayuno. Salida a Torremolinos. FIN DEL VIAJE.

a ¿A qué hora salisteis de Madrid?
b ¿Dónde almorzasteis el primer día?
c ¿Qué sitios visitasteis ese día?
d ¿Dónde cenasteis?
e ¿Tomasteis la pensión completa en Sevilla?
f ¿Qué hicisteis por la mañana del segundo día?
g Y después de Sevilla, ¿adónde fuisteis?
h ¿Cuántos días duró el viaje?

la mezquita	*la mosquée*
el barrio judío	*le quartier juif*

5 Ahora tú

¿Qué tal tus últimas vacaciones? ¿Dónde las pasaste? ¿Con quién fuiste? ¿En qué viajaste? ¿Cuánto tiempo estuviste allí? ¿Dónde te quedaste? ¿Qué hiciste durante las vacaciones?

6 ¿Hace cuánto tiempo?

Comment demanderiez-vous à Verónica combien de temps s'est écoulé depuis qu'elle a fait ces différentes choses ? Et comment répondrait-elle ? La première question et réponse vous est donnée en exemple.

– ¿Cuánto tiempo hace que empezaste a estudiar inglés?
– Empecé a estudiar inglés hace (X) años.

a 1992: empezar a estudiar inglés.
b 1993: viajar a la India.
c 1994: hacer un curso de informática.
d 1995: comenzar a trabajar.
e 1996: mudarse de casa.
f 1997: conocer a Ramón.

la informática *l'informatique*

7 Ahora tú

¿Cuánto tiempo hace que empezaste a trabajar/estudiar?
¿Cuánto tiempo hace que empezaste a estudiar español?

8 ¿Qué tal el tiempo?

Vous allez en voyage d'affaires dans plusieurs villes en Espagne et vous voulez savoir quel temps il fait dans les lieux où vous allez vous rendre.

8.1 Retrouvez d'abord le dessin correspondant à chaque groupe de mots.

a está cubierto
b hay niebla
c hace sol
d está nevando
e hace viento
f está nublado
g hay tormenta
h está lloviendo

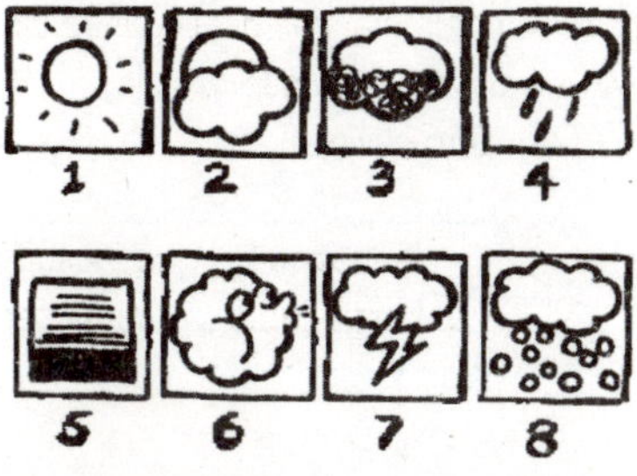

8.2 Regardez la carte ci-dessous et dites quel temps il fait dans chacune de ces villes.

- **a** Málaga
- **b** Sevilla
- **c** Madrid
- **d** Valladolid
- **e** Bilbao
- **f** Barcelona

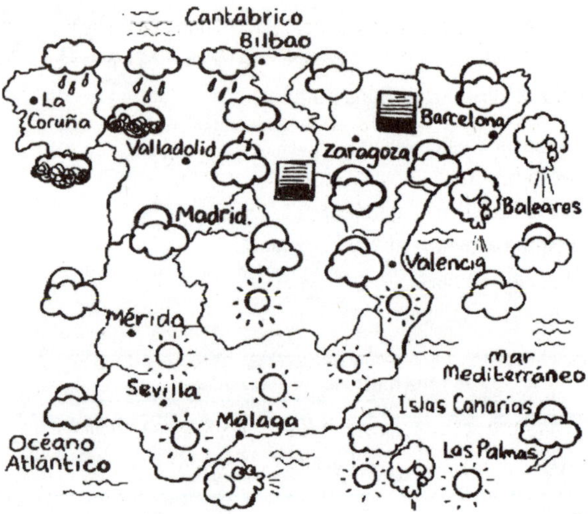

9 ¿Qué temperatura hizo?

Votre prochaine destination est l'Amérique latine, voici donc un tableau montrant les températures qu'il a fait hier dans chacune des capitales.

Iberoamérica	**M.**	**m.**		**M.**	**m.**
Bogotá	18	7	Montevideo	29	16
Buenos Aires	22	13	Panamá	34	23
Caracas	29	20	Quito	20	10
Guatemala	27	17	Rio de Janeiro	28	16
La Habana	34	24	San Juan	33	24
La Paz	16	2	Santiago	22	7
Lima	18	14	Santo Domingo	32	23
México	24	12			

Regardez le bulletin météorologique et répondez à ces questions.

a ¿Qué temperatura máxima (M.) hizo en Bogotá?

b ¿Qué temperatura mínima (m.) hizo?

c ¿En qué ciudad hizo más calor?

d ¿En qué ciudades hizo más frío?

e ¿Dónde hizo más calor, en San Juan o Santo Domingo?

10 El tiempo

Écoutez maintenant ce bulletin météorologique d'une station de radio chilienne (ou reportez-vous à la transcription du bulletin page 291) et essayez de comprendre l'essentiel de ce qui est dit. Déterminez ensuite si les phrases ci-dessous sont vraies ou fausses (vrai = **verdadero** ; faux = **falso**).

Para hoy, en la región metropolitana, se anunció:

a nublado y precipitaciones débiles

b temperaturas extremas de 5 y 22 grados

Para mañana, se anunció:

c sol

d temperaturas extremas de 7 y 14 grados

las precipitaciones débiles	*les faibles précipitations*
el grado	*le degré*

16

¿dónde naciste?

où es-tu né(e) ?

Dans cette unité vous apprendrez à :

- parler des événements de votre vie ;
- parler de la vie des autres ;
- dire depuis combien de temps vous faites quelque chose (2).

1 Nací en San Clemente

Lors d'une interview à la radio, Miguel Montes, joueur de tennis, parle de sa vie.

1.1 À l'aide du dialogue, répondez aux questions suivantes.

- **a** Où et quand Miguel est-il né ?
- **b** Qu'a-t-il fait à Cuenca ? Et à Valence ?
- **c** Depuis combien de temps joue-t-il au tennis ?

Entrevistadora Cuéntanos algo acerca de tu vida, Miguel. ¿Dónde naciste?
Miguel Nací en San Clemente.
Entrevistadora ¿Cuándo naciste?
Miguel El 23 de abril de 1978.
Entrevistadora ¿Y dónde hiciste tus estudios?
Miguel Los hice en Cuenca. Me fui a Cuenca en 1989 para ir al colegio y luego al instituto que terminé en el noventa y cinco. Al año siguiente, en 1996, me fui a Valencia, donde viví hasta finales del noventa y siete.
Entrevistadora ¿Qué hiciste en Valencia?
Miguel Trabajé como administrativo en una empresa.
Entrevistadora ¿Y cuándo llegaste a Madrid?
Miguel Llegué a principios del noventa y ocho. Ese mismo año entré en la universidad a estudiar Derecho, pero no terminé los estudios. Dejé la universidad en el año dos mil uno y me dediqué completamente al tenis, que es lo que me apasiona.

llevo diez años jugando al tenis

Entrevistadora ¿Cuánto tiempo llevas jugando al tenis?
Miguel Diez años.

contar (o > ue)	*raconter*
administrativo	*employé de bureau*
el colegio	*le collège*
el instituto	*le lycée*
irse	*partir, aller*

1.2 Reprenez l'interview et remplissez le CV de Miguel avec les verbes appropriés. Le premier verbe vous est donné en exemple.

1978 **Nací** en San Clemente, Cuenca, el 23 de abril de 1978.
1989 ______ a Cuenca para ir al colegio.
1995 ______ el instituto.
1996 ______ a Valencia donde ______ como administrativo.
1998 ______ a Madrid y ______ en la universidad.
2001 ______ la universidad y ______ al tenis.

Comment dit-on… ?

Parler des événements de votre vie

¿Dónde/Cuándo naciste/ nació Vd.?	*Où/Quand es-tu/êtes-vous né(e) ?*
Nací en…/el…	*Je suis né(e) à/en…/le…*
Empecé/Terminé mis estudios en…	*J'ai commencé/J'ai terminé mes études en (date).*
Entré en el colegio/la universidad en…	*J'ai commencé à aller/Je suis entré(e) à l'école/à l'université en (date).*
Estudié/Hice…	*J'ai étudié/J'ai fait (filière).*
Trabajé como… en…	*J'ai travaillé comme… dans…*

Parler de la vie des autres

Nació en España/Francia.	*Il/Elle est né(e) en Espagne/France.*
Estudió en…	*Il/Elle a étudié à/en (lieu).*
Trabajó como… en…	*Il/Elle a travaillé comme… dans…*

Dire depuis combien de temps vous faites quelque chose

¿Cuánto tiempo llevas jugando al tenis/estudiando español?	*Depuis combien de temps joues-tu au tennis/étudies-tu l'espagnol ?*
(Llevo) un año (jugando al tenis/estudiando español).	*(Je joue au tennis/J'étudie l'espagnol) depuis un an.*

Grammaire

1 Meses y fechas (*mois et dates*)

enero	*janvier*	mayo	*mai*	se(p)tiembre	*septembre*
febrero	*février*	junio	*juin*	octubre	*octobre*
marzo	*mars*	julio	*juillet*	noviembre	*novembre*
abril	*avril*	agosto	*août*	diciembre	*décembre*

On utilise **en** pour dire « en » comme dans « en janvier » :

¿En qué mes naciste?	*Quel mois es-tu né ?*
Nací en enero.	*Je suis né en janvier.*
En marzo de 1988.	*En mars 1988.*

Remarquez que **en** s'utilise dans la question **¿En qué mes naciste?** alors que l'on dira en français : « Quel mois es-tu né ? ».

Pour dire une date, il faut employer l'article **el** devant le chiffre et le mot **de** devant le mois :

El 25 de julio.	*Le 25 juillet.*
El 30 de septiembre de 1991.	*Le 30 septembre 1991.*

2 Le passé simple : *irse* et les verbes changeant d'orthographe

a **Irse** *partir, aller*, est irrégulier et se conjugue comme **ir** *aller* (voir Unité 15).

Me fui a Cuenca.	*Je suis parti(e)/allé(e) à Cuenca.*
¿Cuándo se fue?	*Quand est-il/est-elle/êtes-vous parti(e) ?*

b Pour que la prononciation du radical reste identique, l'orthographe de certains verbes change à la première personne du singulier du passé simple.

- Le « g » des verbes se terminant en **-gar** devient **gu** devant « e » comme dans **llegar** *arriver* :

Llegué ayer.	*Je suis arrivé(e) hier.*

- Le « c » des verbes se terminant en **-car** devient **qu** devant « e », comme dans **dedicarse a** *se consacrer à* :

Me dediqué al tenis.	*Je me suis consacré(e) au tennis.*

- Le « z » des verbes se terminant en **-zar** devient **c** devant « e », comme dans **empezar** *commencer* :

Empecé el colegio en 1979.	*J'ai commencé à aller à l'école en 1979.*

3 ¿Cuánto tiempo llevas...? (*Depuis combien de temps... ?*)

Pour demander et dire depuis combien de temps quelqu'un fait quelque chose, utilisez le présent de **llevar** suivi d'une *expression de temps* et d'un verbe au *gérondif* (un verbe se terminant en **-ando** ou **-iendo**, voir Unité 14).

¿Cuánto tiempo llevas trabajando/viviendo allí?	*Depuis combien de temps travailles-tu/ vis-tu ici ?*
Llevo dos años (trabajando/ viviendo) allí.	*(Je travaille, je vis ici) depuis deux ans.*

Comparez cette structure avec celle que nous avons vue dans l'Unité 10 : **hace** + *expression de temps* + **que** + *présent.*

Exercices

1 La historia de mi vida

Isabel Blanco est journaliste, elle raconte ce qu'elle a fait jusqu'à présent dans sa vie professionnelle et personnelle. Retrouvez les dessins correspondant à chacune de ces phrases.

a Me casé con Antonio en 2004.

b Entré en la universidad a la edad de 18 años.

c Nací en Aranjuez el 7 de mayo de 1976.

d Terminé la carrera a los 23.

e Empecé el colegio a los 6 años.

f Empecé a trabajar como periodista en enero de 2000.

empecé (de **empezar**)	*j'ai commencé*

2 Con relación a su anuncio

Sebastián est réceptionniste d'hôtel mais il n'a pas de travail actuellement. Il écrit cette lettre en réponse à une offre d'emploi qu'il a vue dans un journal. Complétez-la en conjuguant au passé simple les verbes entre parenthèses.

Muy señor mío:
Con relación a su anuncio en el periódico *El Mundo*, estoy interesado en el puesto de jefe de recepción.
Me llamo Sebastián García Robles e hice estudios de hostelería en el Instituto Mediterráneo de Málaga, los que (terminar) en 1994. Entre 1995 y 2001 (trabajar) como recepcionista en el Hotel Andaluz de Marbella. En junio de 2002 (irse) a Alicante e (ingresar) en el grupo hotelero Iberotur. (Desempeñar) el puesto de recepcionista en el Hotel San Jaime, cargo que (ocupar) hasta diciembre de 2005, fecha en que (perder) mi empleo por reducción de plantilla...

la reducción de plantilla	*la réduction des effectifs*
desempeñar	*occuper*
ingresar en	*rejoindre*

(i) En cartas formales o comerciales, como la anterior, se utiliza la expresión **Muy señor/a mío/a** *Monsieur/Madame* para dirigirse a nuestro interlocutor. También puedes utilizar la expresión **Distinguido/a señor/a** o **Estimado/a señor/a** *Monsieur/Madame*. La fórmula más común para terminar una carta formal es **Atentamente** o **Muy atentamente** *Je vous prie, Madame, Monsieur, d'agréer l'expression de mes salutations distinguées.*

dirigirse	*s'adresser*

Remarquez que la formule d'appel est suivie de deux points en espagnol et d'une virgule en français : **Muy senor mío:** *Monsieur*,.

3 Estudié empresariales

Lisez le résumé page 162 de la carrière professionnelle de Maribel Domínguez.

3.1 Que répondrait-elle à ces questions ?

a ¿Cuántos años trabajó usted en el departamento de producción?
b ¿En qué año ingresó en Expometal?
c ¿En qué año ascendió a subdirectora comercial?

Me llamo Maribel Domínguez Alvarez y ocupo el cargo de directora comercial. Estudié empresariales en la Universidad de Vizcaya, y luego de terminar mis estudios trabajé durante cuatro años como ayudante de producción en Electrodomésticos Bilbao. Ingresé en Expometal en 1989 como encargada del área de maquinaria industrial, en el departamento de marketing. Al año siguiente ascendí a subdirectora comercial, y dos años más tarde fui nombrada directora.

3.2 Relisez maintenant le résumé et dites comment ces phrases sont exprimées :

a Soy directora comercial.
b Hice empresariales.
c después de terminar
d dos años después

el cargo	*le poste*
el encargado	*le responsable*
las empresariales	*les études de commerce*
la maquinaria	*la machinerie*
el/la ayudante	*l'assistant(e)*
ascender	*être promu*

4 Una entrevista

Votre entreprise cherche une personne parlant espagnol. On vous a demandé de faire passer un entretien en espagnol à l'un des candidats. Quelles questions poseriez-vous pour obtenir ces réponses ? Vous devrez vouvoyer votre interlocuteur.

a Nací en Costa Rica.
b Nací el 25 de octubre de 1970.
c Hice mis estudios universitarios en San José.
d Estudié traducción e interpretación.
e Terminé mis estudios en junio de 1992.
f Actualmente trabajo como traductor en un organismo internacional.

5 ¿Quién es?

Voici des informations sur la vie d'un célèbre acteur espagnol.

5.1 Lisez les informations données et essayez de deviner de qui il s'agit. Vous trouverez la réponse dans la section **Réponses aux exercices**. Remarquez l'utilisation de ce passé simple irrégulier : **hubo** *il y eut* du verbe **haber** (voir **hay** *il y a* dans l'Unité 4).

- Nació en Málaga en 1961.
- Filmó 5 películas con Pedro Almodóvar, que lo hicieron famoso internacionalmente.
- Hollywood lo adoptó como el nuevo 'Latin lover' y le asignó papeles en películas como *Philadelphia*, *La casa de los espíritus*, y *Los reyes del mambo*.
- No siempre tuvo éxito. Hubo algunos fracasos, como *Loco de amor*, *Asesinos*, y *Nunca hables con extraños*.
- Se casó con la actriz Melanie Griffith y en septiembre de 1996 tuvieron su primer hijo.
- El director de cine Alan Parker lo seleccionó para el papel del narrador en *Evita*, película que se estrenó en 1997.
- En 1999 realizó su primer trabajo como director en una película con el racismo norteamericano de fondo, *Locos en Alabama*, que fue protagonizada por su esposa Melanie.
- En el año 2003 triunfó en Broadway con la obra musical *Nine*, por la cual fue nominado al premio Tony.

5.2 Faites maintenant une liste de tous les verbes au passé simple utilisés dans l'article et écrivez leur forme à l'infinitif.

6 Un diseñador industrial

On vous a demandé d'écrire sur la vie et la carrière professionnelle de Nicolás Rivas, un designer industriel mexicain. Remplissez les phrases avec les dates et expressions de temps appropriées :

a Nicolás Rivas nació en Guadalajara, México, el ______ .
b Empezó la carrera de diseño industrial en ______ .
c Terminó sus estudios en ______ .
d Trabajó como diseñador industrial en Metromex desde ______ hasta ______ .
e En ______ de ese mismo año, fue nombrado gerente de diseño en Metalsa.
f ______ conoció a Margarita, su primera mujer.
g Se casaron en Mérida el ______ .
h Tuvieron un hijo en ______ .
i Se divorciaron ______ .

7 ¿Cuánto tiempo llevas...?

Comment demanderiez-vous à Soledad depuis combien elle fait ces différentes activités et que répondrait-elle ? Retrouvez la phrase correspondant à chaque dessin. Posez ensuite les questions appropriées et répondez pour elle en utilisant la construction avec **llevar**. Vous la tutoierez.

- **a** vivir en Londres: 2 años
- **b** estudiar inglés: 1 año y medio
- **c** hacer atletismo: 3 años
- **d** trabajar como enfermera: 1 año

8 Ahora tú

Vous allez passer un entretien en espagnol et vous vous entraînez. Répondez à ces questions :

- **a** ¿Cómo se llama Vd.?
- **b** ¿Dónde nació?
- **c** ¿En qué fecha nació?
- **d** ¿Dónde hizo sus estudios secundarios/universitarios?
- **e** ¿Cuándo los empezó/terminó?
- **f** ¿Qué otros estudios tiene?
- **g** ¿A qué se dedica Vd. actualmente?
- **h** ¿Cuánto tiempo lleva estudiando/trabajando allí?
- **i** ¿Dónde estudió/trabajó anteriormente?
- **j** ¿Cuánto tiempo estuvo allí?

17

era muy pequeña

elle était très petite

Dans cette unité vous apprendrez à :

- demander et donner des explications ;
- dire comment était un lieu dans le passé ;
- dire comment était une personne.

1 ¿Por qué?

Gonzalo explique à Ana María pourquoi il a changé de travail. Les deux expressions clés de ce dialogue sont : **¿por qué?** *pourquoi ?* et **porque** *parce que*.

1.1 Lisez le dialogue plusieurs fois et dites :

a Pourquoi Gonzalo a changé de travail.
b Comment étaient ses anciens collègues.
c Comment était son chef.

Ana María ¿Por qué cambiaste de trabajo?
Gonzalo Porque la empresa donde estaba era muy pequeña, no había muchas posibilidades de ascenso y el sueldo no era muy bueno.
Ana María Y el ambiente de trabajo, ¿qué tal era?
Gonzalo Mis compañeros de trabajo eran muy simpáticos, pero mi jefe tenía un carácter muy difícil. No me sentía a gusto allí.

1.2 Reprenez maintenant le dialogue et trouvez les expressions qui ont à peu près le même sens que :

a la compañía no era grande
b era difícil ascender
c el salario era malo
d no estaba contento

cambiar de trabajo	*changer de travail*
el ascenso	*la promotion*
sentirse a gusto	*se sentir bien*

2 ¿Por qué os mudasteis de hotel?

Pilar décrit à Marta l'hôtel où elle a logé avec sa famille.

2.1 Écoutez la conversation et dites lequel de ces deux hôtels correspond à la description de Pilar.

2.2 Pourquoi Pilar et sa famille ont-ils changé d'hôtel ? Écoutez encore plusieurs fois la conversation et complétez ces phrases avec les verbes qu'elle a utilisés : **tenía**, **era**, **había**, **estaba**.

El hotel en que estábamos ______ un hotel de dos estrellas, y ______ lejos de la playa. No ______ piscina para los niños y no ______ aparcamiento. Además, ______ un poco caro y la comida no ______ muy buena.

Marta	¿Por qué os mudasteis de hotel?
Pilar	Porque el hotel en que estábamos era un hotel de dos estrellas y estaba lejos de la playa. No tenía piscina para los niños y no había aparcamiento. Además, era un poco caro y la comida no era muy buena.

2.3 Lisez maintenant le dialogue plusieurs fois puis cachez la réponse de Pilar et répondez à sa place.

Comment dit-on... ?

Demander à quelqu'un pourquoi il a fait quelque chose et répondre

¿Por qué cambiaste de trabajo/os mudasteis?	*Pourquoi as-tu changé de travail/avez-vous déménagé ?*
Porque el sueldo no era muy bueno/estaba muy lejos de la playa.	*Parce que le salaire n'était pas très bien/c'était très loin de la plage.*

Demander comment quelqu'un ou quelque chose était

¿Qué tal/Cómo era?	*Il/Elle/C'était bien ?*

Dire comment un lieu était

Era caro y no había piscina.	*C'était cher et il n'y avait pas de piscine.*

Dire comment quelqu'un était

Eran muy simpáticos.	*Ils étaient très sympathiques.*
Tenía un carácter muy difícil.	*Il/Elle avait un caractère très difficile.*

Grammaire

1 Description au passé : l'imparfait

a Les emplois

- Pour décrire quelque chose ou quelqu'un que l'on a vu dans le passé, on emploie *l'imparfait*.
- À la différence du passé simple (Unités 15 et 16), l'imparfait ne peut pas s'utiliser pour désigner une action précise qui a été réalisée dans le passé et qui est révolue. Il s'emploie plutôt pour décrire quelque chose, par exemple : **La empresa era pequeña** *L'entreprise était petite.*
- Comparez avec : **¿Por qué cambiaste de trabajo?** *Pourquoi as-tu changé de travail?* Ici **cambiaste** désigne une action qui a eu lieu à un moment précis dans le passé et qui est révolue.
- L'imparfait est souvent utilisé avec le passé simple pour tisser une sorte de toile de fond ou décrire le contexte de l'action qui a eu lieu. Regardez par exemple :

Sandra tenía (*imparfait*) veinte años cuando se casó (*passé simple*).	*Sandra avait vingt ans quand elle s'est mariée.*

b Comment se construit-il ?

Il existe deux groupes de terminaisons à l'imparfait : l'un pour les verbes en **-ar** et l'autre pour les verbes en **-er** et en **-ir**.

estar *être*	**tener** *avoir*	**sentirse** se *sentir*
esta**ba**	ten**ía**	me sent**ía**
esta**bas**	ten**ías**	te sent**ías**
esta**ba**	ten**ía**	se sent**ía**
está**bamos**	ten**íamos**	nos sent**íamos**
esta**bais**	ten**íais**	os sent**íais**
esta**ban**	ten**ían**	se sent**íain**

Note : la première personne du singulier, **yo estaba** *j'étais*, est identique à la troisième personne du singulier, **él/ella/usted estaba** *il/elle était, vous étiez.*

Remarquez également que **estábamos** ainsi que toutes les personnes des verbes en **-er** et en **-ir** portent un accent écrit, par exemple : **tenía**.

Estaba a media hora de allí.	*C'était à une demi-heure de là-bas.*
El hotel no tenía sauna.	*L'hôtel n'avait pas de sauna.*
¿Cómo te sentías allí?	*Comment te sentais-tu là-bas ?*

2 Les verbes irréguliers

Seuls trois verbes sont irréguliers à l'imparfait : **ser** *être*, **ver** *voir* et **ir** *aller*. Nous verrons ces deux derniers dans l'Unité 18.

ser *être*	
era	ér**amos**
er**as**	er**ais**
era	er**an**

Mi ex marido era muy antipático.	*Mon ex-mari était très antipathique.*
No éramos felices.	*Nous n'étions pas heureux.*

3 Les expressions de temps utilisées avec l'imparfait

Voici les expressions les plus courantes que l'on utilise avec l'imparfait :

antes	*avant*
entonces	*à ce moment-là, à cette époque-là, alors*
en esa/aquella época	*à cette époque-là*
en esos/aquellos años	*ces années-là*
de pequeño/joven *ou* cuando era pequeño/joven	*quand j'étais petit/jeune*

Remarquez l'utilisation de **aquella** *cette (là)* et **aquellos** *ces (là)* pour faire référence à un passé plus éloigné. Nous avons vu dans l'Unité 7 que les mots **este**, **ese** et **aquel** permettaient de décrire trois degrés d'éloignement dans l'espace. Ces mots peuvent aussi s'utiliser pour exprimer l'éloignement dans le temps : **este lunes** *ce lundi (ci)*, **esa vez** *cette fois-là*, **en aquel tiempo** *en ce temps-là*.

Exercices

1 ¿Sabes la razón?

Complétez les questions et réponses suivantes avec les mots **por qué** ou **porque**. Retrouvez ensuite les réponses correspondant à chacune de ces questions.

a ¿ ______ dejaste la empresa?
b ¿ ______ decidiste estudiar español?
c ¿ ______ vendió Vd. su ordenador/computador(a) (Am. l.)?
d ¿ ______ no fueron a Cuba de vacaciones?
e ¿ ______ se mudaron de casa?
f ¿ ______ no viniste en coche?

1 ______ era muy caro.
2 ______ tenía una avería.
3 ______ el sueldo era muy bajo.
4 ______ la que tenían era muy pequeña.
5 ______ mi novio es colombiano.
6 ______ necesitaba uno con más memoria.

2 El piso de Marta

Voici le plan de la maison où Marta habitait. Répondez aux questions ci-dessous.

a ¿Cuántas plantas tenía?
b ¿Cuántos dormitorios tenía?
c ¿Cuántos baños había?
d ¿En qué planta estaban el comedor y el baño?
e ¿Dónde estaban la cocina y los dormitorios?

3 Ahora tú

Un ami hispanophone vous pose des questions sur l'endroit où vous habitiez. Répondez-lui.

a ¿Dónde estaba tu casa/piso/apartamento?
b ¿Era grande o pequeño/a?
c ¿Cuántos dormitorios tenía?

d ¿Tenía jardín?
e ¿Qué tal eran el barrio y tus vecinos?
f ¿Te gustaba vivir allí?, ¿por qué?

4 Así era

Vous voulez poser des questions à Gonzalo sur l'entreprise où il travaillait, que lui demanderiez-vous ? Et que répondrait-il ? Complétez ces questions avec les verbes de la liste, mettez-les à l'imparfait. Répondez ensuite aux questions en vous aidant des informations données dans le cadre.

tener haber llamarse ser estar

a ¿Cómo ______ la empresa?
b ¿Dónde ______ ?
c ¿Qué número de teléfono ______ ?
d ¿Quién ______ el director gerente?
e ¿Cuántos empleados ______ en la empresa?

Nombre de la empresa:	Computel S.A.
Dirección:	Calle León, 15, 7°, 28003 Madrid
Teléfono:	91 374 0962
Director gerente:	Alfonso García Méndez
Plantilla:	150

S.A. (Sociedad Anónima)	*société anonyme*
la plantilla	*l'effectif*

5 Ahora tú

Lors d'un entretien, on vous demande de décrire un endroit où vous avez travaillé ou étudié. Utilisez les questions ci-dessous pour préparer une courte description, vous pouvez ajouter des informations si vous le souhaitez.

a ¿Cómo se llamaba el lugar donde trabajabas/estudiabas?
b ¿Dónde estaba?
c ¿Cómo era?
d ¿Cómo te sentías allí?

6 Palabra por palabra

6.1 Trouvez les contraires des mots de cette liste. Ils permettent tous de décrire la personnalité et le caractère de quelqu'un. Si vous ne connaissez pas le sens de certains mots, consultez le **Lexique espagnol-français** à la fin du livre et vérifiez vos réponses dans la section **Réponses aux exercices**.

- **a** divertido
- **b** triste
- **c** audaz
- **d** tonto
- **e** modesto
- **f** cortés
- **g** optimista
- **h** simpático
- **i** fuerte
- **j** desagradable
- **k** trabajador
- **l** irresponsable
- **m** inmaduro
- **n** inseguro

6.2 Retrouvez dans cette grille les contraires que vous avez trouvés dans l'exercice ci-dessus. L'un d'entre eux est déjà entouré. Toutes les réponses vous sont données à la fin de l'unité.

A	K	X	A	B	U	R	R	I	D	O
R	D	P	N	J	I	O	P	L	M	N
R	E	E	T	B	S	N	G	H	T	P
O	S	S	I	H	G	E	A	T	Y	E
G	C	I	P	A	L	E	G	R	E	R
A	O	M	A	O	M	K	R	U	F	E
N	R	I	T	W	N	A	A	Y	R	Z
T	T	S	I	D	J	S	D	H	H	O
E	E	T	C	E	P	P	A	U	Q	S
U	S	A	O	B	P	P	B	B	R	O
H	T	I	M	I	D	O	L	K	L	O
I	N	T	E	L	I	G	E	N	T	E

7 ¿Qué tal tu jefe?

Carmen est secrétaire, elle décrit son ancien et nouveau patron à son ami José. Écoutez la conversation plusieurs fois et complétez ces phrases avec les mots qui conviennent.

a Mi jefe actual es ______ y tiene ______
b Mi jefe anterior era ______ y tenía ______

guapo	*beau*
feo	*laid*

8 Ahora tú

Comment décririez-vous le caractère des personnes que vous connaissez ? Utilisez les mots de l'Activité 6.

a un/a profesor/a o un/a jefe/a
b compañeros/as de clase/trabajo
c otra/s persona/s (un/a amigo/a, pariente/a, vecino/a)

9 La población española

Cet extrait s'intéresse à l'évolution de la population espagnole depuis la fin de la guerre civile (1936-1939), et fait quelques prévisions intéressantes pour le 21e siècle. Lisez le texte et répondez aux questions suivantes :

a Combien y avait-il d'Espagnols en 1940 ?
b Que peut-on remarquer si l'on compare les chiffres de 1984 et de 1991 ?
c Que prévoit-on pour le 21e siècle ?

En 1940, al terminar la Guerra Civil española, que causó medio millón de muertos y medio millón de exiliados, los españoles eran 26.188.000. En 1984, la población de España ascendía a 39.294.000, en 1991 había 38.872.000 y en 2003 era de 42.717.000.

Se estima que, a mediados del siglo XXI, habrá menos niños y niñas y más viejos, lo que puede constituir un serio problema para el sistema del bienestar social.

muertos	*morts*
exiliados	*exilés*
habrá	*il y aura*
el bienestar social	*la protection sociale*

18

¿qué hacías allí?

que faisais-tu là-bas ?

Dans cette unité vous apprendrez à :

- dire où vous habitiez ;
- dire quel travail vous faisiez ;
- dire ce que vous faisiez pendant votre temps libre.

1 ¿Dónde vivías antes?

Rodolfo demande à Elena où elle habitait et ce qu'elle faisait avant d'arriver à Barcelone.

1.1 À partir du dialogue, répondez aux questions suivantes.

- **a** Où habitait Elena avant d'arriver à Barcelone ?
- **b** Pourquoi aimait-elle habiter là-bas ?
- **c** Qu'avait-elle l'habitude de faire avec ses amis le soir et pendant les week-ends ?
- **d** Quel travail faisait-elle là-bas ?

Rodolfo	¿Dónde vivías antes de llegar a Barcelona?
Elena	Vivía en Almería. Estuve allí varios años.
Rodolfo	¿Te gustaba?
Elena	Sí, me encantaba. Tenía un buen trabajo y conocía a muchísima gente. Tenía un grupo de amigos a los que veía prácticamente todos los días. Nos reuníamos en algún café por la noche, a veces salíamos a cenar, los fines de semana íbamos al cine o a bailar. Lo pasábamos muy bien. Los echo mucho de menos.
Rodolfo	¿Qué hacías allí?
Elena	Era profesora. Trabajaba en un instituto.

los fines de semana iba a bailar

1.2 Lisez maintenant le dialogue et indiquez dans une liste tous les verbes à l'imparfait qui y sont utilisés avec leur infinitif, par exemple : **íbamos** – **ir**.

reunirse	*se retrouver*
pasarlo bien	*bien s'amuser*
los echo de menos (de **echar**)	*ils me manquent*
el instituto	*le lycée* (Espagne)

Pour dire que quelqu'un nous manque, on utilise en espagnol la construction **echar de menos a alguien**, on dira donc : **echo de menos a mis hijos** *mes enfants me manquent* ; **los echo de menos** *ils me manquent*.

Comment dit-on... ?

Demander à des gens où ils habitaient et répondre

¿Dónde vivías?	*Où habitais-tu ?*
Vivía en...	*J'habitais à/en...*

Demander à des gens quel travail ils faisaient et répondre

¿Qué hacías? ¿A qué te dedicabas?	*Que faisais-tu ?/Quel travail faisais-tu ?*
Era profesora.	*J'étais professeur.*
Trabajaba en...	*Je travaillais dans/à...*

Dire comment vous et d'autres personnes passiez votre temps libre

Salía/Salíamos a cenar.	*Je sortais/Nous sortions dîner.*
Iba/Íbamos al cine.	*J'allais/Nous allions au cinéma.*

Grammaire

1 Dire ce que vous aviez l'habitude de faire ou faisiez : l'imparfait

Pour décrire un état ou une action en cours à un moment non précis du passé, on utilise l'*imparfait* (voir Unité 17) :

En aquel tiempo ella vivía en España.	*À cette époque-là, elle habitait en Espagne.*
(Yo) tenía un buen trabajo.	*J'avais un bon travail.*
Los fines de semana íbamos a bailar.	*Les week-ends nous allions danser.*

Si l'on se réfère à un moment précis dans le passé, même lorsque l'action a eu lieu sur une longue période, on utilise le *passé simple* (voir Unités 15 et 16) et non l'imparfait :

Estuve allí durante mucho tiempo.	*Je suis allé(e) là-bas pendant longtemps.*
El fin de semana pasado fuimos a un partido de fútbol.	*Le week-end dernier nous sommes allés à un match de football.*

2 Les verbes irréguliers

Seuls **ser** *être* (voir Unité 17), **ir** *aller* et **ver** *voir* sont irréguliers à l'imparfait. Notez que les terminaisons de **ver** sont les mêmes que celles des verbes réguliers en **-er** et **-ir** à l'imparfait.

ir	iba	ib**as**	iba	íb**amos**	ib**ais**	ib**an**
ver	veía	veí**as**	veía	veí**amos**	veí**ais**	veí**an**

Manon iba a España todos los veranos. — *Manon allait en Espagne tous les étés.*

Por la tarde veíamos la televisión. — *Nous regardions la télévision l'après-midi.*

3 Les prépositions suivies d'un infinitif

Après ces prépositions, on utilise un infinitif en espagnol et un infinitif présent ou passé en français :

antes de llegar — *avant d'arriver*
después de salir — *après être sorti*
luego de cenar — *après avoir dîné*

Exercices

1 ¿Qué hacía Pablo?

Pablo se remémore son enfance et décrit ce qu'il avait l'habitude de faire. Retrouvez les phrases correspondant aux dessins ci-dessous et conjuguez les verbes à l'imparfait (à la première personne du singulier).

a (dormir) la siesta
b (jugar) con mi pelota
c (ir) a la escuela
d (hacer) los deberes
e (levantarse) a las 8:00
f (comer) con mi madre

2 Cuando tenía 18 años...

Elvira, de Jaén, raconte à un ami ce qu'elle faisait et comment elle vivait lorsqu'elle avait dix-huit ans. Conjuguez les verbes entre parenthèses à l'imparfait en utilisant la personne qui convient.

Cuando (yo) tenía dieciocho años...

(Vivir) con mis padres en Jaén.
(Trabajar) como dependienta en un supermercado.
(Ir) al trabajo en bicicleta.
(Empezar) a las 9:00 y (salir) a las 7:00.
(Ganar) 40.000 pesetas mensuales que actualmente representan unos 240 euros.
(Estar) soltera.
(Tener) un novio que (llamarse) Manuel.
Manuel y yo (verse) por la tarde, (dar) largos paseos y (hablar) de amor.

verse	*se voir*
el amor	*l'amour*

3 El rey cuenta su vida

Le roi Juan Carlos d'Espagne est né à Rome et a été élevé en Suisse. Lors d'une interview avec un magazine espagnol, il parle de son enfance, lorsqu'il avait seulement cinq ans et vivait en Suisse. Lisez le texte et répondez à ces questions :

a Qu'avait-il l'habitude de faire le jeudi ?
b Qui voyait-il de temps en temps ?
c Où se voyaient-ils parfois ?
d Comment lui semblait ce lieu ?

El rey cuenta su vida

En Suiza iba los jueves a ver a mi abuela a Lausanne y me reunía de vez en cuando con mis primos. A veces nos encontrábamos en el hotel Royal. Este hotel era un poco como mi casa, y ahora todavía sigue teniendo para mí un encanto especial, con aquellos salones de lujo anticuado y aquellos camareros que conocimos cuando éramos pequeños.

encontrarse	ici, *se voir*
como	*comme*
el encanto	*le charme*
el lujo	*le luxe*

4 Recuerdos de la infancia

Ángeles Mastretta est une écrivaine mexicaine, l'un de ses livres s'intitule *Mal de amores*. Elle parle ici de son enfance et de ses parents.

4.1 Lisez l'interview et dites si ces phrases sont vraies ou fausses (vrai = **verdadero** ; faux = **falso**).

a Los padres de Ángeles Mastretta eran muy modernos.
b Angeles tiene buenos recuerdos de su infancia.
c En Italia, el padre de Ángeles se dedicaba a vender coches.

– ¿Cómo eran tus padres?
– Ahora diría que conservadores. Recuerdo una infancia feliz. Mis padres permitían cosas que otros padres no permitían. Con naturalidad dormíamos en el campo, paseábamos en bicicleta. Como Josefa y Diego en *Mal de amores*, ellos consideraban que la humanidad era buena. Creo que se equivocaban, pero crecí con esa certeza.
– ¿A qué se dedicaba tu padre?
– Luego de estudiar ingeniería textil en Italia, mi padre volvió a Puebla (México) y, al no conseguir trabajo en eso, vendía autos. Era muy mal comerciante.

4.2 Lisez de nouveau cette interview et retrouvez les mots signifiant :

a tradicionales
b niñez
c montábamos
d no tenían razón

equivocarse	*se tromper*
la certeza	*la certitude*
crecer	*grandir*
el/la comerciante	*le vendeur/la vendeuse*
diría	*je dirais*
el auto	*la voiture*

5 Ahora tú

¿Dónde vivías cuando eras pequeño/a? ¿Qué hacía tu padre? ¿Y tu madre? ¿Quién te llevaba a la escuela? ¿Te gustaba ir a la escuela? ¿Dónde pasabas tus vacaciones? ¿Qué hacías allí?

¿quién?	*qui ?*
la escuela	*l'école*

6 ¿A qué se dedicaban?

Begoña, Esteban et Paola parlent du travail qu'ils avaient avant et de celui qu'ils ont actuellement. Begoña et Esteban sont espagnols et Paola est mexicaine. Écoutez l'enregistrement (ou reprenez le script page 290) et essayez de comprendre ce qu'ils faisaient et ce qu'ils font maintenant puis écrivez les noms appropriés à gauche de ces phrases. Conjuguez également les verbes entre parenthèses au présent ou à l'imparfait à la troisième personne du singulier.

______ **a** (Ser) intérprete. (Trabajar) por su cuenta.
______ **b** (Ser) azafata. (Trabajar) en una línea aérea.
______ **c** (Trabajar) en un restaurante. (Ser) camarero.
______ **d** (Estar) sin trabajo.
______ **e** (Ser) estudiante. (Estudiar) idiomas.
______ **f** (Ser) programador. (Trabajar) en una compañía especializada en programación.

por mi/su cuenta	*à mon/son compte*
la línea aérea	*la compagnie aérienne*

7 ¿Qué hacían Delia y Pepe?

Delia et Pepe faisaient à peu près le même travail dans l'entreprise où ils travaillaient. Écrivez pour chaque dessin une phrase décrivant ce qu'ils avaient l'habitude de faire, aidez-vous pour cela des groupes de mots situés dans l'encadré. Vous pourrez écrire par exemple : **Asistían a reuniones** pour **asistir a reuniones**.

mandar faxes, servir café a los clientes,
contestar el teléfono, trabajar en el ordenador,
leer la correspondencia, atender al público

8 Asistíamos a reuniones

Comment Delia et Pepe expliqueraient-ils à une autre personne ce qu'ils avaient l'habitude de faire ? Suivez cet exemple : **Asistíamos a reuniones...**

9 Una entrevista

Vous faites passer un entretien à un(e) hispanophone. Comment lui demanderiez-vous ces informations ? Vous la vouvoyez.

a Quel travail il/elle faisait avant ?
b Où il/elle travaillait ?
c Combien il/elle gagnait ?
d Combien de semaines de vacances il/elle avait à l'année ?

10 Ahora tú

a ¿A qué te dedicabas antes?, ¿Estudiabas o trabajabas?
b ¿Dónde estudiabas/trabajabas?
c ¿A qué te dedicas ahora?
d ¿Dónde estudias/trabajas?

19

he reservado una habitación

j'ai réservé une chambre

Dans cette unité vous apprendrez à :

- transmettre un message ;
- faire une réclamation ;
- réclamer des objets perdus ;
- dire ce que vous avez fait.

1 Ha llamado dos veces

Ricardo transmet plusieurs messages à sa chef Marta.

1.1 Complétez ces phrases à partir du dialogue. Ces nouvelles formes verbales sont utilisées dans le dialogue : **ha llamado** *il/elle a appelé*, **ha hecho** *il/elle a fait*, **han reservado** *ils/elles ont réservé*.

a Isabel ha llamado dos veces para ______ .
b Ha hecho una reserva para ______ .
c El hotel Cuernavaca ha reservado una habitación para ______ .

Marta	¿Hay algún recado para mí, Ricardo?
Ricardo	Sí, Isabel, de Ibertour, le ha llamado dos veces para confirmar el vuelo a México. Ha hecho una reserva para el sábado 2 de septiembre.
Marta	Estupendo.
Ricardo	También me ha dicho que ha recibido un fax del hotel Cuernavaca y que le han reservado una habitación para el día 3.

1.2 Lisez maintenant le dialogue et dites quelles expressions ont été utilisées pour dire :

a Elle m'a dit. **b** Elle a reçu un fax.

dos veces *deux fois*

2 He pedido una habitación exterior

Marta est à Mexico, elle se plaint auprès de la réceptionniste de l'hôtel de la chambre qui lui a été donnée.

2.1 À partir du dialogue dites si ces phrases sont vraies ou fausses (vrai = **verdadero** ; faux = **falso**). Notez l'expression **dar a** *donner sur*.

a La habitación doscientos veinte da a la calle.
b La habitación trescientos cincuenta es interior.
c El aire acondicionado de la habitación no funciona.

Marta	Buenos días.
Recepcionista	Buenos días, señora.
Marta	Mire, yo he pedido una habitación exterior y ustedes me han dado una interior. Además, el aire acondicionado no funciona.

Recepcionista	Perdone, pero ha sido una equivocación. ¿Qué número de habitación tiene usted?
Marta	Estoy en la habitación doscientos veinte.
Recepcionista	Puedo darle la trescientos cincuenta, que está libre. Ésa da a la calle.
Marta	Muy bien, gracias.

2.2 Lisez maintenant le dialogue et retrouvez les formes conjuguées des verbes entre parenthèses :

a He (pedir) ______

b Me han (dar) ______

c Ha (ser) ______

pedir	*demander*
dar	*donner*

(i) Il n'est pas toujours facile de faire une réclamation dans un pays étranger lorsque l'on ne connaît pas bien la langue et essayer de comprendre les démarches administratives est parfois encore plus décourageant. Cependant, il existe en Espagne des procédures bien établies pour faire une réclamation et aider ainsi les consommateurs. Quelles sont-elles ? Vous les découvrirez en lisant ce texte.

Tus derechos

En España, si no estás conforme con el servicio que has recibido en un hotel, restaurante u otro establecimiento comercial, tienes tres alternativas: a) Puedes presentar tu **queja** *réclamation* directamente a la persona encargada, por ejemplo, el gerente del hotel. b) Puedes pedir **una hoja de reclamación** *feuille de réclamation (voir page suivante)* y expresar tu queja **por escrito** *par écrit*. Todos los establecimientos que prestan servicios al público tienen la obligación de tenerla y deben responder a tu queja en un plazo de 10 días. c) Si no lo hacen o no estás conforme con la respuesta, puedes ir a la Oficina Municipal de Información al Consumidor (OMIC), que se ocupará de tu caso.

los derechos	*les droits*
el consumidor	*le consommateur*
estar conforme	*être satisfait*
se ocupará de	*s'occupera de*
encargado/a	*responsable*
plazo	*délai*

2.3 Regardez maintenant la feuille de réclamation sur la page suivante. De quoi se plaint cette personne ?

JUNTA DE ANDALUCÍA

Consejería de Salud y Servicios Sociales
Dirección General de Consumo

HOJA DE RECLAMACIÓN

1. – LUGAR DEL HECHO

EN *VILLE*	Marbella	PROVINCIA *PROVINCE*	Málaga	FECHA *DATE*	4/8

2. – HECHOS RECLAMADOS

La administración del hotel Miramar
niega toda responsabilidad por el daño
causado a mi coche mientras se encontraba
en el aparcamiento del hotel.
Soledad del Río
Santa Cruz 327, 3º, B Aranjuez
Tel. 91 621 8022

3 He olvidado mi paraguas

Marta a oublié son parapluie dans un restaurant, elle y retourne pour le demander.

3.1 Quelles formules utilise-t-elle pour décrire son parapluie ?

Marta	Perdone, esta tarde he comido aquí con unos amigos y he olvidado mi paraguas. Es un paraguas azul, de cuadros.
Camarero	¿Es éste?
Marta	Sí, es ése. Muchísimas gracias.
Camarero	De nada, señora.

3.2 Lisez maintenant le dialogue et dites comment ces phrases sont exprimées.
a J'ai déjeuné ici. **b** J'ai oublié mon parapluie.

olvidar *oublier*

Comment dit-on… ?

Transmettre un message

¿Hay algún recado para mí?	*Y a-t-il un message pour moi ?*
Isabel ha llamado/hecho la reserva/recibido un fax.	*Isabel a appelé/fait la réservation/reçu un fax.*

Faire une réclamation

Yo he pedido…	*J'ai demandé…*
y Vds. me han dado…	*et vous m'avez donné…*
El aire acondicionado/La calefacción no funciona.	*La climatisation/le chauffage ne fonctionne pas.*

Réclamer des objets perdus

He olvidado/dejado mi paraguas/una chaqueta.	*J'ai oublié/laissé mon parapluie/une veste.*

Dire ce que vous avez fait

He comido/estado aquí.	*J'ai mangé/Je suis allé(e) ici.*

Grammaire

1 Parler du passé récent

a Le passé composé

On utilise le *passé composé* pour poser des questions sur une action qui a eu lieu il y a peu de temps, par exemple : « a-t-il appelé ? », et y répondre. Il sert aussi à décrire des événements passés qui ont eu lieu à un moment qui n'est pas encore révolu, par exemple : « il n'a pas encore appelé » (la journée n'est pas terminée). On l'emploie également pour parler d'une action qui a eu lieu à un moment qui n'est pas déterminé dans le temps, par exemple : « elle a fait une réclamation ».

b Comment se construit-il ?

Le passé composé se forme avec le *présent* de **haber** *avoir* et un participe passé. Les participes passés se forment ainsi en espagnol :

- **-ado** pour les verbes en **-ar**, par exemple : **llamar** *appeler,* llam**ado**
- **-ido** pour les verbes en **-er** et en **-ir**, par exemple : **recibir** *recevoir,* recib**ido**

Il existe cependant des exceptions, par exemple, **hecho** *fait* ; une liste des formes irrégulières les plus courantes vous est donnée dans le paragraphe **2** de la page 187.

llamar *appeler*		**ser** *être*		**recibir** *recevoir*	
he	llamado	he	sido	he	recibido
has	llamado	has	sido	has	recibido
ha	llamado	ha	sido	ha	recibido
hemos	llamado	hemos	sido	hemos	recibido
habéis	llamado	habéis	sido	habéis	recibido
han	llamado	han	sido	han	recibido

c Note d'usage

Notez que le passé composé que l'on utilise en français ne se traduit pas toujours par du passé composé en espagnol. On emploie en effet souvent un passé simple en espagnol là où un passé composé est préféré en français (voir Unité 15).

	Carlos llamó ayer.	*Carlos a appelé hier.*
mais	Carlos ha llamado hoy.	*Carlos a appelé aujourd'hui.*

Notez aussi qu'en Amérique latine, on emploie plutôt du passé simple (voir Unités 15 et 16) pour décrire une action qui a eu lieu il y a peu de temps. Pour les actions qui ont eu lieu à un moment qui n'est pas révolu, on utilise à la fois le passé simple et le passé composé.

2 Les participes passés irréguliers

Les participes passés irréguliers les plus courants sont :

abrir	abierto *(ouvert)*
poner	puesto *(mis)*
decir	dicho *(dit)*
romper	roto *(cassé)*
escribir	escrito *(écrit)*
ver	visto *(vu)*
hacer	hecho *(fait)*
volver	vuelto *(revenu)*

¿Qué ha dicho?	*Qu'a-t-il/elle dit ?*
Todavía no lo hemos hecho.	*Nous ne l'avons encore pas fait.*

3 Les expressions de temps utilisées avec le passé composé

hoy	*aujourd'hui*
esta mañana	*ce matin*
esta semana/este mes/año	*cette semaine/ce mois-ci/cette année*
alguna vez	*déjà*
nunca	*jamais*
ya	*déjà*
todavía/aún	*encore*

¿Has estado alguna vez allí?	*Tu es déjà allé(e) là-bas ?*
No he visitado nunca ese sitio.	*Je n'ai jamais visité cet endroit.*
Ya he visto esa película.	*J'ai déjà vu ce film.*
Todavía/Aún no han llegado.	*Ils ne sont pas encore arrivés.*

Exercices

1 Un recado

Votre patron travaille avec l'Espagne. Ce matin, vous avez sur votre répondeur un message pour lui en espagnol. Écoutez-le et faites une note en français pour pouvoir lui communiquer le message ensuite.

encontrar	*trouver*
aplazar	*repousser*

2 Una queja

Un client, mécontent des services d'une compagnie aérienne qui a perdu ses bagages, écrit au directeur une lettre de réclamation. Complétez cette lettre en conjuguant les verbes entre parenthèses au passé composé, le premier vous est donné en exemple.

Muy señor mío:

Por razones de trabajo viajo regularmente entre Madrid y Canarias. En el último viaje que realicé, el 24 de abril, la línea aérea que usted representa perdió mi equipaje. Hice el reclamo inmediatamente en el aeropuerto, pero han pasado tres semanas y mi maleta no (aparecer). (Yo) (escribir) dos cartas y (llamar) en varias oportunidades a la persona encargada, pero no (tener) ninguna respuesta satisfactoria. Tampoco (recibir) ninguna indemnización. Este hecho me (causar) serios problemas, ya que la maleta contenía material indispensable para mi trabajo…

satisfactoria	*satisfaisante*
el hecho	ici, *l'incident* (littéralement, *le fait)*

3 ¿De qué se quejan?

Laura et son mari avaient fait appel à une agence de voyages pour réserver une chambre d'hôtel mais ils ont été très déçus en arrivant là-bas et se sont plaints auprès du directeur. Découvrez ce qui ne leur a pas plu.

3.1 Écoutez la conversation plusieurs fois (ou reprenez le script page 290) et dites laquelle de ces deux annonces répond le plus à leurs attentes.

7 HOTEL EXCELSIOR *

Vara del Rey, 17, San Antonio, Tel.: 971 34 01 85
Situado en pleno centro de San Antonio a escasos minutos de la playa, hotel de ambiente y explotación familiar, todas sus habitaciones cuentan con baño o ducha. Asimismo dispone de salón social y de televisión, al igual que de bar y restaurante.

35 HOTEL CONDES **

Zona Comercial Carabela, Puerto de Alcudia, Tel.: 971 54 54 92
Situado a 100 mt. de la orilla del mar, en un lugar perfecto donde podrá practicar toda clase de deportes acuáticos. Dispone de una gran piscina y solarium, salón de TV y vídeo, bares en el interior y en la terraza y zona especial para niños entre los jardines. Las habitaciones disponen todas de baño completo y terraza con vistas al mar.

3.2 Dites si ces phrases sont vraies ou fausses (vrai = **verdadero** ; faux = **falso**).

a El recepcionista les ha dado una habitación con vistas a un aparcamiento.
b Laura y su marido han estado dos veces en esa ciudad.
c Es la segunda vez que les pasa algo así.

¡Es el colmo!	*C'est le comble !*
¡Esto es increíble!	*C'est incroyable !*

4 Palabra por palabra

Voici quelques problèmes que vous pourriez rencontrer lors d'un séjour dans une chambre d'hôtel. Pouvez-vous deviner le sens de ces phrases ? Cherchez les mots que vous ne connaissez pas.

a La calefacción, el aire acondicionado, la televisión, el grifo del agua caliente/fría ... no funciona.
b El váter, el lavabo, la bañera ... está atascado/a.
c Falta jabón, champú, papel higiénico.
d No hay suficientes toallas.

faltar	*manquer*
atascado/a	*bouché(e)*

5 Ahora tú

Vous venez d'arriver dans une chambre d'hôtel et vous appelez la réception pour vous plaindre de l'état de la chambre. Comment diriez-vous ces phrases en espagnol ?

a Le chauffage ne marche pas.
b Le lavabo est bouché.
c Il n'y a pas de savon dans la salle de bains.
d J'ai besoin de plus de couvertures dans mon lit.

la manta	*la couverture* (Espagne)
la cama	*le lit*

6 Una carta a un periódico

Sonia a écrit à un journal, elle se plaint d'une chose bien différente.
De quoi s'agit-il ?

No encuentro trabajo por ser mujer

■ Querría hacer constar mi protesta: soy delineante de edificios y obras, sobradamente preparada y con 21 años; cansada de pedir trabajo inútilmente, he llegado a la conclusión de que por el hecho de ser mujer, cosa que implica llevar nueve meses una criatura dentro, he de presentar aparte del currículum vitae un certificado médico en el que verifique que soy estéril. Quizás así me darían trabajo.

SONIA CAL REY
Cardedeu

hacer constar	*exprimer*
el/la delineante	*le dessinateur/la dessinatrice*
sobradamente	*extrêmement*
he de	*je dois*
me darían	*ils me donneraient*

7 Objetos perdidos

Margarita a oublié quelque chose dans le bureau de Monsieur Palma. De quoi s'agit-il et comment le décrit-elle ? Lisez le dialogue ou écoutez l'enregistrement pour pouvoir répondre à ces questions.

Margarita Perdone, he estado en el despacho del señor Palma esta mañana y he dejado una cartera con unos documentos. Es una cartera negra, de piel. ¿Puede decirme si la han encontrado? Es muy importante.

Recepcionista Sí, señora. Su cartera está aquí en la recepción.

8 Ahora tú

Vous étiez à midi dans un bar avec un ami et une fois parti(e), vous vous êtes rendu(e) compte que vous aviez oublié quelque chose. Choisissez l'un de ces objets et dites au serveur ce que vous avez perdu, demandez-lui s'il l'a trouvé.

9 ¿Ha llamado usted al director del banco?

Vous avez beaucoup de travail au bureau aujourd'hui et votre patron, qui est espagnol, vérifie ce que vous faites. Voici une liste des choses que vous devez terminer, ce que vous n'avez pas encore fait est marqué d'une croix. Comment vous demanderait-il si vous avez effectué telle ou telle tâche ? Comment répondriez-vous ? Lisez les exemples avant de commencer.

Ejemplos:

– ¿Ha llamado Vd. al director del banco?
– No, todavía no lo he llamado.
– ¿Ha contestado Vd. la carta de Ángela Salas?
– Sí, ya la he contestado.

a	Llamar al director del banco	✗
b	Contestar la carta de Ángela Salas	✓
c	Pedir hora con el doctor Prado	✓
d	Escribir a los distribuidores en Nueva York	✓
e	Hacer el pedido de material de oficina	✗
f	Ver a la señora Martínez	✓
g	Abrir la caja con las mercancías	✗

10 Un visitante extranjero

On vous a demandé de vous occuper d'un visiteur hispanophone. Comment lui demanderiez-vous ces informations ? Vous devrez le vouvoyer.

a s'il ou elle est déjà venu(e) dans votre pays auparavant ;
b quels lieux il ou elle a déjà vus ;
c ce qu'il ou elle a fait aujourd'hui ;
d s'il ou elle a déjà déjeuné.

20

iremos a la playa

nous irons à la plage

Dans cette unité vous apprendrez à :

- dire ce que vous allez faire ;
- exprimer des hypothèses et des certitudes ;
- exprimer une condition.

1 Hasta el viernes

Ángel habite à New York et appelle son amie Isabel pour confirmer son heure d'arrivée à l'aéroport de Barcelone.

1.1 Répondez à ces questions à partir du dialogue :

a ¿Adónde viaja Ángel?
b ¿Cuándo sale Ángel de Nueva York?
c ¿Cuándo y a qué hora llega a España?

1.2 Reprenez le dialogue et essayez de comprendre pourquoi Isabel ne prend pas sa voiture pour aller chercher Ángel à l'aéroport. Dites ensuite à qui elle veut emprunter une voiture.
Remarquez l'utilisation de **¡hombre!** (littéralement *homme*), cette expression est souvent employée en espagnol pour insister sur quelque chose ou pour exprimer différentes émotions. Ici, on pourrait la traduire par « Et comment ! ».

Isabel	¿Dígame?
Ángel	Hola, Isabel. Soy Ángel.
Isabel	Hola, Ángel, ¿cómo estás?
Ángel	Bien, gracias. Mira, Isabel, mi vuelo está confirmado. Salgo de Nueva York mañana por la noche y llego a Barcelona el viernes a las siete y media de la mañana. ¿Vendrás a recogerme al aeropuerto?
Isabel	¡Hombre, por supuesto! Supongo que traerás mucho equipaje.
Ángel	Sí, bastante.
Isabel	Bueno, le pediré el coche a Rafael. El mío es demasiado pequeño.
Ángel	Vale, muchas gracias. Hasta el viernes, entonces.
Isabel	Adiós, Ángel. Que tengas buen viaje. Un beso.

1.3 Vérifiez maintenant que vous comprenez ces infinitifs et retrouvez leur forme conjuguée dans la conversation, par exemple : **llegar** – **llego**.

a	salir	**c**	suponer	**e**	pedir
b	venir	**d**	traer	**f**	tener

recoger	*chercher*
por supuesto	*bien sûr*
¡que tengas buen viaje!	*bon voyage !*
el equipaje	*les bagages*
pedir	*demander*
un beso	*un bisou*

2 Me imagino que querrás descansar

Ángel raconte son voyage à Isabel et ils font quelques projets.

2.1 Répondez aux questions suivantes à partir du dialogue.

- **a** Le vol s'est-il bien passé ?
- **b** Qu'a prévu Isabel de faire en premier lieu ?
- **c** Que propose-t-elle de faire le soir ?

2.2 Essayez de compléter ces phrases.

- **a** Si ______, saldremos a cenar.
- **b** Si ______, iremos a la playa.

Isabel	¿Qué tal el viaje?
Ángel	Ha habido mucha turbulencia y no he dormido en toda la noche.
Isabel	Estarás muy cansado, ¿no?
Ángel	Sí, muchísimo.
Isabel	Me imagino que querrás descansar. Te llevaré a casa y podrás dormir un rato. Y esta noche, si estás bien saldremos a cenar. ¿Qué te parece?
Ángel	Estupendo. Y mañana, si hace bueno iremos a la playa. ¿Vale?
Isabel	De acuerdo. El tiempo ha estado buenísimo y seguro que mañana hará calor.

2.3 Lisez maintenant le dialogue et trouvez les phrases ayant le même sens que :

a He pasado toda la noche sin dormir.
b Probablemente estás muy cansado.
c Supongo que quieres descansar.
d Seguramente mañana hará calor.

cansado/a	*fatigué(e)*
descansar	*se reposer*
imaginarse	*imaginer*

Comment dit-on… ?

Dire ce que vous allez faire

Salgo de…/Llego a… a las…	*Je pars de…/J'arrive à/en (lieu) à (heure)*
Le pediré el coche a…	*Je demanderai à… sa voiture.*

Exprimer des suppositions et des certitudes

Estarás muy cansado, ¿no?	*Tu dois être très fatigué, non ?*
Supongo/me imagino que querrás descansar.	*Je suppose/J'imagine que tu voudras te reposer.*
Seguro que mañana hará calor.	*Demain il fera chaud, c'est sûr.*

Exprimer une condition

Si estás bien/hace bueno, iremos a la playa.	*Si tu te sens bien/S'il fait beau temps, nous irons à la plage.*

Grammaire

1 Le présent avec un sens de futur

Le présent s'emploie souvent avec un sens de futur pour décrire une action qui va se produire dans peu de temps. Il s'emploie alors surtout avec des verbes de mouvement tels que : **salir** *partir*, **llegar** *arriver*, **ir** *aller*.

Sale mañana por la noche.	*Il/Elle part demain soir.*
Llega pasado mañana.	*Il/Elle arrive après demain.*
Mañana vamos al campo.	*Demain, nous allons à la campagne.*

2 Le futur

Dans l'Unité 13, nous avons vu comment parler de nos projets et de nos intentions en utilisant des expressions telles que **ir a** + *infinitif* (**Voy a viajar a España** *Je vais aller en Espagne*) et **pensar** + infinitif (**Pienso volver la próxima semana** *Je pense revenir la semaine prochaine*). Ces expressions sont très courantes en espagnol, nous verrons ici comment exprimer des idées similaires en employant un verbe au futur.

a Comment se construit-il ?

Pour former le futur, il faut utiliser *tout l'infinitif* du verbe et ajouter ensuite les terminaisons appropriées. Ces terminaisons sont les mêmes pour les verbes en **-ar**, **-er** et **-ir**.

llevar *prendre, emmener*	**traer** *apporter*	**ir** *aller*
llevar**é**	trae**ré**	ir**é**
llevar**ás**	traer**ás**	ir**ás**
llevar**á**	traer**á**	ir**á**
llevar**emos**	traer**emos**	ir**emos**
llevar**éis**	traer**éis**	ir**éis**
llevar**án**	traer**án**	ir**án**

Notez qu'il faut mettre un accent à toutes les personnes sauf à la première personne du pluriel.

b Ses emplois

- Pour décrire des actions et événements futurs :

Llegaremos a Madrid a las 14:00 horas.	*Nous arriverons à Madrid à 14heures.*

- Pour décrire des actions qui n'ont pas été prévues auparavant :

Te enseñaré las fotos de nuestro viaje.	*Je vais te montrer les photos de notre voyage.*

- Pour exprimer la détermination ou une promesse :

Te prometo que no te dejaré solo.	*Je te promets que je ne te laisserai pas seul.*

- Pour exprimer une supposition :

On exprime généralement une supposition avec les verbes **suponer** *supposer* et **imaginarse** *imaginer* suivis de **que** et du *futur.*

Supongo que nos escribirás.	*Je suppose que tu vas nous écrire.*

- Pour exprimer une certitude :

La certitude s'exprime avec des expressions telles que **seguro que...**, **seguramente** *c'est sûr, sûrement* et **estar seguro/a de que...** *être sûr(e) de...*

Estoy seguro/a de que te gustará.	*Je suis sûr(e) que ça te plaira.*
Seguro que llegará tarde como siempre.	*Il arrivera sûrement en retard, comme toujours.*

- Pour exprimer une probabilité, une hypothèse :

Pour exprimer une probabilité ou une hypothèse on utilise en espagnol le futur. Cette construction se traduit souvent en français par les verbes *devoir* ou *pouvoir* ou avec un adverbe comme *sans doute* ou *probablement.*

Estarás muy cansado.	*Tu dois être très fatigué.*
Traerás mucho equipaje.	*Tu auras probablement beaucoup de bagages.*

- Pour prédire quelque chose :

Estará despejado.	*Le ciel sera dégagé.*

3 Les verbes irréguliers

Le radical de certains verbes est irrégulier au futur mais les terminaisons sont les mêmes que pour les verbes réguliers. Voici une liste des verbes irréguliers les plus courants :

decir	*dire*	diré...	saber	*savoir*	sabré...
hacer	*faire*	haré...	salir	*sortir*	saldré...
poder	*pouvoir*	podré...	tener	*avoir*	tendré...
poner	*mettre*	pondré...	venir	*venir*	vendré...
querer	*vouloir, aimer*	querré...			

Notez aussi la forme impersonnelle **habrá** (**hay** au présent) : *il y aura.*

4 Si... (*Si...*)

Pour exprimer une condition au présent telle que « S'il fait beau nous irons à la plage », on utilise en espagnol la structure suivante : **si** + *présent* + *futur* :

Si tengo dinero **saldré** de vacaciones.	*Si j'ai de l'argent, j'irai en vacances.*
Si veo a Alberto le **diré** que estás aquí.	*Si je vois Albert, je lui dirai que tu es là.*

5 Mío, tuyo... (*mien, tien...*)

Notez que *tous* ces mots s'accordent en genre (masculin ou féminin) et en nombre (singulier ou pluriel) avec le nom qu'ils désignent :

mío/a(s)	*mien(s), mienne(s)*
nuestro/a(s)	*nôtre, nos*
tuyo/a(s)	*tien(s), tienne(s)*
vuestro/a(s)	*vôtre(s)* (tutoiement, pluriel), *vos*
suyo/a(s)	*sien(s), sienne(s)*
suyo/a(s)	*leur(s), vôtre(s)*

Ces mots sont précédés de **el**, **la**, **los** ou **las** :

Éste es mi libro. El tuyo es ése.	*Ça, c'est mon livre. Le tien, c'est celui-là.*
Su casa está muy lejos. La mía está más cerca.	*Sa maison est très loin. La mienne est plus près.*

El, **la**, **los** et **las** ne s'utilisent pas après le verbe **ser** et dans les tournures signifiant « à toi, à moi etc. » :

Ese dinero es suyo.	*Cet argent est à vous/lui.*
Son amigos míos.	*Ce sont des amis à moi.*

Notez, dans ces exemples, la traduction en français de **suyo** et **míos**.

Exercices

1 Un viaje de negocios

Álvaro García va en Amérique du Sud en voyage d'affaires. Quelques jours auparavant, il a envoyé un fax à l'une des personnes qui l'accueillera pour lui donner des informations sur son voyage. Complétez le texte en vous aidant des verbes du premier encadré, conjuguez-les au futur.

quedarse	llevar	llamar	llegar	salir

Para: Sra. Sonia Álvarez, directora de Farmasur S.A.
De: Álvaro García
Fecha: 25 de abril de 2005
Páginas: 1

Estimada Sra. Álvarez:
Con relación a mi próxima visita a Santiago, me es muy grato comunicarle que ______ de Madrid en el vuelo AB 145, el jueves 28 de abril a las 10:45 de la noche y que ______ a Santiago el viernes 29 a las 11:00 de la mañana.
______ en el hotel Carrera, en la calle Teatinos, y la ______ por teléfono esa misma tarde para confirmar nuestra reunión. ______ toda la documentación que Vd. me ha solicitado.

me es muy grato *j'ai le plaisir de*

ⓘ **Estimado/a...** *Monsieur, Madame...* es más personal que **Muy señor mío** *Cher Monsieur* o **Distinguido señor** *Cher Monsieur*. Se utiliza frecuentemente en correspondencia comercial, por ejemplo **Estimada señora** *Madame*, **Estimado señor Reyes** *Monsieur Reyes*. También se utiliza con el **nombre de pila** *prénom* para dirigirse a personas a las que no se conoce bien, por ejemplo **Estimada Victoria** *Victoria*.

2 Las noticias

Vous êtes en Espagne pour quelque temps et, pour vous mettre au courant des dernières nouvelles, vous écoutez les informations sur une station de radio espagnole. Écoutez chaque information plusieurs fois et essayez de comprendre l'essentiel de ce qui est dit. Lisez ensuite les phrases ci-dessous et dites si elles sont vraies ou fausses (vrai = **verdadero** ; faux = **falso**).

a La reina Sofía inaugurará una exposición de esculturas y pinturas del artista colombiano Fernando Botero.

b El presidente del gobierno español saldrá el lunes en visita oficial a la República Argentina.

c En un futuro no muy lejano podremos realizar viajes espaciales turísticos a la Luna.

d Un tren de alta velocidad permitirá viajar entre París y Barcelona en poco más de cinco horas y media.

e En Madrid, mañana estará nublado y posiblemente lloverá.

la escultura	*la sculpture*
de alta velocidad	*à grande vitesse*
la pintura	*la peinture*

3 Si...

Paco s'imagine ce qu'il fera ou ne fera pas lorsqu'il devra travailler. Reliez les groupes de mots situés à gauche avec ceux de droite pour reconstruire ces phrases exprimant une condition.

a	Si tengo que trabajar horas extras	**1**	trabajaré como programador
b	Si no me aumentan el sueldo	**2**	podré irme a Estados Unidos
c	Si hago un curso de informática	**3**	me apuntaré para cobrar el paro
d	Si aprendo inglés	**4**	pediré un aumento de sueldo
e	Si no encuentro trabajo	**5**	buscaré otro trabajo

apuntarse para cobrar el paro	ici, *s'inscrire au chômage* (littéralement, *s'inscrire pour toucher le chômage*)

4 Seguro que te las pedirán

Votre amie Ángela n'est pas sûre d'obtenir le travail pour lequel elle a postulé mais vous essayez de la rassurer. Lisez la première phrase qui vous est donnée en exemple et répondez aux autres phrases d'Ángela en utilisant le même modèle.

a Si me *piden* referencias tendré que dar tu nombre.
Seguro que te las pedirán.

b Si me *entrevistan* tendré que prepararme muy bien.
Estoy seguro/a de que...

c Si me *ofrecen* el puesto lo aceptaré.
Seguramente...

d Si el sueldo no *es* muy bueno pediré más dinero.
Estoy seguro/a de que...

e Si me *dan* un coche de la empresa elegiré un Mercedes.
Seguro que...

5 Supongo...

Romain a prévu d'aller à Salamanque pour suivre des cours d'espagnol, il logera chez l'habitant. Sa famille d'accueil ne le connaît pas encore et a quelques doutes. Reformulez leurs questions en utilisant les expressions qui vous sont données en page 202, à droite. La première phrase vous est donnée en exemple.

a	¿Conoce Salamanca?	Supongo que conocerá Salamanca.
b	¿Viene solo?	Me imagino que…
c	¿Tiene nuestra dirección?	Supongo que…
d	¿Sabe cómo llegar aquí?	Me imagino que…
e	¿Entiende algo de español?	Supongo que…

6 Está mal aparcado

Complétez les phrases de ces bulles avec un possessif. Vous devrez utiliser **mi**, **tu**, **su** ou **mío**, **tuyo**, **suyo** avec ou sans **el**, **la**, **los**, **las**.

7 ¿Cómo serán las ciudades en el año 2025?

L'article suivant s'intéresse au développement que connaîtront les villes dans le monde entier jusqu'en 2025. Quels changements peut-on espérer ?

7.1 Lisez le texte puis dites si ces phrases sont vraies ou fausses (vrai = **verdadero** ; faux = **falso**).

a Les trois-quarts de la population mondiale habiteront dans des villes.
b Dans cinquante ans, la population mondiale aura doublé par rapport à l'année 2000.
c Il y aura 300 villes qui auront un million ou plus d'habitants.
d La population augmentera davantage dans les pays développés.
e Le fossé séparant les riches et les pauvres sera encore plus grand qu'il ne l'est aujourd'hui.

En el año 2025, alrededor de 5 mil millones de personas, es decir, dos tercios de la población mundial, vivirán en ciudades. La población total del mundo pasará de los 6 mil millones que había en el año 2000 a 9 mil millones dentro de 50 años.

Según numerosos estudios, en un plazo de 25 años existirán ciudades con más de 30 millones de habitantes, habrá 100 ciudades con más de cinco millones de personas y serán 300 las urbes con más de un millón de residentes.

La mayor parte de este crecimiento se producirá en los países en desarrollo, especialmente en África, Asia, América Latina y el Caribe, que en conjunto duplicarán su población urbana. El incremento será mayor en África, que duplicará su población urbana en sólo 30 años.

El siglo XXI traerá una gran división en las ciudades. La diferencia entre ricos y pobres crecerá aún más.

7.2 Lisez de nouveau le texte et trouvez les mots et expressions signifiant :

a las dos terceras partes
b dentro de
c las urbes
d residentes
e aumento
f países no industrializados

la población mundial	*la population mondiale*
según	*selon*
en conjunto	*ensemble*
crecer	ici, *augmenter* (littéralement, *grandir*)

21

me encantaría

j'aimerais beaucoup

Dans cette unité vous apprendrez à :

- faire des suggestions ;
- inviter quelqu'un et accepter ou refuser une invitation ;
- fixer un rendez-vous avec quelqu'un ;
- dire ce que vous feriez et ce que vous aimeriez faire.

1 ¿Qué te apetece ver?

Un soir, Margarita propose à Santiago de sortir.

1.1 À partir du dialogue répondez aux questions suivantes. Notez l'utilisation du verbe **gustar** dans **Me gustaría** *J'aimerais*.

a ¿Qué quiere hacer Margarita esta noche?
b ¿Qué película quiere ver?
c ¿Por qué no va a ir en coche?
d ¿A qué hora empieza la película?

Margarita	¿Qué te parece si vamos al cine esta noche?
Santiago	Vale. ¿Qué te apetece ver?
Margarita	Me gustaría ver *Sin palabras*. ¿La has visto?
Santiago	No, pero me gustaría verla. ¿Dónde la ponen?
Margarita	En La Vaguada.
Santiago	¿Vas a ir en coche?
Margarita	No, allí es muy difícil aparcar, si no iría en coche. La película empieza a las nueve. Podríamos quedar delante del cine sobre las nueve menos cuarto. ¿Qué te parece?
Santiago	Sí, me parece bien.
Margarita	Vale. Hasta luego.
Santiago	Hasta luego.

1.2 Reprenez le dialogue et trouvez les expressions signifiant :

a ¿Qué tal si...?

b ¿Qué quieres ver?

c Quisiera verla.

apetecer	*avoir envie de*
quedar	*se donner rendez-vous*
poner	*passer (film)*
si no	*autrement*

Ne confondez pas **si no** *autrement, sinon* et **sino** *mais* : iremos en autobus si no no podremos aparcar *nous irons en bus sinon nous ne pourrons pas nous garer* ; no hemos quedado a las cuatro sino a las tres *nous ne nous sommes pas donnés rendez-vous à trois heures mais à quatre heures.*

2 ¿Queréis venir a cenar a casa?

Manuel invite ses nouveaux collègues Maite et Simón chez lui. Lola est mexicaine.

2.1 À partir du dialogue, répondez aux questions ci-dessous. Les expressions importantes sont : **me encantaría** *j'aimerais beaucoup* et **tener un compromiso** *avoir déjà quelque chose de prévu.*

a ¿Adónde invita Manuel a sus colegas?

b ¿A qué otra persona ha invitado?

c ¿Por qué no puede aceptar la invitación Lola?

Manuel	¿Queréis venir a mi casa a cenar el próximo viernes? He invitado a Julio también.
Maite	Yo, encantada, gracias.
Lola	A mí me encantaría, pero no puedo. Tengo un compromiso. ¿Otro día quizás?
Manuel	Sí, sí, otro día.

2.2 Reprenez le dialogue et dites quelles expressions sont utilisées pour dire :

a Oui, avec plaisir.

b J'aimerais beaucoup mais je ne peux pas.

c Ce sera pour une prochaine fois peut-être.

conmigo	*avec moi*

Comment dit-on... ?

Faire des suggestions

¿Qué te parece si vamos a.../ vemos...?	*Ça te dit d'aller à/au.../ d'aller voir... ?*

Inviter quelqu'un et accepter ou refuser une invitation

¿Queréis venir a cenar/tomar una copa conmigo/con nosotros?	*Vous voulez venir dîner/prendre un verre avec moi/avec nous ?*
(Yo) Encantado/a.	*(Oui,) avec plaisir.*
(A mí) me encantaría, pero no puedo.	*J'aimerais beaucoup mais je ne peux pas.*

Fixer un rendez-vous avec quelqu'un

Podríamos quedar en.../ delante de... a las...	*Nous pourrions nous donner rendez-vous dans.../devant... à (heure).*
¿De acuerdo?/¿Qué te parece?/ ¿Te parece bien?	*D'accord ?/Tu en penses quoi ?/Ça te semble bien ?*
Vale/De acuerdo/(Me parece) bien.	*OK/D'accord/Ça me semble bien.*

Dire ce que vous feriez

Iría/Viajaría en... a...	*J'irais/Je voyagerais en... pour aller à...*

Demander à quelqu'un ce qu'il aimerait faire et répondre

¿Qué te gustaría/apetece hacer?	*Qu'aimerais-tu/Qu'as-tu envie de faire ?*
Me gustaría/apetece ir a...	*J'aimerais/J'ai envie d'aller à...*

Grammaire

1 Dire ce que vous feriez : le conditionnel

Pour dire ce que l'on *ferait*, on utilise le *conditionnel*. Le conditionnel, comme le futur (voir Unité 20), se forme avec l'infinitif du verbe, par exemple **viajar** *voyager*, auquel on ajoute les terminaisons appropriées. Ces terminaisons sont les mêmes pour les trois groupes (**-ar**, **-er** et **-ir**).

viajar *voyager*	**ser** *être*	**ir** *aller*
viajar**ía**	ser**ía**	ir**ía**
viajar**ías**	ser**ías**	ir**ías**
viajar**ía**	ser**ía**	ir**ía**
viajar**íamos**	ser**íamos**	ir**íamos**
viajar**íais**	ser**íais**	ir**íais**
viajar**ían**	ser**ían**	ir**ían**

¿Viajarías en tren?	*Tu voyagerais en train ?*
Sería mejor.	*Ce serait mieux.*
Iríamos a un concierto.	*Nous irions à un concert.*

Notez que la première et la troisième personne du singulier ont la même terminaison, par exemple : **yo sería** *je serais*, **él/ella/usted sería** *il/elle serait, vous seriez.*

2 Les verbes irréguliers

Les verbes irréguliers au futur le sont aussi au conditionnel. De même, comme pour le futur, seul le radical change.

decir	*dire*	diría…	saber	*savoir*	sabría…
hacer	*faire*	haría…	salir	*sortir*	saldría…
poder	*pouvoir*	podría…	tener	*avoir*	tendría…
poner	*mettre*	pondría…	venir	*venir*	vendría…
querer	*vouloir, aimer*	querría…			

Notez aussi la forme impersonnelle **habría** *il y aurait.*

Podríamos quedar a las tres.	*Nous pourrions nous donner rendez-vous à trois heures.*
Yo no sabría qué hacer.	*Je ne saurais pas quoi faire.*
¿Lo harías?	*Tu le ferais toi ?*

3 Parecer (*sembler, paraître*), apetecer (*avoir envie de*)

Parecer et **apetecer** fonctionnent de la même façon que **gustar** (voir Unité 12) ; ils s'emploient surtout à la troisième personne du singulier ou du pluriel et sont précédés par l'un de ces pronoms : **me**, **te**, **le**, **nos**, **os**, **les**.

Me parece una buena idea.	*Ça me semble une bonne idée.*
Nos parecen interesantes.	*Ils/Elles nous semblent intéressant(e)s.*
¿Qué te apetece hacer hoy?	*Qu'as-tu envie de faire aujourd'hui ?*
Me apetece ver televisión.	*J'ai envie de regarder la télévision.*

Apetecer est courant en Espagne mais s'utilise rarement en Amérique latine où l'on préfère utiliser le verbe **gustar** au conditionnel. Cette tournure est également courante en Espagne.

¿Qué te gustaría hacer?	*Qu'aimerais-tu faire ?*
Me gustaría ir a la piscina.	*J'aimerais aller à la piscine.*

4 Conmigo (*avec moi*)

« Avec moi » se dit **conmigo** en espagnol et « avec toi » **contigo**. Pour les autres personnes, on utilise **con** suivi de **usted, él, ella** etc.

¿Quieres venir conmigo?	*Veux-tu venir avec moi ?*
Voy a ir contigo.	*Je vais aller avec toi.*
¿Te gustaría bailar con ella?	*Tu aimerais danser avec elle ?*

5 La préposition « a »

Notez que devant un nom ou un mot désignant une ou des personnes, on utilise la préposition **a**.

He invitado a Julio.	*J'ai invité Julio.*
Hoy veré a unos amigos.	*Je verrai aujourd'hui quelques amis.*

Exercices

1 ¿Qué haría Maite?

Maite a beaucoup de travail aujourd'hui au bureau, elle imagine les choses qu'elle ferait si elle ne devait pas travailler. Conjuguez les verbes entre parenthèses au conditionnel.

Yo

a (Hacer) la compra.
b (Lavar) la ropa.
c (Escribir) algunas cartas.
d (Llamar) a mi novio.

Mi novio y yo

e (Salir) en coche.
f (Ver) alguna exposición.
g (Tener) tiempo para ir a nadar.
h (Poder) ir a bailar.

2 Pensaba quedarme en casa

Il est samedi et vous avez envie d'aller voir un film ou une pièce de théâtre, vous appelez un(e) ami(e) espagnol(e) pour qu'il ou elle vous accompagne. Complétez votre partie de la conversation en suivant les instructions données en italique.

Tu amigo/a ¿Dígame?

Tú *Présentez-vous et demandez s'il ou elle a des projets pour le soir.*

Tu amigo/a No, ninguno. Pensaba quedarme en casa. ¿Por qué?

Tú *Proposez d'aller au cinéma ou au théâtre ensemble.*

Tu amigo/a ¿Qué te apetece ver?

Tú *Choisissez un film page 205 ou une des pièces ci-dessous et dites ce que vous aimeriez aller voir. Demandez-lui s'il ou elle l'a déjà vu(e).*

Tu amigo/a No, no la he visto, pero me encantaría verla.

Tú *Dites que le film ou la pièce passe à l'Olympia et qu'il ou elle commence à 19h. Proposez-lui de vous retrouver au café en face du cinéma/théâtre à 18h 30. Demandez-lui ce qu'elle en pense.*

Tu amigo/a Sí, me parece bien.

LAS ESTRELLAS DE LA GUIA DEL OCIO

	Alberto de la Hera	**Eduardo Haro Tecglen**	**Enrique Centeno**	**Lorenzo L. Sancho**
✓ Novedad	Guía del Ocio	El País	Diario 16	ABC
OBRAS EN CARTEL				
1. Mi pobre Marat ✓	★★★★	—	—	★★★★★
2. La evitable ascensión ✓	★★★★	—	★★★★	★★★
3. La zapatera prodigiosa ✓	★★★	★★★★	★★★★	—
4. Terror y miseria...	★★★	★★★	★★★★	★★★★★
5. Los padres terribles ✓	★★★★	★★★	—	★★★★
6. Amor, coraje y compasión	★★★	★★	★★★★	★★

★★★★★ ***Excepcional*** ★★★★ ***Muy buena*** ★★★ ***Buena*** ★★ ***Regular*** ★ ***Mala***

3 ¿Te interesaría ver esta película?

Lisez ce résumé d'un film espagnol.

> **Bwana**
> **España. Color. Director Imanol Uribe. Con Andrés Pajares, María Barranco, Alejandro Martínez y Emilio Buale.**
> **COMEDIA.**
> Una familia corriente y moliente (padre taxista, madre ama de casa y dos críos) pasan una tarde no menos corriente en una playa donde, sin embargo, un hecho singular cambiará sus ordinarias vidas y su manera de ver y entender el problema del racismo: encuentran a un africano que acaba de llegar al país en una patera. Basada en la novela *La mirada del hombre oscuro* de Ignacio del Moral. (13).

3.1 Quel mot du texte indique le thème principal du film ?

3.2 Laquelle de ces phrases résume le mieux l'histoire du film ?

a Es la historia de una familia africana que acaba de llegar al país.

b Es la historia de una familia española y su relación con un inmigrante africano ilegal.

c Es la historia de un taxista africano y su encuentro con una familia española.

corriente y moliente (familier)	*ordinaire*
la patera	*petit bateau*
los críos	*les enfants*

4 Unas invitaciones

Lucía et Monsieur Flores d'Espagne, ainsi que María, du Mexique, ont tous reçu une invitation. Où sont-ils invités ? Qui accepte l'invitation et qui la refuse ? Écoutez l'enregistrement (ou référez-vous à la transcription page 293) et remplissez ce tableau.

Nombre	Invitación	¿Acepta o no?	Excusa
Lucía			
M. Flores			
María			

tomar una copa	*prendre un verre*
el cumpleaños	*l'anniversaire*
el cóctel	*le cocktail*

5 Una invitación informal

Cette après-midi, vous avez reçu cet e-mail d'un collègue espagnol. Où vous invite-t-il et où et à quelle heure vous propose-t-il que vous vous retrouviez ?

```
¡Hola!
Tengo dos entradas para ver a Joaquín Cortés.
¿Quieres venir conmigo? La función es a las
8:00 y podríamos quedar en el bar que está al
lado del teatro a las 7:30.
¿Qué te parece? Llámame.
Rafael
```

6 Ahora tú

Vous voulez inviter votre ami(e) espagnol(e) à une de ces sorties, écrivez-lui un e-mail et proposez-lui un lieu et une heure pour se retrouver.

el ballet   el concierto (de rock/jazz)   el fútbol
la ópera   la obra de teatro   el tenis

Notez que le mot **ópera** est féminin en espagnol.

7 Una invitación formal

Vous êtes dans un pays hispanophone avec un collègue et vous recevez cette invitation. Votre collègue ne comprend pas l'espagnol, il vous demande de la traduire.

La Cámara de Comercio de Santa Cruz tiene el agrado de invitarle a la ceremonia de inauguración de sus nuevas oficinas. El acto de apertura, que contará con la asistencia de las autoridades locales, se realizará en la Avenida del Libertador el martes 25 de mayo a las 19:30.

ⓘ Lisez ce texte sur les invitations et la ponctualité en Espagne et en Amérique latine. Agit-on de la même façon dans votre pays ?

En España y en Latinoamérica, en invitaciones y citas de tipo formal, cuando no hay una relación íntima o de amistad con los anfitriones, la gente es más o menos puntual. Pero, si el que invita es un amigo o pariente, la puntualidad no suele ser la norma. ¿Un amigo te ha invitado a una fiesta para las 9:00 o las 10:00? Pues, si llegas a la hora tu amigo seguramente se sorprenderá, y quizás él mismo no estará preparado para recibirte a esa hora. Media hora o incluso una hora de retraso se considera normal. En algunos países de habla española se utiliza la expresión **hora inglesa** cuando se espera puntualidad, por ejemplo **Quedamos a las seis, pero a las seis hora inglesa, ¿eh?** *On se donne rendez-vous à six heures mais à six heures pile, hein ?*

la amistad	*l'amitié*
el/la pariente	*un membre de la famille*
los anfitriones	*les amphitryons, les hôtes*
sorprenderse	*être surpris*

« Hôte » se dit de deux façons différentes en espagnol : l'hôte qui invite se dit **anfitrion** tandis que l'on utilisera **huésped** pour désigner la personne qui reçoit l'hospitalité.

22

¿le sirvo un poco más?

je vous en sers un peu plus ?

Dans cette unité vous apprendrez à :

- parler de ce que vous avez fait ;
- faire des compliments ;
- exprimer de la gratitude et votre satisfaction.

1 ¿Y qué le parece la ciudad?

Laura Sánchez est espagnole, elle est en visite à Guanajuato au Mexique et est invitée à dîner chez Monsieur Rojas et sa femme.

1.1 À partir de la conversation ci-dessous dites :

- a Si elle était déjà allée à Guanajuato auparavant.
- b Ce qu'elle pense de la ville.

Sr. Rojas	¿Había estado aquí antes?
Laura	Había estado en San Miguel de Allende, pero nunca había venido a Guanajuato.
Sr. Rojas	¿Y qué le parece la ciudad?
Laura	Me encanta. Es una ciudad preciosa.

1.2 Reprenez maintenant le dialogue et trouvez les expressions signifiant :

- a Étiez-vous déjà venue ici auparavant ?
- b Je n'étais jamais venue à Guanajuato.
- c Que pensez-vous de la ville ?

precioso/a *magnifique*

2 Este pescado está buenísimo

Laura félicite ses hôtes pour le repas.

2.1 Répondez aux questions suivantes à partir du dialogue.

- a ¿Qué lleva el plato principal: carne, pollo o pescado?
- b ¿Qué otra expresión se utiliza en el diálogo para decir *¿Le sirvo un poco más?*
- c ¿Qué significan estas expresiones: ¿De verdad?, De verdad, gracias?

Laura	Este pescado está buenísimo.
Sr. Rojas	Es un especialidad mexicana. ¿No lo había comido nunca antes?
Laura	No, nunca. Está delicioso.
Sra. Rojas	¿Le sirvo un poco más?
Laura	No, gracias.
Sra. Rojas	¿De verdad?
Laura	De verdad, gracias.
Sr. Rojas	¿Quiere un poco más de vino?
Laura	Gracias, pero sólo un poco.

2.2 Reprenez maintenant le dialogue et trouvez les expressions signifiant :

a Está muy bueno. **b** Está exquisito. **c** Es un plato mexicano.

¿no lo había comido nunca? *vous n'en aviez jamais mangé ?*

3 ¡Qué tarde es!

Laura remercie ses hôtes pour l'invitation. Elle utilise quelques phrases de courtoisie assez formelles. Complétez les phrases des bulles avec les mots ci-dessous puis reprenez la conversation pour vérifier vos réponses.

a tenerla en nuestra casa

b de haberla conocido

c la invitación

d muy amables

Laura	¡Uy, qué tarde es! Debo irme. Muchas gracias por la invitación. Han sido ustedes muy amables.
Sr.Rojas	Ha sido un placer tenerla en nuestra casa. Me alegro mucho de haberla conocido.
Sra. Rojas	Yo también. ¡Que tenga un buen viaje!
Laura	Gracias.

amable	*gentil*
alegrarse	*être content*
el placer	*le plaisir*

(i) En España cuando se quiere invitar a una persona, especialmente a una persona a la que no se conoce bien, generalmente se la invita a un restaurante u otro sitio similar. La mayor parte de la vida social en España y en la mayoría de los países latinoamericanos tiene lugar en sitios públicos, tales como restaurantes, bares o cafés. La invitación a comer o cenar en casa generalmente está reservada para amigos más íntimos o parientes, y en ocasiones más especiales. En algunos países de Latinoamérica, sin embargo, la gente acostumbra invitar a sus amigos y conocidos a casa con más frecuencia.

Si la invitación es para comer o cenar en casa de un amigo, no es obligación llevar algo, pero si quieres hacerlo, puedes llevar una botella de vino o el postre. Pero, si la relación es formal, tendrás que llevar algo, por ejemplo champán o flores o bombones (chocolats) para la señora de la casa.

Comment dit-on... ?

Dire ce que vous avez fait

¿Había estado/venido aquí antes?	*Aviez-vous déjà été/Étiez-vous déjà venu(e) ici auparavant ?*
Nunca había estado/venido a Guanajuato.	*Je n'avais jamais été/Je n'étais jamais venue(e) à Guanajuato.*

Faire des compliments

Este pescado/Esta carne está buenísimo/a/delicioso/a.	*Ce poisson/Cette viande est très bon(ne)/délicieux(se).*

Exprimer de la gratitude et votre satisfaction

Muchas gracias por la invitación.	*Merci beaucoup pour l'invitation.*
Ha(n) sido usted(es) muy amables.	*Vous avez été très gentil(s).*
Es/Ha sido un placer conocerte/lo/la.	*Enchanté(e) d'avoir fait ta/votre connaissance.*
Me alegro mucho de haberte/lo/la conocido.	*Ravi(e) de t'/vous avoir connu.*

Grammaire

1 Dire ce que vous avez fait : le plus-que-parfait

Pour exprimer des idées telles que « Vous n'en aviez jamais mangé auparavant ? », « Je ne suis jamais venu ici », on utilise le *plus-que-parfait*. On le construit avec l'imparfait du verbe **haber** (voir Unité 17) et un *participe passé* (voir Unité 19) qui est invariable.

estar *être*	**comer** *manger*	**vivir** *vivre*
había estado	había comido	había vivido
habías estado	habías comido	habías vivido
había estado	había comido	había vivido
habíamos estado	habíamos comido	habíamos vivido
habíais estado	habíais comido	habíais vivido
habían estado	habían comido	habían vivido

Habíamos estado allí muchas veces antes de casarnos.	*Nous étions souvent venus ici avant de nous marier.*
¿Nunca habías comido esto antes?	*Tu n'avais jamais mangé ça avant ?*
Habían vivido muchos años en el sur de España.	*Ils avaient vécu de nombreuses années dans le Sud de l'Espagne.*

2 Bueno, buenísimo (*bon, très bon*)

Pour accentuer le sens des adjectifs, comme par exemple **bueno**, **malo**, on enlève la dernière voyelle du mot et rajoute **-ísimo** pour le masculin et **-ísima** pour le féminin.

Esto está buenísimo.	*C'est (vraiment) très bon.*
La comida está malísima.	*La nourriture est (vraiment) très mauvaise.*

Les adjectifs se terminant en **-co**, comme par exemple **rico**, changent d'orthographe :

La paella está riquísima.	*La paella est délicieuse.*

3 Offrir quelque chose

Pour offrir quelque chose à quelqu'un, comme dans « Vous en voulez plus ? », on utilise en espagnol la même construction qu'en français : un pronom complément (**le/les** *vous* -vouvoiement-, **te** *te* ou **os** *vous* -tutoiement-) suivi d'un verbe au *présent*.

¿Le sirvo más vino? (du verbe **servir**)	*Je vous sers plus de vin ?*
¿Te traigo una gaseosa?	*Je t'apporte une limonade ?*

4 Les exclamations

Pour dire « Qu'il est tard ! » ou « Comme vous êtes gentil ! », on utilisera **qué** :

¡Qué tarde es!	*Qu'il est tard !*
¡Qué amable es!	*Comme vous êtes gentil !*

Cette construction est beaucoup plus courante en espagnol qu'en français où l'on dirait plutôt : « Oh là là, il est tard ! » ou « Vous êtes vraiment gentil ! ».

Exercices

1 Lo que había hecho Francisco

Ces dessins décrivent ce que Francisco avait fait avant de se marier. Retrouvez les phrases correspondant à chaque dessin puis mettez les verbes entre parenthèses au plus-que-parfait.

- **a** (escribir) un libro de poemas
- **b** (terminar) la carrera de medicina
- **c** (viajar) por el mundo
- **d** (aprender) a conducir
- **e** (hacer) el servicio militar
- **f** (estudiar) guitarra clásica

2 ¿Qué había hecho?

On vous a demandé de vous occuper d'une personne hispanophone qui vient visiter votre ville. Comment lui demanderiez-vous les informations suivantes ?

- **a** Étiez-vous déjà venu ici auparavant ?
- **b** Vous n'aviez jamais visité cette entreprise ?
- **c** Vous étiez déjà allé(e) dans cet hôtel avant, n'est-ce pas ?
- **d** Vous n'aviez jamais mangé cela avant, n'est-ce pas ?

3 Una invitación formal

Vous êtes en visite dans un pays hispanophone et pendant votre séjour on vous invite à déjeuner. Suivez les instructions données en italique pour compléter votre partie de la conversation.

Mujer	¿Había estado aquí antes?
Tú	*Dites que vous n'aviez jamais été ici avant. Ajoutez que le pays est très joli.*
Mujer	Gracias.
Tú	*(Il y a des fruits de mer –* mariscos *– en plats de résistance.) Dites à votre hôte que les fruits de mer sont très bons.*
Marido	Es un plato típico de aquí.
Tú	*Dites qu'ils sont délicieux.*
Mujer	¿Le sirvo un poco más?
Tú	*Dites oui mais juste un peu.*
Marido	¿Le pongo un poco más de vino?
Tú	*Dites non, merci.*
Marido	¿De verdad?
Tú	*Dites oui vraiment, merci, vous ne pouvez pas boire plus car vous devez conduire* (conducir).

4 Ahora tú

Vous organisez un dîner formel avec des gens que vous ne connaissez pas beaucoup. Vous voulez leur demander s'ils veulent reprendre de ces boissons et aliment, que diriez-vous en espagnol ? Essayez de varier les expressions que vous utilisez.

5 ¿Qué dirías tú?

Trouvez l'erreur qui se cache dans chacune de ces phrases.

a Muchas gracias para tu regalo. Es precioso.
b Gracias, señora. Has sido usted muy amable.
c Me alegro mucho haberte conocido, Antonio.
d Ha sido un placer conocerlo, señora.

el regalo *le cadeau*

6 Una carta de agradecimiento (*une lettre de remerciement*)

Laura est revenue en Espagne, elle envoie une lettre de remerciement à la personne qui l'a reçue au Mexique. Aidez-vous de ces mots pour compléter sa lettre.

placer	visita	mujer	poder	agradecer	estancia

Estimado señor Rojas:

Quisiera ________ a usted y a su ________ las muchas atenciones que tuvieron conmigo durante mi ________ en México.
Fue realmente un ________ haberlos conocido y espero ________ correponder de igual forma durante su próxima ________ a España.

Lo saluda atentamente
Laura Sánchez

de igual forma *de la même façon*

23

siga todo recto

continuez tout droit

Dans cette unité vous apprendrez à :

- demander et indiquer le chemin à prendre ;
- donner des instructions.

1 Gire a la derecha

Agustín visite une ville espagnole, il arrête sa voiture devant Telefónica (n°16 sur la carte) sur l'avenue Tejada et demande son chemin. Les mots et expressions clés sont ici : **seguir** *continuer*, **girar** *tourner*, **todo recto** *tout droit*.

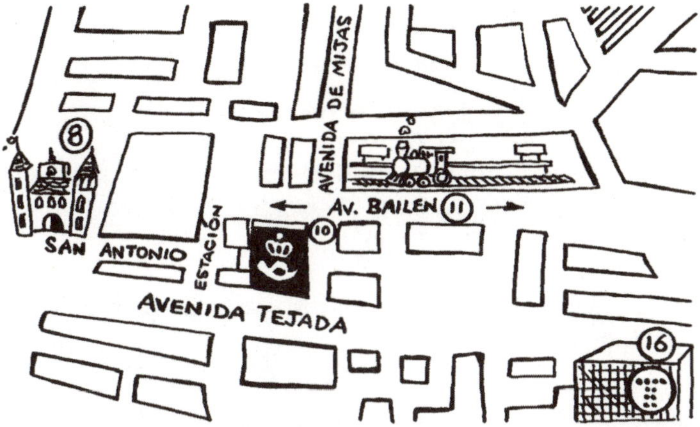

1.1 Reprenez le dialogue plusieurs fois en suivant en même temps ce qui est dit sur la carte et répondez à ces questions.

a Quel endroit Agustín cherche-t-il ?
b Que doit-il faire lorsqu'il arrive à l'avenue de Mijas ?
c Avec quels mots compléteriez-vous ces expressions ?

la segunda ______, la cuarta ______

Agustín Oiga, por favor, ¿podría decirme dónde está Correos?
Señora Mire, siga todo recto por esta calle, y al llegar a la avenida de Mijas gire a la derecha. Correos está en la calle de Bailén, la segunda a la izquierda.
Agustín ¿Hay que tomar la avenida de Mijas, me ha dicho?
Señora Sí, tome la cuarta a la derecha.
Agustín Muchas gracias.
Señora De nada.

1.2 Dites quelles expressions Agustín utilise pour demander :
a où est la poste
b s'il doit prendre l'avenue de Mijas

hay que *il faut*

2 Suba usted por esa escalera

De retour à l'hôtel, Agustín demande au réceptionniste où est le restaurant.

2.1 Référez-vous au dialogue et dites si ces phrases sont vraies ou fausses (vrai = **verdadero** ; faux = **falso**).

a Para ir al restaurante hay que bajar al primer piso.
b El restaurante está en el pasillo de la izquierda.
c Está enfrente del bar.

Agustín Perdone, ¿dónde está el restaurante, por favor?
Recepcionista Suba usted por esa escalera hasta el primer piso y tome el pasillo de la izquierda. El restaurante está pasado el bar.
Agustín Gracias.

2.2 Complétez maintenant ces phrases sans regarder le dialogue, lisez-le ensuite pour vérifier vos réponses.

Suba usted ______ esa escalera ______ el primer piso y tome el pasillo ______ la izquierda.

la escalera *les escaliers* **el pasillo** *le couloir*

3 Hágalo después de la señal

Agustín appelle le cabinet d'un médecin pour prendre rendez-vous mais personne ne répond. Un message automatique se met en marche.

3.1 Reprenez l'enregistrement plusieurs fois en vous concentrant tour à tour sur une information différente.

a ¿Cuál es el horario de atención al público del doctor García?
b ¿A qué número hay que llamar para urgencias?
c ¿Qué número hay que marcar para anular una cita?

Contestador: Esta es la consulta del doctor Ignacio García. Lamentamos no poder atender a su llamada en este momento. Nuestro horario de atención es de 9:00 a 11:30 de la mañana y por la tarde de 4:00 a 6:00. Para urgencias, llame al 952 64 21 09. Para anular una cita, marque el 952 75 55 32. Para pedir hora con el doctor, indíquenos su nombre y número de teléfono y le confirmaremos su cita. Hágalo después de la señal. Gracias.

3.2 On peut aussi donner des instructions formelles en utilisant des verbes à l'infinitif, on pourrait dire par exemple **marcar** este número de teléfono *composer ce numéro de téléphone* au lieu de **marque** este número de teléfono *composez ce numéro de téléphone*. Lisez maintenant le texte et trouvez les verbes correspondant à ces infinitifs, essayez de comprendre comment ils sont utilisés :

a marcar
b llamar
c indicar
d hacer

la consulta	*le cabinet*
lamentar	*regretter*
la señal	*bip*
pedir hora	*prendre rendez-vous*

Il existe en espagnol plusieurs expressions autour de la notion de « rendez-vous ». On peut utiliser **pedir/tener hora** *prendre/avoir rendez-vous* pour un rendez-vous chez le médecin, à l'hôpital, dans un salon de coiffure etc. Le mot **cita** *rendez-vous* s'utilise surtout pour des réunions formelles ou amoureuses : Esta semana tengo una cita con mi abogado *Cette semaine j'ai rendez-vous avec mon avocat*. Enfin, le verbe **quedar** *se donner/avoir rendez-vous* s'emploie plutôt pour des rendez-vous informels, avec des amis : He quedado con Elisa a las ocho *J'ai rendez-vous avec Elisa à huit heures*.

Remarquez que le mot **señal** *bip* est féminin, on dira donc : **la señal**.

Comment dit-on… ?

Demander son chemin

¿Podría decirme dónde está Correos/el museo?	*Pourriez-vous me dire où se trouve la poste/le musée ?*
¿Sabe usted dónde está el hotel Real/la catedral?	*Savez-vous où se trouve l'hôtel Real/la cathédrale ?*

Indiquer le chemin à une personne que l'on vouvoie

Siga todo recto/de frente/derecho (Am. I.)	*Continuez tout droit.*
Gire a la derecha/izquierda.	*Tournez à droite/gauche.*
Tome/Coja (Espagne) la primera/segunda a la izquierda.	*Prenez la première/deuxième à gauche.*
Suba/baje por esa escalera.	*Montez/Descendez les escaliers.*
Está pasada la recepción/pasado el bar.	*C'est après la réception/après le bar.*

Donner des instructions à une personne que l'on vouvoie

Llame al/Marque el 952 642 21 09.	*Appelez le/Faites le 952 642 21 09.*
Hágalo después de la señal.	*Faites-le après le bip.*

Grammaire

1 Donner des indications et instructions : l'impératif

a Ses emplois

Dans les Unités 4 et 6, nous avons vu comment demander son chemin et donner des indications avec le présent, par exemple : **Usted toma el autobús 12** *Vous prenez le bus 12.* Dans cette unité, nous allons un peu plus loin en étudiant *l'impératif.* On peut utiliser l'impératif pour donner des indications, des instructions, des ordres et demander quelque chose, par exemple :

Tome el autobús número 12.	*Prenez le bus numéro 12.*
Llame al 952 654 23 12.	*Appelez le 952 654 23 12.*
Páseme el azúcar, por favor.	*Passez-moi le sucre, s'il vous plaît.*

Nous avons déjà rencontré des verbes à l'impératif auparavant :

mire *tenez ; écoutez* (de **mirar** *regarder*) (Unités 2, 19)
oiga *excusez-moi ; allô ?* (de **oír** *écouter*, *entendre*) (Unités 4, 14)
deme *donnez-moi* (de **dar** *donner*) (Unités 6, 7)
¿diga? *allô ?* (de **decir** *dire*) (Unité 14)
¿dígame ? *en quoi puis-je vous aider ?* ; *allô ?* (de **decir** *dire*) (Unités 1, 14)

On utilise aussi bien l'impératif que le présent pour donner des indications, il faut donc que vous soyez au moins capable de le comprendre. Cependant, si quelqu'un vous demande son chemin, vous pourrez choisir entre ces deux formes qui sont tout à fait naturelles en espagnol.

b Comment se construit-il ?

Nous verrons dans cette unité l'impératif utilisé au *vouvoiement* (avec **usted** pour le singulier et **ustedes** pour le pluriel). On le forme avec le *radical* de la *première personne du singulier* du *présent*, par exemple, **tom**, de **tomo** *je prends*, auquel on ajoute une des ces terminaisons : **-e** pour les verbes en **-ar** ou **-a** pour les verbes en **-er** et en **-ir**.

Infinitif	Présent	Impératif
tomar *prendre* **coger** *prendre* **subir** *monter*	(yo) tomo (yo) cojo (yo) subo	tome coja suba

Avec **ustedes**, il suffit d'ajouter un **-n** : tome**n**, coja**n**, suba**n**.

Rappelez-vous que **coger** est très courant en Espagne mais que c'est un mot vulgaire en Amérique latine. **Tomar** en revanche peut s'utiliser dans tous les pays.

Tome/Coja la carretera nacional. *Prenez la route nationale.*
Suba hasta el segundo piso. *Montez au deuxième étage.*

2 Les verbes irréguliers

Les verbes qui sont irréguliers à la première personne du singulier au présent de l'indicatif le sont aussi à l'impératif. Cette règle fonctionne également pour les verbes à diphtongues, par exemple **volver**, dont le **-o** devient **-ue**.

Infinitif	**Présent**	**Impératif**
decir *dire*	(yo) digo	diga
hacer *faire*	(yo) hago	haga
oír *entendre*	(yo) oigo	oiga
seguir *continuer, suivre*	(yo) sigo	siga
volver *revenir, retourner*	(yo) vuelvo	vuelva

L'impératif de **ir** *aller* est **vaya** *allez*.

Siga hasta el semáforo. *Continuez jusqu'au feu.*
Vuelva mañana. *Revenez demain.*
Vaya en autobús. *Allez-y en bus.*

3 La place des pronoms avec un verbe à l'impératif

Si le verbe à l'impératif est affirmatif, les pronoms tels que **me** *me*, **te** *te*, **lo** *le* se placent après lui et se soudent à lui. S'il est négatif, le pronom se placera devant le verbe.

Affirmatif	**Négatif**
Láme**me** (*appelez-moi*)	No **me** llame (*ne m'appelez pas*).
Hága**lo** (*faites-le*).	No **lo** haga (*ne le faites pas*).

Lorsqu'un pronom est soudé au verbe, il faut généralement ajouter un accent écrit sur le verbe pour montrer que l'accentuation reste la même, par exemple : **llame** *appelez* devient **llámeme** *appelez-moi*.

Notez que les verbes dont les dernières lettres sont **-car**, comme **indicar** *indiquer, donner*, se terminent en **-que** à l'impératif pour garder une certaine cohérence avec la prononciation de l'infinitif (sinon on aurait **indíceme**). Le **-g** des verbes se terminant par **-ger**, par exemple **coger** *prendre*, devient **-j**.

Indíquenos su nombre.	*Donnez-nous votre nom.*
Coja la primera a la izquierda.	*Prenez la première à gauche.*

4 Hay que (*il faut*)

Hay que est une tournure impersonnelle qui signifie « il faut ».

Hay que tomar la avenida de Mijas.	*Il faut prendre l'avenue de Mijas.*
Hay que llamar al 952 542 89 12.	*Il faut appeler le 952 542 89 12.*

5 Por, para

Notez l'utilisation de ces deux mots dans ces phrases :

Siga todo recto por esta calle.	*Suivez cette rue tout droit.*
Suba usted por esa escalera.	*Montez ces escaliers.*
Para urgencias llame al…	*En cas d'urgence, appelez le…*

Exercices

1 Señales de tráfico

Lisez les phrases ci-dessous et reliez-les aux dessins qu'elles décrivent.

- **a** Gire a la derecha.
- **b** No toque la bocina.
- **c** Ceda el paso.
- **d** Cruce de peatones. Conduzca con cuidado.
- **e** Zona de escuela. Disminuya la velocidad.
- **f** Cruce ferroviario. Pare, mire y escuche.
- **g** No adelantar.
- **h** No entrar.

2 Está una calle más arriba

Regardez cette carte indiquant l'emplacement de certains hôtels à Cuzco au Pérou. Dans quel hôtel se trouve ce touriste et quel est celui qu'il cherche ? Écoutez l'enregistrement (ou reprenez le script page 294) et suivez sur la carte les indications données.

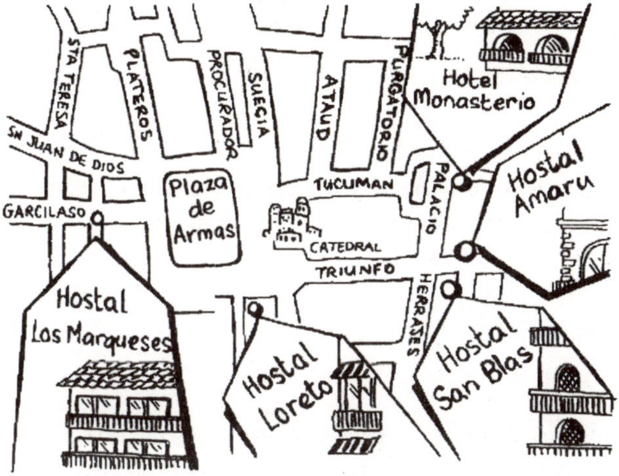

más arriba ici, *plus loin* (littéralement, *plus haut*)

3 Hay una desviación

Antonia a un rendez-vous dans une entreprise, cet e-mail lui a été envoyé pour lui indiquer les directions qu'elle doit prendre. Complétez le texte avec ces verbes : **tomar**, **subir**, **seguir**, **preguntar**, **girar** et mettez-les à l'impératif, la personne qui écrit ce courrier vouvoie Antonia.

_____ usted de frente por la avenida de Suel y al llegar a la carretera nacional 340 _____ usted a la izquierda en dirección al aeropuerto. Antes de llegar al aeropuerto hay una desviación hacia Santa Clara. _____ usted esa desviación y _____ todo recto hasta llegar a una estación de servicio. Nuestra fábrica está pasada la estación de servicio. _____ usted hasta nuestras oficinas, que están en el tercer piso, y _____ por mí en recepción.

la desviación *la déviation*

4 ¿Sabe usted dónde hay un banco?

Vous êtes dans votre ville et un hispanophone vous aborde pour vous demander où est la banque. Suivez les instructions données ci-dessous en italique pour compléter votre partie de la conversation.

– Perdone, ¿sabe usted dónde hay un banco?
– *Dites que oui et dites-lui d'aller tout droit et de prendre la troisième rue à gauche, de prendre ensuite la première à droite et d'aller tout droit jusqu'au bout de la rue. Dites que la banque est en face de la gare.*

5 Ahora tú

Vous êtes à la réception de l'hôtel n°8, rue San Antonio (voir la carte page 223). Un Espagnol vous demande le chemin pour aller à la gare (n°11 sur la carte). Que lui diriez-vous ?

6 Tráigamela, por favor

Lisez attentivement ce bref échange entre Mario et son patron.

Mario ¿Le traigo la correspondencia de hoy?
Jefe Sí, tráigamela, por favor.

Mario vous pose d'autres questions (**a**, **b**, **c**, **d**, **e** et **f**), dites-lui comment faire ce qu'il demande. Utilisez pour cela l'impératif et n'oubliez pas d'écrire les accents. Vous pourrez vous aider de l'exemple donné ci-dessus.

a ¿Envío el fax ahora?
b ¿Llamo a la secretaria?
c ¿Hago el pedido?
d ¿Le traigo las carpetas?
e ¿Mando estas cartas hoy?
f ¿Le enseño el informe?

la carpeta *le dossier*
enseñar *montrer*

24

¡me duele la cabeza

j'ai mal à la tête

Dans cette unité vous apprendrez à :

- dire comment vous vous sentez ;
- dire ce qui ne va pas ;
- demander quelque chose ;
- donner un conseil.

1 Un dolor de cabeza

Marta ne se sent pas bien, elle décrit ce qu'elle a à son ami Luis.

1.1 Étudiez attentivement la conversation ci-dessous, puis essayez de compléter les phrases sans regarder le texte.

a ______ tráeme una aspirina y un vaso ______
b ______ muchísima sed
c Sí, espera ______

Luis	¿Qué te pasa?
Marta	Tengo un dolor de cabeza horrible.
Luis	¿Quieres tomar algo?
Marta	Sí, por favor tráeme una aspirina y un vaso de agua. Tengo muchísima sed.
Luis	Sí, espera un momento. Vuelvo en seguida.

1.2 Lisez maintenant le texte et trouvez les phrases signifiant :

a Qu'est-ce que tu as ?
b Je reviens tout de suite.

la cabeza	*la tête*
el vaso	*le verre*
tener sed	*avoir soif*

2 Tengo mucho calor

Luis revient un moment après.

2.1 Référez-vous à la conversation et essayez de répondre à ces questions.

a Comment se sent Marta maintenant ?
b Pourquoi demande-t-elle à Luis d'ouvrir la fenêtre ?
c Que lui suggère-t-il de faire ?

Luis	¿Te sientes mejor?
Marta	No, no me encuentro bien. Me duele la cabeza todavía y tengo mucho calor. Por favor abre la ventana un poco.
Luis	Vale. Mira, ¿por qué no descansas un rato? Trata de dormir. Te hará bien.
Marta	Sí, ¿podrías apagar la luz, por favor?
Luis	Muy bien.

2.2 Reprenez maintenant le dialogue et retrouvez les phrases signifiant :

a No estoy bien.
b Tengo dolor de cabeza.
c ¿Puedes abrir la ventana?
d Tienes que descansar.

encontrarse (o > ue)	*se sentir*
apagar la luz	*éteindre la lumière*
tratar de	*essayer de*
descansar	*se reposer*

Comment dit-on… ?

Dire comment vous vous sentez

Tengo sed/calor.	*J'ai soif/chaud.*
No me encuentro/siento bien.	*Je ne me sens pas bien.*

Dire ce qui ne va pas

Me duele (un poco/mucho) la cabeza/el estómago.	*J'ai mal (un peu/beaucoup) à la tête/à l'estomac.*
Tengo dolor de garganta/ muelas.	*J'ai mal à la gorge/aux dents.*
Tengo (un poco de) fiebre.	*J'ai (un peu de) fièvre.*

Demander quelque chose

Tráeme una aspirina/ un vaso de agua.	*Apporte-moi une aspirine/un verre d'eau.*
Abre/Cierra la ventana.	*Ouvre/Ferme la fenêtre.*
¿Podrías apagar/encender la luz?	*Tu pourrais éteindre/allumer la lumière ?*

Donner un conseil

¿Por qué no descansas/ duermes un rato?	*Pourquoi tu ne te reposes/ dors pas un moment ?*
Trata de dormir/descansar.	*Essaie de dormir/te reposer.*

Grammaire

1 Demander quelque chose et donner un conseil à une personne que l'on tutoie : l'impératif

Dans l'Unité 23 nous avons vu comment utiliser l'impératif lorsque l'on vouvoyait notre interlocuteur pour donner des indications et des instructions. Dans cette unité, nous étudierons l'impératif au tutoiement pour demander quelque chose et donner un conseil.

a Comment se construit-il ?

Au tutoiement, l'impératif ne se construit pas de la même façon s'il est affirmatif ou négatif. Nous ne verrons ici que les formes de l'impératif affirmatif.

À la deuxième personne du singulier (**tú**), l'impératif se construit comme à la deuxième personne du singulier du *présent* mais *sans le* **-s**. À la deuxième personne du pluriel (**vosotros**), il faut *remplacer* le **-r** de *l'infinitif* par un **-d**.

Infinitif	**Présent**	**Impératif** (tú/vosotros)
esperar traer abrir	(tú) esperas (tú) traes (tú) abres	espera/esperad trae/traed abre/abrid

Espera un momento. *Attends un instant.*
Por favor, tráeme una taza de café. *Apporte-moi une tasse de café, s'il te plaît.*
Abrid la puerta, por favor. *Ouvrez la porte, s'il vous plaît.*

b Demander quelque chose

Lorsque l'on demande quelque chose en utilisant l'impératif, on emploie souvent l'expression **por favor** pour adoucir le ton de la phrase, on dira par exemple : **Ayúdame por favor** *Aide-moi s'il te plaît.*

Faites également attention à l'intonation ; une intonation montante vers la fin de la phrase indiquera à l'interlocuteur qu'il s'agit d'une demande et non d'un ordre.

Vous pouvez aussi demander quelque chose à quelqu'un en utilisant le présent (voir l'Unité 5, **Grammaire**, 2) ou le verbe **poder** *pouvoir.*

¿Me das algo para el dolor de cabeza, por favor? *Tu me donnes quelque chose pour le mal de tête, s'il te plaît ?*
¿Puedes traerme algo de la farmacia? *Tu peux m'apporter quelque chose de la pharmacie ?*
¿Podrías encender la luz? *Tu pourrais allumer la lumière ?*

c Donner un conseil

L'impératif comme dans **Trata de dormir** *Essaie de dormir* est une façon de donner un conseil mais il en existe bien d'autres. Dans la section **Comment dit-on... ?** nous vous proposons une autre structure.

2 Les verbes irréguliers

Quelques verbes sont irréguliers :

decir	*dire*	di	*dis*	salir	*sortir*	sal	*sors*
hacer	*faire*	haz	*fais*	ser	*être*	sé	*sois*
ir	*aller*	ve	*va*	tener	*avoir*	ten	*aie*
poner	*mettre*	pon	*mets*	venir	*venir*	ven	*viens*

3 J'ai mal !

Pour dire que quelque chose vous fait mal, vous pouvez utiliser l'une de ces deux expressions :

a **Doler** (**o > ue**), *avoir mal à, faire mal*, qui a seulement deux formes au présent : **duele** pour le singulier et **duelen** pour le pluriel.

me duele/n	nos duele/n
te duele/n	os duele/n
le duele/n	les duele/n

Me duele el tobillo.	*J'ai mal à la cheville./Ma cheville me fait mal.*
Me duelen los pies.	*J'ai mal aux pieds./Mes pieds me font mal.*
Le duelen los oídos.	*Il/Elle a mal aux oreilles./Ses oreilles lui font mal.*

b **Tener dolor (de...)**, *avoir mal (à...)*

Tengo un dolor de espalda horrible.	*J'ai un mal de dos horrible.*
Tengo un dolor aquí.	*J'ai une douleur ici./J'ai mal ici.*
Tiene dolor de muelas.	*Il/Elle a mal aux dents.*

Exercices

1 Las dolencias más comunes

Quels sont d'après vous les maux les plus courants dans votre pays ? Pensez-vous que les Espagnols ou les habitants d'autres pays européens souffrent des mêmes maux ? Pourquoi ? Regardez le tableau ci-dessous qui répertorie les maladies les plus courantes dans différents pays européens, dont l'Espagne, et comparez les chiffres. Quels mots pouvez-vous reconnaître ? Cherchez les mots que vous ne connaissez pas dans le **Lexique espagnol-français** situé à la fin du livre.

Las dolencias más comunes en Europa

%	España	Bélgica	Alemania	Italia	Países Bajos	Francia	Reino Unido
Fiebre/resfriado	70	69	51	65	51	64	81
Dolor de cabeza	48	43	35	46	35	49	63
Fatiga	31	40	14	29	14	47	45
Reumatismo	33	34	32	49	32	43	38
Ansiedad/insomnio	41	42	25	37	25	41	39
Problemas digestivos	27	32	22	33	22	34	28

Fuente: Secodip.

D'après ce tableau, dans quels pays semble-t-on avoir le moins de problèmes ?

2 Una visita al doctor

Les conversations entre deux medicins et leur patiente vous sont proposées ici. Écoutez les dialogues (ou reprenez leur transcription page 294) et essayez de répondre à ces questions.

a À quels problèmes de santé donnés dans le tableau précédent correspondent les symptômes des patients ?

b Que conseillent les docteurs de faire aux patients ou que leur prescrivent-ils ?

intranquilo	*anxieux*
recetar	*prescrire*
estresado	*stressé*
la pastilla	*le comprimé*

3 Describe los síntomas

Vous êtes en vacances dans un pays hispanophone et vous allez chez le docteur car vous vous ne vous sentez pas bien. Complétez les phrases suivantes avec ces verbes pour dire ce que vous avez :

tener	tener	dolor	sentirse/encontrarse	doler

a No ______ bien.
b ______ la cabeza.
c ______ de estómago.
d ______ un poco de fiebre.
e ______ todo el cuerpo.
f ______ muy cansado/a.

el cuerpo *le corps*

4 Un día de mucho calor

Vous êtes allé dans un pays hispanophone et la chaleur semble vous avoir rendu malade, vous demandez conseil à un ami. Suivez les instructions données en italique ci-dessous pour remplir votre partie de la conversation. Vous pouvez aussi écouter l'enregistrement et faire cet exercice à l'oral.

Amigo/a ¿Qué te pasa?
Tú *Dites à votre ami que vous ne vous sentez pas bien.*
Amigo/a ¿Qué tienes?
Tú *Dites que vous avez un mal de tête horrible et que vous avez de la fièvre.*
Amigo/a ¿Quieres tomar algo?
Tú *Demandez-lui de vous apporter un verre d'eau minérale. Dites que vous avez très soif.*
Amigo/a Muy bien. ¿Quieres algo más?
Tú *Demandez-lui d'ouvrir la porte. Dites que vous avez très chaud.*
Amigo/a ¿Quieres comer algo?
Tú *Dites que non merci, vous n'avez pas faim.*

5 Consulta abierta

Deux lecteurs ont écrit à un magazine de santé pour demander conseil.

5.1 Lisez ces lettres pour savoir quels sont leurs problèmes.

CONSEJOS PARA MANTENER EL PESO IDEAL

UNA MUJER DE MEDIANA EDAD CONSULTA POR UN PROBLEMA DE PESO.

Tengo 32 años y un problema común a muchas mujeres: subo y bajo de peso constantemente. Esto no sucede de un día para el otro, pero sí en el lapso de unos meses. Por ejemplo: hace dos meses yo pesaba 53 kilos (mido 1,60) y ahora peso 56 y sé que si me pongo a hacer dieta voy a bajar, pero lo que en realidad necesito es una solución definitiva para terminar con este problema.

Rosa

DOLORES DE CABEZA CRÓNICOS

UN JOVEN QUE SUFRE PERIÓDICAMENTE ESTOS TRASTORNOS DESEA SABER CÓMO EVITARLOS.

Trabajo ocho horas diarias en un banco y, al final del día, suele atacarme un dolor de cabeza devastador que se localiza en el costado superior izquierdo y que me incapacita para todo. Después siento náuseas, que por lo general concluyen en vómitos. Quisiera poner fin a este calvario, pero hasta ahora no tuve éxito. ¿Pueden ayudarme?

NELSON

5.2 Lisez de nouveau la première lettre et trouvez les mots et expressions ayant le même sens que :

a continuamente
b pasa
c seguir un régimen
d de verdad

5.3 Lisez maintenant la deuxième lettre et trouvez les mots et expressions signifiant :

a al día
b terrible
c generalmente
d terminan con

el peso	*le poids*
el costado	*le côté*
pesar	*peser*
el calvario	*le calvaire*
suceder	*se produire*
tener éxito	*réussir*

6 ¿Qué consejos les darías?

Lisez ces conseils et dites quels sont ceux que l'on pourrait donner à Rosa et quels sont ceux qui s'appliqueraient plutôt à la situation de Nelson ? Écrivez Rosa ou Nelson à côté de chaque conseil.

a No trabajes demasiado.
b No debes comer en exceso.
c No consumas demasiadas grasas.
d Trata de relajarte.
e ¿Por qué no cambias de actividad?
f Ten cuidado con lo que comes.

tener cuidado	*faire attention*

ⓘ Los españoles y latinoamericanos hablan con relativa frecuencia de sus **dolencias y enfermedades** *problèmes de santé et maladies*. Las afecciones más comunes, como puede ser **una gripe** *grippe* son a menudo tema de conversación entre quienes las padecen, especialmente entre la gente mayor. Y la visita al médico no siempre es necesaria.

La automedicación *automédication* constituye un verdadero problema en muchos países de habla hispana. La lista de **medicamentos** *médicaments* que pueden obtenerse directamente en la farmacia, sin una **receta médica** *ordonnance* es amplia, aunque cada vez hay más restricciones.

En España, la mayoría de la gente recibe atención médica a través de **la Seguridad Social** *Sécurité sociale*. Otros utilizan **la sanidad privada** *services de santé privés*. Los visitantes de otros países de la Unión Europea pueden recibir atención médica a través de la Seguridad Social. En caso de accidente u otra emergencia se puede recibir atención rápida en una Casa de Socorro o en un **Puesto de Socorro** *poste de secours*.

la afección	*la maladie*
la gente mayor	*les personnes âgées*
padecer	*souffrir*

25

¿qué tipo de persona buscas?

quel genre de personne cherches-tu ?

Dans cette unité vous apprendrez à :

- dire quelle sorte de lieu ou de personne vous cherchez ;
- dire que vous espérez qu'une chose se produise ;
- exprimer le doute.

1 ¿Qué tipo de piso buscas?

Paloma voudrait louer un appartement, elle se renseigne auprès d'une agence.

1.1 Reprenez la conversation plusieurs fois en vous concentrant tour à tour sur une information différente.

a ¿Dónde prefiere vivir Paloma?
b ¿Cuántos dormitorios quiere?
c ¿Cuánto quiere pagar?
d ¿Quiere un piso amueblado o sin muebles?

Paloma	Buenos días.
Empleado	Buenos días. ¿Dígame?
Paloma	Quisiera alquilar un piso. ¿Tienen ustedes alguno en este momento?
Empleado	¿Qué tipo de piso busca usted?
Paloma	Bueno, busco algo que esté cerca del centro, que tenga tres o cuatro dormitorios, y que no sea muy caro. No quiero pagar más de 800 euros mensuales. Y lo prefiero amueblado.
Empleado	Un momento, por favor. Voy a ver lo que tenemos.

1.2 Regardez l'annonce ci-dessous et, à partir du dialogue, dites quels appartements pourraient convenir à Paloma.

INMOBILIARIA SEGURA

Compra-Venta, Alquiler, Pisos, Locales

•**En urb, cerca Vendrell**. Torre de una planta en alquiler de 2 dorm, por todo el año, alquiler mensual 600 €.
•**Piso alq. Cornellá**. 3 dorm., 650 €.
•**Piso alquiler**. Amuebl. 3 dorm., en San Ildefonso, 700 €.
•**San Ildefonso**. Planta baja en alquiler 660 €, 2 dormitorios.
•**Piso**, 2 dorm., en venta en San Ildefonso. precio de 150.000€.
•**Parcela en Vallirana**. Urb. Can Prunera 1300 m2, 90.000€.

C/. Desmayo, 1 Bjos. • T. 93 375 55 52 • Cornella

la urbanización	*le lotissement*
la torre	*le pavillon*
de una planta	*de plain-pied*
amueblado	*meublé*
la planta baja	*le rez-de-chaussée*
la parcela	*le terrain à bâtir*

2 Espero que encuentres a alguien

Paloma a trouvé un appartement, elle voudrait maintenant le partager avec quelqu'un. Elle en parle à son ami Germán.

2.1 À partir de cette conversation dites si ces phrases sont vraies ou fausses (vrai = **verdadero** ; faux = **falso**).

- **a** Paloma busca una persona que tenga su misma edad.
- **b** Quiere una persona que trabaje en casa.
- **c** Prefiere una persona que no fume y que sea vegetariana.
- **d** Quiere alguien que no tenga gatos.

Paloma	Estoy buscando una persona para compartir mi piso. Si sabes de alguien, dímelo.
Germán	Vale ¿Qué tipo de persona buscas?
Paloma	Pues, quiero una persona de mi edad, que trabaje fuera de casa, que no fume, que sea vegetariana, y que le gusten los gatos, como a mí.
Germán	Espero que encuentres a alguien, pero no creo que sea fácil.

2.2 Reprenez maintenant le dialogue et trouvez les expressions signifiant :

- **a** J'espère que tu vas trouver quelqu'un.
- **b** Je ne pense pas que ce soit facile.

compartir	*partager*
el gato	*le chat*
alguien	*quelqu'un*

Notez l'expression **si <u>sabes de</u> alguien** *si tu entends parler de quelqu'un.*

ⓘ En España, es común que muchos jóvenes de veinte, veinticinco o incluso treinta años vivan con sus padres. La imposibilidad de encontrar un empleo limita su independencia. La vivienda es cara en las grandes ciudades como Madrid y Barcelona, y aquéllos que trabajan a menudo prefieren compartir un apartamento con amigos, al menos en los primeros años.

En Latinoamérica, por tradición, es normal que los jóvenes, tanto hombres como mujeres, vivan con sus padres hasta el momento de casarse. Los jóvenes latinoamericanos, en general, son menos independientes que los españoles, y los padres ejercen más control sobre sus hijos.

el empleo	*l'emploi*
al menos	*au moins*
la vivienda	*le logement*
ejercer	*exercer*

Comment dit-on... ?

Demander à quelqu'un quel genre de lieu ou de personne il cherche

¿Qué tipo de piso/persona busca/prefiere/quiere Vd.?	*Quel genre d'appartement/de personne vous cherchez/vous préférez/vous voulez ?*

Dire quel genre de lieu ou de personne vous cherchez

Busco un piso que esté cerca del centro/que tenga dos dormitorios.	*Je cherche un appartement qui soit près du centre/qui ait deux chambres.*
Quiero/Prefiero una persona que no fume/que sea vegetariana.	*Je veux/Je préfère une personne qui ne fume pas/qui soit végétarienne.*

Dire que vous espérez qu'une certaine chose se produise

Espero que encuentres a alguien.	*J'espère que tu vas trouver quelqu'un.*

Exprimer le doute

No creo que sea fácil.	*Je ne crois pas que ce soit facile.*

Grammaire

1 Exprimer ce que vous cherchez ou voulez : le subjonctif

Pour dire quel genre de lieu ou de personne vous cherchez ou voulez comme dans « Je cherche quelqu'un qui ne fume pas », il faut utiliser comme en français le *subjonctif*. Ce temps sert en général à indiquer qu'une action ou un état est hypothétique. Regardez par exemple :

Estoy buscando una persona que no fume.	*Je cherche une personne qui ne fume pas.*
Busco un piso que no sea caro.	*Je cherche un appartement qui ne soit pas cher.*

Le non-fumeur et l'appartement mentionnés ici n'existent pas encore et donc l'action et l'état indiqués s'expriment avec le subjonctif.

Le subjonctif dépend en général d'un autre verbe, par exemple **buscar** *chercher*, **querer** *vouloir*, **preferir** *préférer*, **necesitar** *avoir besoin de*.

Dans les phrases page 243, le subjonctif dépend de **buscar** qui est le verbe principal, le verbe au subjonctif est un verbe secondaire et est précédé de **que** *qui*.

a Le subjonctif présent

Si le *verbe principal* est au *présent*, par exemple **busco** *je cherche*, le *verbe secondaire* doit être au *subjonctif présent*. C'est cette construction, qui est très courante en espagnol à l'écrit comme à l'oral, que nous étudierons dans cette unité. Pour les autres formes et emplois du subjonctif, vous devrez consulter un livre de grammaire.

b Comment se construit le subjonctif présent ?

Le subjonctif présent se forme comme l'impératif au vouvoiement (voir Unité 23) ; il faut enlever le **-o** de la première personne du présent, par exemple **trabaj-** de **trabajo** *je travaille*, et ajouter ces terminaisons :

Pour les verbes en -ar :	-e, -es, -e, -emos, -éis, -en
Pour les verbes en -ir *et* **en -er :**	-a, -as, -a, -amos, -áis, -an

Vous remarquerez que les terminaisons du subjonctif sont les mêmes que celles du présent mais inversées ; c'est-à-dire que l'on utilisera des terminaisons en **-e** pour les verbes en **-ar** et des terminaisons en **-a** pour les verbes en **-er**.

Busco una secretaria que hable español.	*Je cherche une secrétaire qui parle espagnol.*
Necesitamos un conserje que viva aquí.	*Nous avons besoin d'un concierge qui vive ici.*

c Les verbes irréguliers

Les verbes irréguliers les plus courants sont :

dar *donner*	dé, des, dé, demos, deis, den
estar *être*	esté, estés, esté,estemos, estéis, estén
ir *aller*	vaya, vayas, vaya, vayamos, vayáis, vayan
saber *savoir, connaître*	sepa, sepas, sepa, sepamos, sepáis, sepan
ser *être*	sea, seas, sea, seamos, seáis, sean
Le subjonctif présent de **hay** *il y a* est **haya**.	

Prefiero un piso que no esté muy lejos de la oficina.	*Je préfère un appartement qui ne soit pas très loin du bureau.*
Quiero una persona que sea vegetariana.	*Je veux une personne qui soit végétarienne.*

2 Dire que l'on espère que quelque chose se produise

Pour dire que l'on espère qu'une certaine chose se produise, on utilise la construction : **esperar que** + *subjonctif*.

Espero que encuentres un inquilino.	*J'espère que tu vas trouver un locataire.*
Esperamos que sea sociable.	*Nous espérons qu'il/elle sera sociable.*

Notez cependant :

Espero encontrar un inquilino.	*J'espère trouver un locataire.*

3 Exprimer le doute

La construction **No creo que...** *Je ne crois pas que...* doit être suivie d'un verbe au subjonctif.

No creo que sea fácil.	*Je ne crois pas que ce soit facile.*

Mais on dira :

Creo que es fácil.	*Je crois que c'est facile.*

Exercices

1 Buscando un lugar donde vivir

Les personnes qui ont écrit ces annonces cherchent ou louent un appartement ou une chambre ou veulent trouver un colocataire. Lisez-les.

1.1 Donnez le nom ou le numéro de téléphone de ces personnes :

a une professeur d'anglais cherchant à partager un appartement

b une personne louant une chambre à un(e) végétarien(ne) et non-fumeur(se)

c une personne étudiant le français et cherchant un logement dans une famille française

d une personne cherchant une colocataire, elle loue une grande chambre ensoleillée

e une personne cherchant un appartement à louer avec deux chambres

f une personne cherchant un logement gratuit pour le week-end

Pisos

▲ **Busco familia** francesa que viva en Francia y que me alquile una habitación durante diez meses. Soy estudiante de francés. T. 642 65 54 21. Luisa.

▲ **Busco piso** en alquiler. Zona Sagrada Família. Dos habitaciones, sala, cocina y baño. Pago máximo 420 €/mes. Persona responsable. T. 94 418 50 05. Begoña.

▲ **Necesito sitio** gratis en Sitges, para pasar un fin de semana durante el Festival de Cinema Fantàstic. No molestaré. T. 644 30 65 96 (de 17 a 20 h.) Carlota

▲ **Profesora de inglés** busca habitación en piso compartido. Preferiblemente zona centro. T. 93 330 16 87 (horas de oficina).

▲ **Busco chica**, para compartir piso. Zona Valle Hebrón. Habitación grande y soleada. Urge a partir de octubre. T. 93 357 26 71 (a partir 21h.)

▲ **Busco chica** estudiante, para compartir piso junto Metro Marina. Precio: 240 €/mes+ gastos. T. 93 300 99 44 (de 21 a 22:30 h.).

▲ **Llogo pis** zona Hospital de Sant Pau, 3 habitacions, cuna, menjador, gran terrassa i assolejat. Preu: 540 €/mes. T. 973 44 04 57 (tardes).

▲ **Sitges. Alquilo** habitación muy tranquila. Preferiblemente a persona vegetariana y no fumadora. T. 977 894 69 05 (noches).

1.2 L'une de ces annonces est en catalan, l'avez-vous trouvée ? Donnez le numéro de téléphone.

2 Estudiante busca familia española

L'un de vos amis va à Salamanque pour suivre un cours d'espagnol et voudrait loger dans une famille. Il ne parle pas bien l'espagnol et il a besoin d'aide pour rédiger une annonce. Conjuguez les verbes entre parenthèses au subjonctif présent pour comprendre ce qu'il recherche.

> *Estudiante busca habitación con familia española*
> Estudiante de habla francesa de 20 años busca familia española que (vivir) en Salamanca y que me (alquilar) una habitación durante el mes de agosto. Prefiero una familia en la que (hay) otras personas de mi edad que (poder) ayudarme con mi español. Preferiblemente un sitio que (estar) cerca de la universidad.
> T. +33 (0)1 41 89 14 28.

3 Ahora tú

Vous allez passer quelque temps dans un pays hispanophone pour améliorer votre espagnol, vous voulez partager un appartement avec quelqu'un. Rédigez une annonce comme celle de l'Activité 1 et un court texte comme celui de l'Activité 2 pour préciser ce que vous recherchez.

4 No creo que..., espero que...

Raúl et ses colocataires Juan et Carmen cherchent une autre personne pour partager leur appartement. Juan espère que la personne qu'ils ont vue sera bien mais Carmen, elle, est plus pessimiste. Suivez l'exemple ci-dessous et répondez aux questions **a**, **b**, **c**, **d**, **e** et **f** à la place de Juan et Carmen.

Raúl	¿Pagará puntualmente?
Juan	Espero que pague puntualmente.
Carmen	No creo que pague puntualmente.

a ¿Será sociable?
b ¿Estará dispuesto a hacer la limpieza?
c ¿Sabrá guisar?
d ¿Tendrá sentido del humor?
e ¿Le gustarán los animales domésticos?
f ¿Se llevará bien con nosotros?

¿Le gustarán los animales domésticos?

dispuesto a	*prêt à*
los animales domésticos	*les animaux domestiques*
hacer la limpieza	*faire le ménage*
llevarse bien con	*bien s'entendre avec*

5 Los requisitos más importantes

Pour obtenir un emploi, les candidats doivent souvent répondre à une série de critères. En voici une liste.

5.1 Donnez l'équivalent en français de :

a saber idiomas
b tener carnet de conducir
c saber relacionarse
d ser creativo
e ser dinámico
f tener experiencia
g tener buena presencia
h tener estudios superiores
i tener conocimientos de informática
j tener vehículo propio
k estar dispuesto a viajar
l estar disponible de inmediato

5.2 À quel(s) critère(s) répondez-vous ?

saber relacionarse *être sociable*

5.3 Rajouteriez-vous dans cette liste d'autres compétences ou qualités qui vous semblent nécessaires ? Lesquelles ?

6 Se busca

6.1 Quels critères indiqués dans la liste ci-dessus peut-on retrouver dans ces annonces ?
6.2 Quelles sont ceux qui n'apparaissent pas dans la liste ?

EMPRESA COMERCIAL **requiere:**

SECRETARIA EJECUTIVA BILINGÜE

Area Comercial

- Dominio idioma Inglés
- Manejo Word
- Buena presencia.
- Aptitud para coordinar servicios menores.
- Experiencia en cargo similar a lo menos 2 años.

Enviar curriculum vitae con foto y pretensiones de renta a:
Casilla 13-D, Santiago.

IMPORTANTE
EMPRESA REQUIERE
CONTRATAR
PROGRAMADOR/A
Título profesional universitario.
Experiencia mínima 3 años.
Conocimiento lenguajes.
QBasic. Visual Basic.
Experiencia Red Novell 5
Disponibilidad inmediata.
Enviar antecedentes con pretensiones de sueldo líquido y fotografía reciente a:
CASILLA 13–28
SANTIAGO

7 ¿Qué tipo de persona buscan?

L'entreprise où travaille Alfonso s'agrandit et veut embaucher une personne qui se chargerait des relations publiques. D'après vous, quel genre de personnes recherchent-ils ?

7.1 Écoutez la conversation entre Alfonso et sa collègue Isabel et dites quels critères de l'Activité 5 ils demandent. Vous pouvez également reprendre le script de la conversation page 293.

7.2 On vous a demandé d'indiquer sur papier les critères requis pour les envoyer aux candidats. Complétez ce texte et réécoutez le dialogue.

> Buscamos una persona que ______ bien con la gente, y que ______ dos o tres años ______ como mínimo, que ______ y, preferiblemente, algo de ______, que ______ conocimientos de ______ y que ______ conducir.

trabajar en equipo *travailler en équipe*

8 Una historia personal

(i) Les personnes les plus touchées par le *chômage* **el desempleo** en Espagne, comme dans d'autres pays occidentaux, sont les jeunes. Un *diplôme universitaire* **un título universitario** n'est souvent pas suffisant et les entreprises recherchent des gens étant à la fois *hautement qualifiés* **muy bien cualificados** mais ayant aussi de l'expérience. Cet extrait, tiré d'un magazine espagnol, décrit l'expérience de Jaime dans sa recherche d'emploi. Lisez ce texte et comparez avec la situation dans votre pays. Lisez ensuite les questions suivantes et essayez de trouver les réponses au fil de votre lecture.

a ¿Qué estudios tiene Jaime?
b ¿Qué idiomas sabe?
c ¿Cómo es su carácter?

d ¿Tiene experiencia?
e ¿Qué exigen los empleadores *(employeurs)*?
f ¿Cómo se siente Jaime?

Jaime M. tiene veintiocho años, la carrera de empresariales, un máster de una universidad británica, habla y escribe perfectamente inglés, habla y escribe menos perfectamente francés. Extrovertido, simpático ... Nunca ha conseguido un empleo. No sabe lo que es trabajar en una oficina, en un despacho, tener un jefe o un compañero ... No encuentra un empleo, aunque ha ido docenas de veces al INEM (Instituto Nacional del Empleo), ha enviado su currículum cien veces, se sabe de memoria los anuncios de los periódicos ... En unos sitios le exigen experiencia; en otros, creen que con sus títulos merece más de lo que le pueden ofrecer, y Jaime M. está desesperado. Total y absolutamente desesperado ... Jaime M. no es una excepción ...

conseguir	*obtenir*
el despacho	*le bureau*
docenas de veces	*dizaines de fois* (**docena** signifie littéralement *douzaine*)
el anuncio	*l'annonce*
saber de memoria	*connaître par cœur*
merecer	*mériter*

Remarquez que **oficina** et **despacho** se traduisent tous les deux par « bureau » en français mais ne désignent pas les mêmes choses. **Oficina** décrit un bureau en général où travaille plusieurs personnes tandis que **despacho** désigne la pièce où l'on travaille.

Notez également que « CV » se dit **currículo** ou **currículum (vitae)** en espagnol.

9 Ahora tú

a ¿Cómo es la situación en tu país? ¿Es difícil encontrar empleo?
b ¿Quiénes tienen más dificultad para encontrar empleo: los hombres, las mujeres, los jóvenes en general?
c ¿Qué tipo de persona buscan normalmente las empresas.

annexes

Unités 1 à 5

1 Complétez ce dialogue avec les mots interrogatifs appropriés.

a '¿ ______ se llama usted?' 'Maricarmen García.'
b '¿ ______ está?' 'Muy bien, gracias, ¿y usted?'
c '¿De ______ es usted?' 'De Bilbao.'
d '¿ ______ número de teléfono tiene?' 'El 94 415 36 23'
e 'Y el teléfono de su oficina, ¿______ es?' 'El 94 514 16 22'
f '¿ ______ vive?' 'En la calle de San Pablo.'
g '¿ ______ va a tomar?' 'Quiero pescado con patatas fritas.'

(Unités 1, 2, 3, 4, 5)

2 Complétez ce dialogue avec les formes appropriées de ***ser*** et ***estar***.

Jaime	Hola, ¿cómo ______ (tú)?
Eloísa	(Yo) ______ muy bien, gracias.
Jaime	Ésta ______ Mónica, una amiga.
Eloísa	Hola, ¿qué tal? (Tú) no ______ española, ¿verdad?
Mónica	No, ______ argentina. ______ de Salta.
Eloísa	¿Dónde ______ Salta?
Mónica	______ en el norte de Argentina.

(Unités 1, 2, 4)

3 Vous allez rencontrer un groupe d'Espagnols, préparez-vous donc à échanger des formules de salutations et des informations personnelles.

a Dites « bonjour » (pour l'après-midi) et donnez votre nom et votre nationalité.
b Épelez votre nom et prénom.
c Dites quelle(s) langue(s) vous parlez.
d Dites à quelqu'un que vous êtes ravi(e) de le rencontrer. (Donnez deux réponses.)
e Présentez Julie Porcher, une collègue, à quelqu'un que vous ne connaissez pas bien.
f Dites où vous habitez et quel est votre numéro de téléphone.

(Antes de empezar, Unités 3, 4)

4 Vous arrivez à un hôtel dans un pays hispanophone. Suivez les instructions données en italique ci-dessous pour compléter votre partie de la conversation avec le réceptionniste.

- ¿Dígame?
- *Dites « bonsoir » et dites que vous voulez une chambre individuelle avec une salle de bains pour trois nuits.*
- De acuerdo.
- *Demandez où est le restaurant.*
- En el primer piso.
- *Demandez si vous pouvez dîner maintenant.*
- Sí, el restaurante está abierto.
- *Demandez s'il y a une banque près d'ici, vous voulez changer de l'argent.*
- *Le réceptionniste parle trop vite. Demandez-lui de parler plus lentement.*

(Antes de empezar, Unités 3, 4)

5 Dites à quel lieu ou rue de la carte se réfère chacune de ces phrases. Vous êtes au croisement de la rue Defensa et México en face de la rue San Juan.

a Hay uno al final de la calle Defensa, a la derecha.
b Está enfrente del banco.
c Está a la izquierda, al lado del supermercado.
d Está en la esquina de Defensa a Estados Unidos.
e Está en la calle Defensa, casi esquina a Independencia, a la izquierda.
f Es la tercera calle.
g Es la segunda calle.

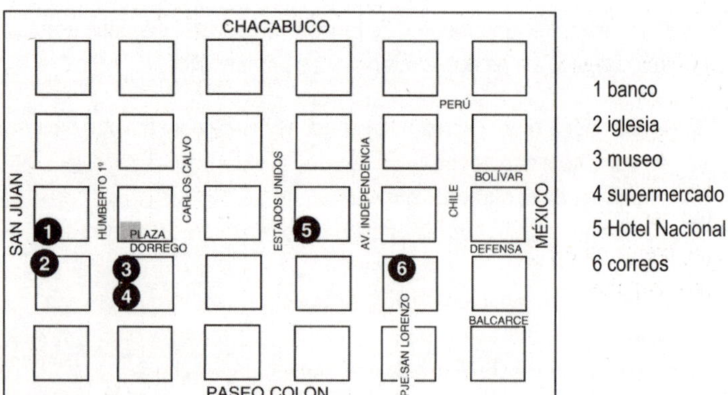

(Unité 4)

6 Conjuguez les verbes en italique au présent, la personne à utiliser vous est indiquée entre parenthèses.

a (Nosotros) *querer* el menú del día.
b (Yo) *querer* pescado a la plancha con patatas fritas.
c ¿Qué *querer* tú?
d (Yo) *preferir* pollo con puré.
e ¿Qué *tener* (usted) de postre?
f (Nosotros) *tener* flan, helados y melón.
g Por favor, ¿me *traer* (usted) un helado de fresa?

(Unités 2, 3, 5)

Unités 6 à 10

1 Répondez à ces questions en utilisant les structures **Es la…**, **Son las…**, **A la(s)…** et les heures données entre parenthèses.

a Por favor, ¿qué hora es? (1:15)
b ¿Qué hora es? (2:40)
c ¿A qué hora sale el próximo tren para Salamanca? (5:45)
d ¿Y a qué hora llega? (6:30)
e ¿Tienes hora? (4:10)
f ¿A qué hora cierra la tienda? (1:00)

(Unité 6)

2 Lisez attentivement cet échange entre un client et un vendeur puis écrivez des dialogues similaires en utilisant les mots donnés en **a, b, c** et **d**.

– ¿Cuánto cuestan esos pantalones?
– ¿Éstos?
– Sí, ésos.

a (las) gafas
b (el) perfume
c (la) crema para el sol
d (los) zapatos

(Unité 7)

3 Complétez les phrases suivantes avec ces mots : **me, le, les, lo, los, la, las, nos**. Ajoutez un accent si nécessaire.

a Perdone, estas camisetas, ¿en qué color ______ tiene?
b Esta chaqueta es muy bonita. ¿Puedo probar ______?
c ¿Cómo ______ quedan esos zapatos, señor?
d Estos zapatos ______ quedan muy bien. ______ ______ llevo.
e Por favor, de ______ un billete de ida y vuelta para Málaga.
f Quisiéramos alquilar un coche. ¿Qué coche ______ recomienda?
g ¿Quieren ustedes un coche económico? Pues, ______ recomiendo éste.

(Unités 7, 8)

4 Rita et Ramón sont en train de préparer leurs vacances et ils comparent les services proposés par deux hôtels ; ils leur donnent à chacun une note allant de 1 à 5, 5 étant la note la plus élevée et 1 la plus basse. Regardez le tableau et écrivez des phrases pour comparer les caractéristiques de chaque hôtel, utilisez les mots donnés ci-dessous et des expressions telles que : **más ... que**, **mejor, tan ... como**.

a cerca
b vista
c tranquilo
d barato
e grande
f cómodo

(Unité 9)

	Hotel Costa Azul	*Hotel Playa Blanca*
precio	*5*	*3*
comodidad	*4*	*2*
cercanía a la playa	*1*	*4*
tranquilidad	*3*	*3*
tamaño de las habitaciones	*4*	*4*
vista	*3*	*4*

5 Rosa écrit à quelqu'un et parle d'elle et de sa famille. Conjuguez les verbes entre parenthèses au présent.

Me llamo Rosa, (tener) 28 años, (estar) casada y (tener) un hijo de dos años. (Ser) enfermera y (trabajar) en un hospital. Mi marido se llama Antonio, (tener) 30 años, (ser) contable y (trabajar) en un banco. Antonio y yo (estar) casados desde hace cuatro años y (vivir) en Toledo desde hace tres años y medio.

(Unités 9, 10)

6 Vous êtes dans un hôtel dans un pays hispanophone et vous rencontrez quelqu'un. Comment lui demanderiez-vous ces informations ? Vous tutoierez cette personne.

a depuis combien de temps il ou elle est là
b s'il ou elle est là avec sa famille
c ce qu'il ou elle fait dans la vie
d depuis combien de temps il ou elle travaille là-bas
e combien de semaines de vacances il ou elle a par an

(Unité 10)

Unités 11 à 15

1 Complétez les conjugaisons de ces verbes au présent, les personnes sont indiquées en haut du tableau.

yo	tú	él/ella	nosotros/as
me levanto	______	______	nos levantamos
______	sales	______	______
______	______	va	______
______	______	______	empezamos
______	vuelves	______	______
______	______	come	______
______	______	______	nos acostamos

(Unité 11)

2 Antonio écrit à un ami et parle de ses habitudes. Complétez le texte en utilisant les verbes ci-dessous, conjuguez-les au présent. N'utilisez chaque verbe qu'une seule fois.

almorzar desayunar leer levantarse trabajar ver
volver ducharse llegar salir

Normalmente ______ a las siete de la mañana, luego ______. Después de ducharme, ______, normalmente un café y unas tostadas. A las ocho y media ______ para el trabajo y ______ allí sobre las nueve. Al mediodía ______ con unos colegas en un restaurante cerca de la oficina. Por la tarde ______ desde las tres hasta las siete. A las siete ______ a casa, ______ el periódico o ______ la televisión un rato.

(Unité 11)

3 Carmen écrit à une amie et décrit ce qu'elle et sa famille aiment faire pendant leur temps libre. Conjuguez les verbes entre parenthèses à la personne qui convient pour compléter sa lettre.

A mí (encantar) los deportes. El tenis, especialmente, (gustar) mucho. Pero a Javier, mi marido, no (gustar) nada los deportes. Él (preferir) leer y ver la televisión. A mis hijos (fascinar) la televisión también. A nosotros (encantar) salir fuera de la ciudad los fines de semana. Y a ti, ¿qué (gustar) hacer en tu tiempo libre?

(Unité 12)

4 Tous les employés du bureau ont une tâche à faire aujourd'hui. Comment demanderiez-vous à ces personnes ce qu'ils vont faire et comment répondraient-ils ? Regardez les informations données ci-dessous et écrivez des questions et réponses en utilisant les formes appropriées de **ir a** + *infinitif*, par exemple : **¿Qué va a hacer? Va a trabajar** *Que va-t-il/elle faire ? Il/Elle va travailler.*

Utilisez le tutoiement :

a	Paco	escribir un informe
b	María y Pepe	contestar unas cartas

Utilisez le vouvoiement :

c	Sra. Martínez	recibir a un cliente
d	Sr. Díaz y Srta. Pérez	realizar unas entrevistas

(Unité 13)

5 Vous êtes réceptionniste à Franhispania, une entreprise qui travaille avec l'Espagne et l'Amérique latine, et vous devez réaliser quelques appels. Comment diriez-vous ces phrases en espagnol ?

a Allô ?
b Vous vous êtes trompé de numéro.
c C'est de la part de qui ?
d Je vous le passe tout de suite.
e Il va vous répondre tout de suite.
f Voulez-vous laisser un message ?
g Je souhaiterais parler à Monsieur Julián.
h Pouvez-vous me passer Madame Lira ?
i Je voudrais obtenir un entretien avec le directeur.
j Dites-lui, s'il vous plaît, que j'ai appelé.

(Unité 14)

6 Emilio a passé ses vacances à Cuba ; à son retour, il écrit un e-mail à une amie pour lui décrire ce qu'il a fait. Conjuguez les verbes entre parenthèses au passé simple.

> ¡Hola Marta!
> Hace sólo una semana que (regresar) de Cuba y no te imaginas lo bien que lo (pasar). (Estar) una semana en La Habana. Es una ciudad preciosa. Me (encantar). También (ir) a Varadero. Allí (quedarse) en casa de Alejandro, un amigo cubano. Alejandro y yo (visitar) Trinidad, una ciudad colonial y luego (volver) juntos a La Habana, donde (yo) (tomar) el avión para regresar a España. (Llegar) a Madrid el sábado por la tarde y el lunes pasado (empezar) a trabajar...

(Unité 15)

7 Comment décririez-vous à quelqu'un les vacances d'Emilio ? Commencez ainsi : Emilio regresó de Cuba hace una semana y lo pasó muy bien...

(Unité 15)

Unités 16 à 20

1 Conjuguez les verbes entre parenthèses au passé simple pour compléter la biographie du Roi Juan Carlos I d'Espagne.

> Juan Carlos de Borbón y Borbón, rey de España, (nacer) en Roma en el año 1938. Su abuelo (ser) el rey Alfonso XIII, quien (abdicar) en el año 1931. Juan Carlos (educarse) en Suiza y a la edad de 16 años (ingresar) en la Academia Militar de Zaragoza. Más tarde (realizar) estudios de económía, política y derecho en la Universidad de Madrid. En el año 1962 (casarse) con la Princesa Sofía de Grecia. En 1969 (ser) designado futuro rey, en lugar de su padre, y en 1975, dos días después de la muerte de Franco, (empezar) su reinado como Juan Carlos I.

(Unités 15, 16)

2 Víctor se souvient de l'époque où il a connu Elisa. Complétez ce récit en choisissant le verbe qui convient parmi les deux proposés, l'un est au passé simple et l'autre à l'imparfait.

(Yo) (conocí/conocía) a Elisa en el año 1951, cuando (yo) (tuve/tenía) sólo veinte años. En aquel tiempo (yo) (estuve/estaba) en la universidad. Elisa (fue/era) mi nueva vecina, (tuvo/tenía) diecisiete años, y (vivió/vivía) con su madre, que (trabajó/trabajaba) en Correos. Recuerdo el primer día que la (vi/veía). (Yo) (fui/iba) a la universidad y ella (volvió/volvía) de la compra. La (saludé/saludaba) al pasar, pero no me (respondió/respondía). Días más tarde la (vi/veía) otra vez y le (hablé/hablaba). Ése (fue/era) nuestro primer encuentro...

(Unités 15, 16, 17, 18)

3 Julio et ses collègues Rafael et Silvia parlent de ce qu'ils ont fait aujourd'hui au bureau. Utilisez les verbes proposés dans l'encadré et mettez-les à la forme qui convient pour compléter les phrases ci-dessous. Un exemple vous est donné dans chaque colonne.

hablar	entrevistar	hacer	ir
enviar	volver	escribir	asistir

Julio

a He llegado a la oficina a las 8:30.
b ______ muchas llamadas telefónicas.
c ______ varios faxes.
d ______ con varios clientes.
e ______ a dos reuniones.

Rafael y Silvia

f Hemos despachado varios pedidos.
g ______ muchísimas cartas.
h ______ a tres personas para un nuevo puesto.
i ______ al aeropuerto.
j ______ a casa muy cansados.

(Unité 19)

4 Comment expliqueriez-vous à quelqu'un ce que Julio et ses collègues Rafael et Silvia ont fait ? Mettez les verbes ci-dessus à la troisième personne du pluriel.

(Unité 19)

5 Ana a prévu de partir en vacances et elle raconte à un ami ce qu'elle va faire. Complétez les phrases suivantes avec ces verbes en les conjuguant au futur.

hacer quedarse ir llegar viajar volver salir

a Este año ______ de vacaciones a Buenos Aires.
b ______ de Madrid el día 23.
c ______ en Iberia.
d El avión ______ escala en São Paulo.
e ______ a Buenos Aires al día siguiente.
f ______ en casa de unos amigos argentinos.
g ______ a Madrid el 7 de agosto.

(Unité 20)

6 Comment expliqueriez-vous à quelqu'un ce qu'Ana va faire ? Conjuguez les verbes ci-dessus à la troisième personne du singulier.

(Unité 20)

Unités 21 à 25

1 José et ses amis Raquel et Pablo parlent de ce qu'ils feraient s'ils gagnaient au loto. Parlez pour eux en conjuguant les verbes entre parenthèses au conditionnel (Unité 21).

José

a No (trabajar) más.
b (Hacer) un viaje alrededor del mundo.
c (Comprar) una casa para mí y otra para mis padres.
d (Poner) el dinero en un banco y (vivir) de los intereses.

Raquel y Pablo

e (Poder) pagar todas nuestras deudas.
f (Enviar) a nuestros hijos a los mejores colegios.
g (Ayudar) a nuestras familias.
h (Irse) a vivir al mejor barrio de la ciudad.

(Unité 21)

2 Un hispanophone vient visiter votre lieu de travail et vous déjeunez avec lui. Comment diriez-vous ces phrases en espagnol ?

a Étiez-vous déjà allé en/à (*donner le nom de votre pays ou de votre ville*) avant ?
b Que pensez-vous de la ville ?
c Je vous en sers un peu plus ?
d Voulez-vous plus de vin ?
e Je vais vous emmener à votre hôtel avec ma voiture.
f Je suis ravi(e) de vous avoir connu.

(Unité 22)

3 Vous logez dans un hôtel situé au croisement de la rue Antonio Varas et de la rue Diagonal Oriente, vous devez vous rendre rue Eduardo de la Barra, numéro 1436. On vous a laissé un mot avec les directions à suivre à la réception mais elles ne sont pas bonnes. Regardez la carte et corrigez-les.

Siga todo recto por Antonio Varas y al llegar a Eduardo de la Barra gire a la derecha. El número 1436 está a la izquierda, entre Antonio Varas y Los Capitanes.

(Unité 23)

4 Plusieurs personnes hispanophones viennent visiter votre lieu de travail et vous demandent comment aller à un endroit. Comment diriez-vous ces phrases en espagnol ? Notez que vous vouvoyez vos interlocuteurs.

a Allez tout droit et prenez ensuite la troisième à gauche. La banque se trouve au bout de la rue.

b Montez ces escaliers jusqu'au premier étage. Les toilettes sont à droite, après les téléphones.

(Unité 23)

5 Reliez les affirmations situées à gauche aux conseils ou demandes appropriés à droite.

a	Tengo sed	**1**	Abre la ventana, por favor.
b	Tengo hambre	**2**	Ve al dentista.
c	Tengo frío	**3**	Tráeme algo para beber.
d	Tengo calor	**4**	Por favor, dame una aspirina.
e	Tengo dolor de cabeza	**5**	Ponte un jersey.
f	Me duelen las muelas	**6**	Come algo.

(Unité 24)

6 Merche et Nicolás sont à la recherche de la personne idéale. Quel genre de partenaire veulent-ils rencontrer ? Complétez les phrases ci-dessous en conjuguant les verbes entre parenthèses au temps approprié.

a Merche busca un novio que (ser) inteligente, (tener) sentido del humor, no (fumar) y la (querer) de verdad.

b Nicolás quiere una novia que (ser) guapa, (saber) varios idiomas, (llevarse) bien con él y (estar) dispuesta a casarse.

(Unité 25)

Lire et écouter de l'espagnol

Les journaux espagnols

El País (http://www.elpais.es)
El Mundo (http://www.elmundo.es/)
La Vanguardia (http://www.lavanguardia.es)
ABC (http://www.abc.es)
El Periódico (http://www.elperiodico.com)

Les magazines espagnols

Pour l'actualité en général en Espagne et dans le monde entier, vous pourrez lire :

Cambio 16, Tiempo, Tribuna, etc.

Pour lire quelque chose de léger et vous distraire, vous pourrez consulter ces magazines :

Hola, Quo, Mía, Pronto, Lecturas, Semana, etc.

Ils sont vraiment très connus en Espagne et vous trouverez certainement, même en tant que débutants, certains articles faciles à comprendre.

Les journaux et magazines d'Amérique latine

Les journaux et magazines d'Amérique latine seront plus difficiles à trouver en dehors des pays où ils sont édités. Cependant, ils sont facilement accessibles sur Internet.

Argentine

La Nación (http://lanacion.com.ar)
Clarín (http://www.clarin.com)

Chili

El Mercurio (http://diario.elmercurio.cl)

Colombie

El Espectador (http://www.elespectador.com)

Cuba

Granma (http://www.granma.cubaweb.cu)

Mexique

El Universal (http://www.el-universal.com.mx)

Pérou

El Comercio (http://www.elcomercioperu.com.pe)
Correo (http://www.correoperu.com.pe)

La radio et la télévision

Une excellente façon de vous entraîner à la compréhension orale est d'écouter la radio et de regarder la télévision. Sur les ondes moyennes, vous pourrez capter Radio Nacional de España ainsi que d'autres stations espagnoles. Radio Nacional de España est aussi accessible sur son site http://www.rtve.es/rne/. Pour la télévision, vous pourrez la voir sur le satellite de Televisión Española (TVE). Pour l'espagnol d'Amérique latine, consultez http://iarnoticias.com/directorios/radios_en_vivo/americalatino.html, toutes les radios des différents pays d'Amérique latine vous y sont proposées.

Voyager en Espagne et en Amérique latine

La meilleure façon de mettre en pratique ce que vous avez appris et de vous améliorer à l'oral est de voyager dans un pays hispanophone. Il existe de nombreux guides qui pourront vous aider à organiser votre voyage et fournissent non seulement des informations sur les différents pays mais aussi sur les régions et villes d'Espagne et d'Amérique latine.

Si vous êtes intéressé par l'Espagne, ces sites Internet vous seront certainement utiles. Ils donnent en effet des informations sur le logement, les restaurants, les lieux à visiter etc.

Voyager en Espagne : http://www.sispain.org (en français et en espagnol)
Tout sur l'Espagne : http://www.red2000.com (en espagnol)
Páginas amarillas del viajero (les pages jaunes du voyageur) :
http://www.spaindata.com (en espagnol)
Pour les offices de tourisme espagnols, consultez :
http://www.revistaiberica.com/Sumarios/sumario_oficinas_turismo.htm
Si vous êtes intéressé par l'Amérique latine, vous trouverez des informations sur :
http://www.americas-fr.com/voyages/voyages.html
http://www.abc-latina.com/amerique_latine/tourisme.htm
http://www.ameriquelatine.com

La culture et l'histoire des pays hispanophones

Si la culture et l'histoire des pays hispanophones vous intéressent, il existe de nombreux ouvrages en français qui traitent de ces sujets, certains de façon plus détaillée que d'autres. Les livres écrits en espagnol requièrent en général un niveau plus élevé que le vôtre, toutefois, certains ouvrages sont destinés aux étudiants étrangers et sont plus faciles à comprendre. Renseignez-vous auprès d'un libraire spécialisé.

Vous pouvez également consulter ces sites webs :

Histoire - Sí Spain : http://www.sispain.org/french/history/ (en français)
Culture de l'Espagne : http://www.escuelai.com/practical guide_sp-fr.html
http://fr.wikipedia.org/wiki/Espagne
Secretaría de Estado y Cultura de España (pour une visite virtuelle du Prado) : http://museoprado.mcu.es
Vous pourrez aussi trouver d'autres adresses de sites Internet sur *Sí Spain* (certaines sont en anglais mais la plupart sont en espagnol) : http://sispain.org/engosih/otherweb.html

Pour obtenir des informations sur l'Amérique latine, consultez :
http://www.americas-fr.com/ (en français)
http://www.partir.com/ (en français)
http://lanic.utexas.edu/indexesp.html (en espagnol)

Suivre des cours d'espagnol

De nombreux sites webs proposent également des cours d'espagnol en Espagne. Pour obtenir des informations générales et des listes d'écoles, vous pourrez regarder le site de l'institut Cervantes, une organisation internationale qui propose des cours d'espagnol et assure la promotion de la culture espagnole en général.

Instituto Cervantes : http://www.cervantes.es

L'éditeur a fait tout son possible pour que les adresses des sites webs mentionnées dans ce livre soient correctes et actives au moment de sa publication. Cependant, il n'est pas responsable de ces sites et ne peut assurer qu'ils seront encore accessibles ou que leur contenu est ou restera adéquat.

adjectifs Les adjectifs servent à décrire des noms, par exemple : C'est une très *bonne* école. **Es un colegio muy *bueno*.** Le *nouvel* hôtel est *excellent*. **El *nuevo* hotel es *excelente*.**

adverbes Les adverbes servent généralement à décrire des verbes, par exemple : Il est parti *silencieusement*. **Salió *silenciosamente*.** Mais les adverbes peuvent aussi modifier le sens des adjectifs : C'était *totalement* faux. **Era *totalmente* falso.** Les adverbes se terminent souvent en espagnol par **-mente**, ils se construisent à partir de la forme féminine des adjectifs s'ils en ont une (**lento – lentamente** ; **total – totalmente**).

articles Il existe deux types d'articles, les *définis* et les *indéfinis*. Les articles définis sont *le*, *la*, *l'* et *les* en français, et **el**, **la**, **los**, **las** en espagnol. Les articles indéfinis sont **un**, **una**, **unos**, **unas** en espagnol et *un*, *une*, *des* en français.

comparaison Pour comparer plusieurs éléments, on utilise en français les mots « moins » ou « plus » suivis d'un adjectif et de « que ». En espagnol, on emploiera la même structure avec les mots **más** ou **menos** suivis d'un adjectif et de **que**, par exemple : **Esta camisa es *más* cara *que* ésa.** Cette chemise est *plus* chère *que* celle-là. **Esta camisa es *menos* bonita *que* ésa.** Cette chemise est *moins* jolie *que* celle-là. Consultez aussi la définition de **superlatif**.

compléments d'objet Les compléments d'objet désignent la personne ou la chose modifiée, influencée ou utilisée par le verbe. Donc, dans la phrase : Le policier a arrêté *le voleur*. **El policía arrestó *al ladrón*.** le voleur est la personne utilisée par le verbe. Le voleur est par conséquent le *complément d'objet* de cette phrase.

Dans des phrases comme « Ma mère a donné *de l'argent au conducteur* », « *de l'argent* » est le complément d'objet direct car c'est sur ce groupe de mots que porte l'action du verbe, l'argent est ce que la mère donne. « Au conducteur » est le *complément d'objet indirect* car le conducteur est la personne qui reçoit ce qui est donné.

On utilise en espagnol la préposition **a** devant les compléments d'objet direct désignant une personne : **Luis llamó *a* Andrés.** Luis a appelé Andrés.

démonstratifs Les mots tels que *celui-ci* **éste**, *celui-là* **ése**, *ceux-ci* **éstos** et *ceux-là* **ésos** s'appellent des *pronoms démonstratifs*.

Este, ese, aquel sont des *adjectifs démonstratifs*. Ils se traduisent souvent par *ce, cet* mais désignent trois degrés d'éloignement différents. On les distingue des pronoms démonstratifs par l'absence d'accent écrit.

genre Le genre se réfère à la distinction que l'on fait entre le masculin et le féminin. Les genres des mots sont généralement les mêmes en espagnol et en français mais ce n'est pas systématique, vous devrez donc, lorsque vous apprenez un nouveau mot, vérifier son genre. De même, les mots féminins en espagnol se terminent normalement par un **-a** et les mots masculins par un **-o**, cependant cette règle n'est pas toujours vraie : **la mano** *la main*, **el día** *le jour*, **el mes** *le mois,* etc.

impératif L'impératif est une forme verbale que l'on utilise pour donner des ordres, des directions, des instructions etc. : *Tournez* à droite à l'angle. ***Gire* a la derecha en la esquina.** *Composez* d'abord le 020. **Primero *marque* el 020.**

infinitif L'infinitif est la forme basique du verbe, c'est cette forme que vous trouvez dans les dictionnaires. En espagnol, les infinitifs se terminent en **-ar**, **-er** et **-ir**, par exemple : **habl*ar*** *parler*, **com*er*** *manger* et **viv*ir*** *vivre, habiter*.

irréguliers Voir **verbes irréguliers**.

nombre Lorsque l'on veut savoir le nombre d'un mot, on veut déterminer s'il est singulier ou pluriel. Voir **singulier**.

noms Les noms sont des mots comme *maison* **casa**, *pain* **pan** et *richesse* **riqueza**. On les appelle aussi des *substantifs*.

pluriel Voir **singulier**.

possessifs On appelle les mots tels que *mon/ma* **mi**, *ton/ta* **tu**, *son/sa/leur/votre* **su**, *notre* **nuestro** des *adjectifs possessifs*. *Mien* **mío**, *tien* **tuyo**, *sien, sienne, vôtre, leur* **suyo** etc. sont des *pronoms possessifs*. Voici un exemple utilisant les deux possessifs : ***Mi* móvil no funciona, ¿me prestas el *tuyo*?** *Mon* portable ne fonctionne pas, tu me prêtes le *tien* ?

prépositions On appelle les mots tels que *en/à* **en**, *pour* **por, para**, *entre* **entre** des *prépositions*. Les prépositions nous indiquent souvent la position de quelque chose. Elles sont généralement suivies d'un nom ou d'un pronom, par exemple : La banque est *entre* l'école et l'église. **El banco está *entre* el colegio y la iglesia.** Ce cadeau est *pour* toi. **Este regalo es *para* ti.**

pronoms Les pronoms fonctionnent comme les noms dans une phrase et servent généralement à remplacer des noms déjà mentionnés auparavant. Par exemple, Ma *petite amie* (nom) a vingt-cinq ans. *Elle* (pronom) est très jolie. **Mi *novia* tiene veinticinco años. *Ella* es muy guapa.**

pronoms personnels Comme leur nom l'indique les pronoms personnels désignent des personnes, par exemple : *je* **yo**, *tu* **tú**, *vous* **usted**, *il* **él**, *elle* **ella** etc. Voir également **pronoms**.

pronoms réfléchis On appelle des pronoms réfléchis des mots tels que *me* **me**, *te* **te**, *se/s'* **se**, *nous* **nos**. Voir aussi **verbes pronominaux**.

singulier Un nom au *singulier* est un nom qui ne désigne qu'une seule chose, un nom au *pluriel* en désigne plusieurs, on aura ainsi : *livre, livres* **libro/libros**, *ville/villes* **ciudad/ciudades**.

subjonctif Le subjonctif est un mode que l'on oppose généralement à l'indicatif et que l'on emploie surtout en français pour exprimer la volonté (*Je veux que tu viennes*) ou le doute, l'incertitude (*Il est possible qu'il revienne demain*). Le subjonctif français se traduit souvent par du subjonctif espagnol ; on dira donc pour les exemples donnés précédemment : **Quiero que vengas** et **Puede que vuelva mañana**. Cependant, le subjonctif est employé beaucoup plus souvent en espagnol et de façon plus régulière et plus logique.

sujet Le sujet désigne la personne ou la chose dont on parle ou celle faisant l'action dans la phrase. Par conséquent, dans : « Ma mère a donné au conducteur de l'argent », le sujet est « ma mère » puisque c'est elle qui donne l'argent et qui fait donc l'action. On dira alors que « ma mère » est le sujet du verbe *donner*.

superlatif Le superlatif permet de distinguer dans un groupe, l'élément qui possède une qualité au plus haut ou au plus bas degré. Par exemple, cette chemise est *la moins chère* de toutes. **Esta camisa es *la más barata* de todas**. Ce chemisier est *le plus cher* de tous. **Esta blusa es *la más cara* de todas.** Consultez également la définition de **comparaison**.

temps La plupart des langues changent les formes de leurs verbes pour situer dans le temps l'action ou l'état qui est désigné. On appelle ces différentes formes verbales des *temps*. Il existe différents temps : le présent, le passé et le futur, par exemple : Ils *sont sortis*. **Salieron** (passé). Elle *est* à la maison. ***Está* en casa** (présent). Nous *irons* au cinéma. ***Iremos* al cine** (futur).

verbes Les verbes décrivent souvent une action (*jouer* **jugar**), un état (*exister* **existir**) ou une sensation (*voir* **ver**). Un verbe a généralement un sujet : ma voiture (*sujet*) est (*verbe*) rouge. **Mi coche es rojo.**

verbes irréguliers L'apprentissage d'une langue serait beaucoup plus facile, s'il n'existait pas d'exceptions dans la conjugaison de ses verbes. Malheureusement, on retrouve en espagnol, comme dans d'autres langues européennes, des verbes qui ne se conjuguent pas de la même manière que les autres et que l'on appelle donc des *verbes irréguliers*.

verbes pronominaux Lorsque le sujet et le complément d'objet d'un verbe désignent la ou les mêmes personnes, on dit que le verbe est pronominal. Par exemple, *Je me suis lavé* avant de sortir ***Me lavé* antes de salir.** *Nous nous sommes* bien amusés. ***Nos divertimos* mucho.**

1 Les articles définis et indéfinis (Unités 2, 3)

a *Le, la* se disent **el** et **la** en espagnol, par exemple : **el hotel, la habitación**. Le pluriel de ces articles est : **los, las**, par exemple : **los hoteles, las habitaciones**. **Los** s'utilisent avec des noms masculins et **las** avec des noms féminins, tous les deux se traduisent par *les*.

b *Un, une* se disent **un, una**, par exemple : **un señor, una señora**. Au pluriel, on emploie **unos** pour le masculin et **unas** pour le féminin ; les deux se traduisent par *des*.

c **A + el** devient **al**, par exemple : Voy **al** cine. Je vais *au* cinéma et **de + el** devient **del**, par exemple : **Vengo del supermercado.** J'arrive *du* supermarché (Unité 2).

2 Les noms

2.1 Les noms masculins et féminins (Unité 2)

a Les noms se terminant par un **-o** sont généralement masculins et ceux se terminant par un **-a** féminins, par exemple : **el desayuno, la cena**.

b Pour former le féminin à partir d'un mot masculin, il faut changer le **-o** en **-a** ou ajouter un **-a** à la consonne : **el doctor, la doctora**.

c Les noms se terminant en **-ista** et la plupart de ceux se terminant en **-nte** sont invariables, par exemple : **el/la artista, el/la estudiante**.

d Certains noms n'ont pas la même forme au masculin et au féminin : **el actor, la actriz**.

2.2 Le singulier et le pluriel (Unités 3 et 9)

a On forme le pluriel des noms se terminant par une voyelle en ajoutant un **-s**, par exemple : **el libro, los libros**.

b On ajoute **-es** aux noms se terminant par une consonne, par exemple : **la ciudad, las ciudades**.

c Certains mots au masculin pluriel peuvent servir à désigner l'ensemble des membres d'une famille, qu'ils soient de sexe masculin ou féminin, par exemple : **el padre, la madre, los padres** (les parents).

3 Les adjectifs (Unités 1 et 7)

3.1 L'accord en genre et en nombre

Comme en français, les adjectifs doivent s'accorder en genre et en nombre avec le nom qu'ils désignent.

a Le **-o** final des adjectifs masculins devient **-a** au féminin, par exemple : **un hotel pequeño, una habitación pequeña**.

b En règle générale, les adjectifs se terminant par une lettre autre que **-o** ou **-a** ne changent pas au masculin et au féminin, par exemple : **el vestido azul, la camisa azul**.

c Les adjectifs désignant une nationalité forment leur féminin en ajoutant un **-a** à la consonne finale du mot masculin ou en changeant le **-o** en **-a**, par exemple : **un amigo español, una amiga española** ; **un amigo mexicano, una amiga mexicana**.

d Pour former le pluriel des adjectifs, suivez les mêmes règles que pour les noms.

3.2 La place des adjectifs

a La plupart des adjectifs se placent après le nom : **una persona inteligente**.

b Les adjectifs sont parfois placés devant les noms pour mettre une idée en valeur ou pour communiquer une certaine émotion, par exemple : **un excelente profesor**.

c Certains adjectifs tels que **grande, pequeño, bueno, malo** se placent généralement devant l'adjectif, par exemple : **un pequeño problema.**

d **Grande** suit normalement le nom lorsqu'il signifie « grand » mais il le précède lorsque son sens est « important », « noble ». Lorsqu'il est placé *devant* le nom, **grande** devient **gran**, par exemple : **una persona grande, una gran persona**.

e **Bueno** et **malo** deviennent **buen** et **mal** devant des noms masculins singuliers, par exemple : **un buen/mal momento**.

3.3 La comparaison (Unité 9)

Pour comparer des éléments avec les constructions **más... que, tan... como** et **el/la/los/las más...**, reportez-vous à l'Unité 9.

4 Les adverbes

a Pour former un adverbe à partir d'un adjectif, ajoutez **-mente** à l'adjectif au singulier, par exemple : **amable, amablemente**.

b Si l'adjectif se termine par un **-o**, changez le **-o** en **-a** et ajoutez ensuite **-mente**, par exemple : **rápido, rápidamente**.

c De nombreux adverbes ne sont pas formés à partir d'adjectifs, par exemple : **ahora, mañana, aquí, bien**.

5 Les pronoms

5.1 Les pronoms sujets (Unités 1 et 3)

a Les pronoms sujets sont : **yo, tú, él, ella, usted** (*vouvoiement, singulier*), **nosotros/as, vosotros/as** (*vous, tutoiement*), **ellos, ellas**, **ustedes** (*vouvoiement, pluriel*).

b Les pronoms sujets sont généralement omis en espagnol sauf si l'on souhaite mettre en valeur quelque chose ou éviter une ambiguïté.

c **Vosotros** et ses conjugaisons ne s'emploient jamais en Amérique latine, on préfère utiliser **ustedes** aussi bien pour le tutoiement que pour le vouvoiement.

5.2 Les pronoms compléments directs et indirects (Unités 5, 7, 8)

Les pronoms compléments peuvent être directs comme dans ***La* invité** *Je l'ai invitée* ou indirect comme dans **Le dije** *Je lui/vous ai dit.*

Les première et deuxième personnes

On ne fait pas de différence, aux première et deuxième personnes du singulier et du pluriel, entre les pronoms compléments directs et indirects, par exemple : ***Me* invitó** *Il/elle m'a invité(e)*, ***Me* dijo** *Il/elle m'a dit*.

singulier	pluriel
me *me, m'*	**nos** *nous*
te *te, t'*	**os** *vous (tutoiement)*

La troisième personne

À la troisième personne, les pronoms compléments directs et indirects ne sont pas les mêmes, par exemple : **Lo** ou **le invité** *Je l'ai invité*, **Le dije** *Je lui ai dit*. **Lo** et **le** correspondent au pronom complément direct masculin et **le** au complément indirect des deux genres.

Les pronoms compléments directs		
	singulier	pluriel
masc. fém.	**lo/le** *le, l'* **la** *la, l'*	**los/les** *les* **las** *les*

ⓘ La plupart des Espagnols vivant dans le Centre et le Nord de l'Espagne utilisent **le(s)** comme complément d'objet direct lorsqu'ils se réfèrent à une personne de sexe masculin, par exemple : **Le llamé** *Je l'ai appelé*. Ils emploient alors **lo(s)** pour désigner un objet masculin, par exemple : **Lo compré** *Je l'ai acheté*. Dans d'autres régions d'Espagne et en Amérique latine, en général, la plupart des gens se servent de **lo(s)** pour désigner à la fois une personne de sexe masculin et un objet masculin, par exemple : **Lo llamé**, **Lo compré**. Pour le féminin, il n'existe généralement pas de différences régionales et on l'utilise aussi bien pour une personne que pour un objet.

Les pronoms compléments indirects		
	singulier	pluriel
masc./fém	**le** *lui, l'*	**les** *les, leur*

Daré el dinero a Isabel. *Je donnerai l'argent à Isabel.*
Le daré el dinero. *Je lui donnerai l'argent.*

Comparez avec :

Lo daré à Isabel. *Je le donnerai à Isabel.*

Le et **les** deviennent **se** devant **lo, la, los, las**, on dira donc : **Se lo daré** *Je le lui donnerai*, et non **Le lo daré**.
Se désigne « Isabel » et **lo** « l'argent », on utilise donc en espagnol d'abord le pronom complément indirect puis le pronom complément direct ; en français, la construction est inversée.

5.3 La place des pronoms compléments (Unité 8)

a Les pronoms compléments se placent généralement devant le verbe : **¿Me trae un café?** *Vous m'apportez un café ?*

b Dans les phrases utilisant deux pronoms compléments, le complément indirect se place avant le complément direct : **Te las daré** *Je te les donnerai.*

c À l'impératif, le pronom complément se place après le verbe si l'impératif est affirmatif et devant le verbe s'il est négatif, par exemple : **Dígale** *Dites-lui*, **No le diga** *Ne lui dites pas.*

d Dans les constructions utilisant un verbe principal suivi d'un infinitif, (par exemple **llevar**) ou d'un gérondif (par exemple **haciendo**), le pronom complément peut à la fois précéder le verbe principal ou être attaché à l'infinitif ou au gérondif ; par exemple : **Voy a llevarlo** ou **Lo voy a llevar** *Je vais l'emporter*, **Estoy escribiéndola** ou **La estoy escribiendo** *Je suis en train de lui écrire*.

5.4 Les pronoms et les prépositions (Unité 12)

a Avec une préposition, on utilise **mí, ti** pour la première et la deuxième personne du singulier et les pronoms sujets **él, ella** etc. pour les autres personnes, par exemple : **Un café para mí/él**.

b Notez la construction **a mí me gusta**. Consultez l'Unité 12 pour plus d'informations.

c Notez l'emploi de **con** dans **conmigo** *avec moi*, **contigo** *avec toi* et **con él/ella/usted** *avec lui/elle/vous* (vouvoiement) etc.

5.5 Les pronoms réfléchis (Unité 11)

Les pronoms réfléchis sont **me, te, se, nos, os, se**, ils accompagnent des verbes pronominaux comme **levantarse**, par exemple : **me levanto** *je me lève*. Vous obtiendrez plus d'informations à ce sujet dans l'Unité 11.

6 Les démonstratifs (Unité 7)

Reportez-vous à l'Unité 7.

7 Les possessifs (Unités 5 et 20)

Nous avons vu **mi(s)** *mon, ma/mes*, **tu(s)** *ton, ta/tes* dans les Unités 2 et 3 et **mío/a, míos/as** *mien(s), mienne(s)* dans l'Unité 20.

8 Les prépositions (Unités 5, 6, 14, 18, 21 et 23)

Seules les prépositions et significations les plus courantes sont données ici.

- **a**

  à (heures) : a las cuatro

  à (directions) : a la derecha/izquierda

  par : una vez a la semana

  devant un complément d'objet direct désignant une personne : Invité a Manuel.

- **con**
  avec : vive con su madre
- **de**
  de : Julio es de Granada.
  en : de lana
  de/du : la ciudad más grande de México
- **desde**
  depuis : desde las 2:00 de la tarde, desde hace cinco años
- **en**
  à : viven en Salamanca
  sur : las llaves están en la cama
  en : trabaja en Suecia
  dans : te esperaré en la calle
- **hasta**
  jusqu'à (heures) : hasta las 5:00
  jusqu'à/au (distance) : hasta el semáforo
- **para**
  pour (direction) : el tren para Málaga
  pour (avec des pronoms) : para mí, un café
  pour (avec des expressions de temps) : para el lunes
  pour (but) : iré a Cuenca para ver a María
- **por**
  par : por avión
  par : por aquí
  pour : por ciento
  ne se traduit pas : por la tarde, por la noche

9 Les types de verbes

a Les verbes se divisent en trois groupes : les verbes en **-ar**, comme **hablar** *parler* ; en **-er**, comme **comer** *manger* et en **-ir** comme **vivir** *vivre, habiter* (Unité 1).

b La plupart des verbes espagnols sont réguliers, c'est-à-dire qu'ils suivent un même modèle de conjugaison mais d'autres verbes très courants sont irréguliers. Ils sont répertoriés dans une liste p. 281 à 284.

c Les verbes à diphtongues et ceux dont le **-e** du radical devient **-i** : voir page 276.

d Les verbes pronominaux : voir page 274.

10 Le présent (Unités 1-6, 10 et 11)

10.1 Les verbes réguliers (Unités 1, 2, 11)

	habl**ar**	com**er**	viv**ir**
yo	hablo	como	vivo
tú	hablas	comes	vives
él/ella/Vd.	habla	come	vive
nosotros/as	hablamos	comemos	vivimos
vosotros/as	habláis	coméis	vivís
ellos/ellas/Vds	hablan	comen	viven

10.2 Les verbes à diphtongues et ceux dont le -e du radical devient -i (Unités 3 et 11)

Les voyelles du radical de certains verbes changent à toutes les personnes sauf à la première et à la deuxième personne du pluriel. Leurs terminaisons sont les mêmes que pour les verbes réguliers. Les changements principaux sont :

a De **-e** à **-ie** (verbes à diphtongues) comme pour les verbes : **empezar, entender, pensar, preferir**. Par exemple : **Yo empiezo** *Je commence.*

b De **-o** à **-ue** (verbes à diphtongues) comme pour les verbes : **acostarse, poder, volver**. Par exemple : **¿Puedes hacerlo?** *Tu peux le faire ?*

c De **-e** à **-i** comme pour les verbes : **pedir, seguir, servir**. Par exemple : **¿Le sirvo un poco más?** *Je vous en sers un peu plus ?*

Une diphtongue est la réunion de deux voyelles (une forte **-a**, **e** ou **o-** et une faible **-i** ou **u-**) prononcées d'une seule émission de voix, c'est-à-dire comme une seule syllabe.

11 Le passé simple (Unités 15 et 16)

Pour former le passé simple, *il faut ajouter les terminaisons indiquées dans ce tableau au radical du verbe.* Les verbes en **-er** et en **-ir** ont les mêmes terminaisons.

racine	singulier	pluriel
habl-	-é, aste, -ó	-amos, -asteis, -aron
viv-	-í, -iste, -ió	-imos, -isteis, -ieron

Le passé simple sert à décrire des événements qui ont eu lieu à un moment précis dans le passé ou qui ont duré pendant une période qui est désormais révolue :

Ayer hablé con él. *J'ai parlé avec lui hier.*
Viví dos años allí. *J'ai habité deux ans là-bas.*

12 L'imparfait (Unités 17 et 18)

Pour former l'imparfait, *il faut ajouter les terminaisons indiquées dans ce tableau au radical du verbe*. Les verbes en **-er** et en **-ir** ont les mêmes terminaisons.

racine	singulier	pluriel
trabaj-	**-aba, -abas, -aba**	**-ábamos, -abais, -aban**
ten-	**-ía, -ías, -ía**	**-íamos, íais, -ían**

On utilise l'imparfait pour décrire des gens, des lieux dans le passé et pour dire ce que l'on avait l'habitude de faire.

La casa tenía dos dormitorios. *La maison avait deux chambres.*
Trabajaban en Buenos Aires. *Ils travaillaient à Buenos Aires.*

13 Le passé composé (Unité 19)

Le passé composé se forme avec le *présent* de **haber** suivi d'un *participe passé*. Les participes passés se terminent en **-ado** pour les verbes en **-ar** et en **-ido** pour les verbes en **-er** et en **-ir**.

Présent de haber — *Participes passés*
he, has, ha, hemos, habéis, han — llamado, venido

On utilise le passé composé pour parler d'événements qui ont eu lieu récemment ainsi que d'actions qui ne sont pas terminées au moment où l'on parle.

Te ha llamado hace una hora. *Il t'a appelé il y a une heure.*
Este año no ha llovido mucho. *Il n'a pas beaucoup plu cette année.* (L'année n'est pas terminée.)

14 Le plus-que-parfait (Unité 22)

Le plus-que-parfait se forme avec l'*imparfait* de **haber** et un *participe passé*.

Imparfait de haber — *Participes passés*
había, habías, había, habíamos, habíais, habían — estado, podido

On utilise le plus-que-parfait pour dire ce que l'on avait fait :
Gloria había estado aquí antes. *Gloria était déjà venue ici avant.*

15 Le futur (Unité 20)

Pour former le futur, *il faut ajouter les terminaisons indiquées dans ce tableau à l'infinitif du verbe*. Les verbes en **-ar**, **-er** et en **-ir** ont les mêmes terminaisons.

infinitif	singulier	pluriel
ir	-é, -ás, -á	-emos, -éis, -án

Esta noche iré al cine. *Ce soir, j'irai au cinéma.*

16 Le conditionnel (Unité 21)

Pour former le conditionnel, *il faut ajouter les terminaisons indiquées dans ce tableau à l'infinitif du verbe*. Les verbes en **-ar**, **-er** et en **-ir** ont les mêmes terminaisons.

infinitif	singulier	pluriel
ir	-ía, -ías, -ía	-íamos, -íais, -ían

Iría contigo, pero no puedo. *J'irais bien avec toi mais je ne peux pas.*

17 Le subjonctif présent (Unité 25)

Pour former le subjonctif présent, il faut *enlever le* **-o** *de la première personne du présent de l'indicatif* et *ajouter les terminaisons* en **-e** du tableau pour les verbes en **-ar** et celles en **-a** pour les verbes en **-er** et en **-ir**. (Remarquez que les terminaisons du subjonctif sont l'inverse de celles du présent de l'indicatif.)

présent de l'indicatif	subjonctif présent	
(première personne)	singulier	pluriel
llamo	**-e, -es, -e**	**-emos, -éis, -en**
tengo	**-a, -as, -a**	**-amos, -áis, -an**

Le subjonctif présent a plusieurs emplois mais seuls trois d'entre eux ont été vus dans ce livre :

- exprimer ce que l'on cherche ou veut ;
- dire que l'on espère que quelque chose va se produire ;
- exprimer le doute.

Buscan una persona que hable español. *Ils cherchent une personne qui parle espagnol.*
Espero que ella me llame. *J'espère qu'elle va m'appeler.*
No creo que tengan tiempo. *Je ne crois pas qu'ils aient le temps.*

Remarquez que tous ces subjonctifs sont utilisés après un *verbe principal* suivi de **que**, par exemple : **espero que** + *subjonctif présent*.

18 L'impératif (Unités 23 et 24)

Consultez les Unités 23 et 24.

19 Le gérondif (Unités 14 et 16)

Trabajando *en travaillant*, **comiendo** *en mangeant* sont des exemples de gérondif, on les utilise avec **estar** pour décrire des actions qui sont en train de se dérouler : **Estoy trabajando** *Je suis en train de travailler*. Consultez l'Unité 14 pour plus d'informations.

20 « Ser » et « estar » (Unités 1, 2, 4, 8, 9 et 14)

20.1 « Ser » s'emploie :

a pour donner des informations personnelles comme sa nationalité, dire qui l'on est, d'où l'on vient, sa profession, sa situation familiale (en Amérique latine) ; par exemple : **Plácido Domingo es español** ;
b pour décrire des personnes, des lieux et des choses, par exemple : **Barcelona es una ciudad preciosa** ;
c pour dire l'heure et avec certaines expressions de temps : **Mañana es domingo** ;
d pour décrire la matière de quelque chose : **Esta camisa es de algodón** ;
e pour dire à qui appartient quelque chose : **Este libro es mío** ;
f pour demander et dire combien coûte quelque chose : **¿Cuánto es?** ;
g pour indiquer où un événement va avoir lieu : **La fiesta es en casa de Isabel**.

20.2 « Estar » s'emploie :

a pour demander et dire où se situe un endroit : **La catedral está en la plaza** ;
b pour dire notre situation familiale (en Espagne), par exemple : **Paco está soltero** ;
c pour demander à quelqu'un comment il va et répondre, par exemple : **¿Cómo estás? Estoy bien** ;
d pour décrire un état ou une condition temporaire, par exemple : **Gloria está muy guapa hoy** ;
e pour exprimer un coût lorsque les taux ou prix fluctuent, par exemple : **¿A cuánto está (el cambio de) la corona sueca?** ;

f avec des participes passés, pour décrire un état qui est la conséquence d'une action, par exemple : **El restaurante está abierto** ;

g avec des gérondifs, pour parler d'actions qui sont en train de se dérouler, par exemple : **Está hablando por teléfono**.

21 Les emplois de « se » (Unité 3)

On emploie **se** avec un verbe conjugué à la troisième personne :

a pour construire des tournures impersonnelles comme : **¿Cómo se va al aeropuerto desde aquí?**

b pour indiquer ce qui se fait, par exemple : **Aquí se habla español**.

c avec des verbes pronominaux comme **levantarse**, par exemple : **Se levantaron a las seis**.

22 L'accentuation

a Les mots terminés par une voyelle et par **n** ou **s** portent l'accent tonique sur l'avant-dernière syllabe, par exemple : **n*a*da, t*o*man, h*i*jos**.

b Les mots terminés par une consonne autre que **n** ou **s** portent l'accent tonique sur la dernière syllabe, par exemple : **Madr*i*d, españ*o*l**.

c Les mots ne suivant pas les règles expliquées ci-dessus portent un accent écrit sur la voyelle de la syllabe accentuée, par exemple : **allí, autobús, invitación**.

d Les mots qui ont la même orthographe mais n'ont pas le même sens se différencient en ajoutant un accent écrit, par exemple : **sí** *oui*, **si** *si* ; **él** *il*, **el** *le* ; **sé** *je sais*, **se** *se* (pronom réfléchi).

e Les mots interrogatifs portent un accent : **¿dónde?, ¿cuándo?**

23 Remarque sur « ch » et « ll »

Le « ch » et le « ll » que l'on appelle respectivement en espagnol « che » et « elle » étaient jusqu'à présent considérés comme deux autres lettres de l'alphabet espagnol et avaient donc des entrées séparées dans le dictionnaire. Aujourd'hui, ils apparaissent dans la plupart des dictionnaires sous les lettres « c » et « l ».
Le « ll » se prononce en plaçant le bout de la langue derrière les dents et en le collant au palais mais il se dit souvent comme le « -ill » de « paille ».

Nous ne verrons ici que les verbes irréguliers les plus courants. Seules les formes irrégulières sont indiquées (les verbes marqués d'une astérisque sont des verbes à diphtongues et des verbes qui présentent une alternance vocalique **e** > **i**).

abrir *ouvrir*
participe passé : abierto

andar *marcher*
passé simple : anduve, anduviste, anduvo, anduvimos, anduvisteis, anduvieron

conducir *conduire*
présent de l'indicatif : (yo) conduzco
subjonctif présent : conduzca, conduzcas, conduzca, conduzcamos, conduzcáis, conduzcan
passé simple : conduje, condujiste, condujo, condujimos, condujisteis, condujeron

dar *donner*
présent de l'indicatif : (yo) doy
passé simple : di, diste, dio, dimos, disteis, dieron
subjonctif présent : dé, des, dé, demos, deis, den

decir* *dire*
présent de l'indicatif : (yo) digo
subjonctif présent : diga, digas, diga, digamos, digáis, digan
passé simple : dije, dijiste, dijo, dijimos, dijisteis, dijeron
futur : diré, dirás, dirá, diremos, diréis, dirán
conditionnel : diría, dirías, diría, diríamos, diríais, dirían
impératif : (tú) di, (Vd.) diga
gérondif : diciendo
participe passé : dicho

escribir *écrire*
participe passé : escrito

estar *être*
présent de l'indicatif : estoy, estás, está, están
subjonctif présent : esté, estés, esté, estén
passé simple : estuve, estuviste, estuvo, estuvimos, estuvisteis, estuvieron

hacer *faire*
présent de l'indicatif : (yo) hago
subjonctif présent : haga, hagas, haga, hagamos, hagáis, hagan
passé simple : hice, hiciste, hizo, hicimos, hicisteis, hicieron
futur : haré, harás, hará, haremos, haréis, harán
conditionnel : haría, harías, haría, haríamos, haríais, harían
impératif : (tú) haz, (Vd.) haga
participe passé : hecho

ir *aller*
présent de l'indicatif : voy, vas, va, vamos, vais, van
subjonctif présent : vaya, vayas, vaya, vayamos, vayáis, vayan
imparfait : iba, ibas, iba, íbamos, ibais, iban
passé simple : fui, fuiste, fue, fuimos, fuisteis, fueron
impératif : (tú) ve, (Vd.) vaya
gérondif : yendo

leer *lire*
passé simple : (él, ella, Vd.) leyó, (ellos, ellas, Vds.) leyeron
gérondif : leyendo

oír *entendre*
présent de l'indicatif : oigo, oyes, oye, oímos, oís, oyen
subjonctif présent : oiga, oigas, oiga, oigamos, oigáis, oigan
passé simple : (él, ella, Vd.) oyó, (ellos, ellas, Vds.) oyeron
impératif : (tú) oye, (Vd.) oiga
gérondif : oyendo

poder* *pouvoir*
passé simple : pude, pudiste, pudo, pudimos, pudisteis, pudieron
futur : podré, podrás, podrá, podremos, podréis, podrán
conditionnel : podría, podrías, podría, podríamos, podríais, podrían

poner *mettre*
présent de l'indicatif : (yo) pongo
subjonctif présent : ponga, pongas, ponga, pongamos, pongáis, pongan
passé simple : puse, pusiste, puso, pusimos, pusisteis, pusieron
futur : pondré, pondrás, pondrá, pondremos, pondréis, pondrán
conditionnel : pondría, pondrías, pondría, pondríamos, pondríais, pondrían
impératif : (tú) pon, (Vd.) ponga
participe passé : puesto

querer* *vouloir, aimer*
passé simple : quise, quisiste, quiso, quisimos, quisisteis, quisieron
futur : querré, querrás, querrá, querremos, querréis, querrán
conditionnel : querría, querrías, querría, querríamos, querríais, querrían
subjonctif imparfait : quisiera, quisieras, quisiera, quisiéramos, quisierais, quisieran

saber *savoir*
présent de l'indicatif : (yo) sé
subjonctif présent : sepa, sepas, sepa, sepamos, sepáis, sepan
passé simple : supe, supiste, supo, supimos, supisteis, supieron
futur : sabré, sabrás, sabrá, sabremos, sabréis, sabrán
conditionnel : sabría, sabrías, sabría, sabríamos, sabríais, sabrían
impératif : (Vd.) sepa

salir *sortir*
présent de l'indicatif : (yo) salgo
subjonctif présent : salga, salgas, salga, salgamos, salgáis, salgan
futur : saldré, saldrás, saldrá, saldremos, saldréis, saldrán
conditionnel : saldría, saldrías, saldría, saldríamos, saldríais, saldrían
impératif : (tú) sal, (Vd.) salga

ser *être*
présent de l'indicatif : soy, eres, es, somos, sois, son
subjonctif présent : sea, seas, sea, seamos, seáis, sean
passé simple : fui, fuiste, fue, fuimos, fuisteis, fueron
imparfait : era, eras, era, éramos, erais, eran
impératif : (tú) sé, (Vd.) sea

tener* *avoir*
présent de l'indicatif : (yo) tengo
subjonctif présent : tenga, tengas, tenga, tengamos, tengáis, tengan
passé simple : tuve, tuviste, tuvo, tuvimos, tuvisteis, tuvieron
futur : tendré, tendrás, tendrá, tendremos, tendréis, tendrán
conditionnel : tendría, tendrías, tendría, tendríamos, tendríais, tendrían
impératif : (tú) ten, (Vd.) tenga

traer *apporter, emmener*
présent de l'indicatif : (yo) traigo
subjonctif présent : traiga, traigas, traiga, traigamos, traigáis, traigan
passé simple : traje, trajiste, trajo, trajimos, trajisteis, trajeron
impératif : (Vd.) traiga
gérondif : trayendo

venir* *venir*
présent de l'indicatif : (yo) vengo
subjonctif présent : venga, vengas, venga, vengamos, vengáis, vengan
passé simple : vine, viniste, vino, vinimos, vinisteis, vinieron
futur : vendré, vendrás, vendrá, vendremos, vendréis, vendrán
conditionnel : vendría, vendrías, vendría, vendríamos, vendríais, vendrían
impératif : (tú) ven, (Vd.) venga
gérondif : viniendo

ver *voir*
présent de l'indicatif : (yo) veo
subjonctif présent : vea, veas, vea, veamos, veáis, vean
imparfait : veía, veías, veía, veíamos, veíais, veían
impératif : (Vd.) vea
participe passé : visto

volver* *revenir, retourner*
participe passé : vuelto

Avant de commencer

1 Saluer quelqu'un

- Buenas tardes.
- Buenas tardes.
- Buenas noches.
- Hola, buenas noches.

Unité 1

Exercice 2 Soy española

a Me llamo Silvia, soy española. Soy de Barcelona. Hablo español y catalán.

b Me llamo Cristóbal, soy mexicano. Soy de San Diego, California. Hablo inglés y español.

c Me llamo Mario, soy chileno. Soy de Santiago. Hablo español.

Unité 2

Exercice 5 ¿Dónde vive?

- ¿Dónde vive usted, Silvia?
- En Barcelona. Vivo en el Barrio Gótico, en la Plaza del Rey.
- ¿Dónde vives, Francisco?
- Vivo en la Ciudad de México, en el Paseo de la Reforma.
- Y tú Julio, ¿dónde vives?
- Vivo en la calle de la Libertad.

Exercice 7 ¿Qué número desea?

a – ¿Número?
– Por favor, ¿el teléfono del hotel Sancho?
– El hotel Sancho tiene el número 965 122 018.
– Muchas gracias.
– De nada.

b – ¿Qué número desea?
– El número de teléfono del señor Martín Ramos, por favor.
– Martín Ramos. Un momento, por favor.
– Es el 947 925 436.
– Gracias.

Unité 3

Exercice 2 ¿La habitación del señor Luis García, por favor?

a – ¿La habitación del señor Luis García, por favor?
– Es la número cuarenta y ocho.

b – Por favor, ¿la oficina de la señorita Sáez?
– La treinta y seis.

c – Buenos días, ¿Cuál es la habitación de los señores Silva, por favor?
– Un momentito, por favor. Los señores Silva tienen la habitación número cien.

Unité 4

Exercice 5 ¿Dónde están?

Turista 1 ¿Dónde está la avenida del Mar?
Guía Está a la izquierda, a dos cuadras del hotel.
Turista 2 ¿Y la playa?
Guía La playa está al final de la avenida del Mar.
Turista 2 ¿Y Correos, dónde está?
Guía Está en la calle España, la tercera a la izquierda, al lado de un supermercado.
Turista 3 Y el museo, ¿dónde está?
Guía El museo está en la calle Picasso, al lado de la catedral.

Unité 5

Exercice 2 ¿Tú o usted?

a Oiga, ¿nos trae otra botella de vino tinto, por favor?
b ¿Me pasas la sal?
c Por favor, ¿me traes dos aguas minerales sin gas del supermercado?
d ¿Me trae más azúcar, por favor?
e Por favor, ¿nos trae otros dos cafés y un té?
f ¿Me pasas una servilleta?

Exercice 4 En un bar

Camarero Buenas noches. ¿Qué van a tomar?
Ramón ¿Qué tapas tiene?
Camarero Hay champiñones, gambas, calamares y tortilla de patatas.
Ramón ¿Qué vas a tomar tú, Silvia?
Silvia Para mí, una de calamares y una cerveza.
Ramón ¿Y para ti, Clara?
Clara Yo quiero un bocadillo.
Camarero Tenemos de jamón, queso, salchichón y chorizo.
Clara De queso.
Camarero ¿Y para beber?
Clara Un cortado.
Camarero ¿Y para usted?
Ramón Yo, champiñones y un vino blanco.
Camarero ¿Algo más?
Ramón No, nada más.

Unité 6

Exercice 3 Un recado

Buenos días. Soy Inés Suárez, de Iberiatur. Llamo para confirmar su vuelo a Lima, Perú, para el jueves diecisiete. El avión sale de Madrid a las veintitrés treinta y llega a Lima el viernes a las diez menos veinte de la mañana, hora local. La hora de presentación en el aeropuerto es a las veintiuna treinta.

Unité 8

Exercice 1 Quisiera cambiar...

- Buenos días. Quisiera cambiar libras a euros. ¿A cuánto está el cambio? Tengo billetes.
- El cambio de la libra está a... un euro con cincuenta y cinco céntimos. ¿Cuánto quería cambiar?
- Ciento setenta y cinco libras.

- ¿Dígame?
- Buenas tardes. Tengo unos cheques de viaje en francos suizos y quería cambiarlos a euros. ¿A cuánto está el cambio?
- Francos suizos... un momento, por favor. Sí, mire, está a setenta céntimos.
- Quiero cambiar doscientos cincuenta.
- Bien, ¿me permite su pasaporte, por favor?

- Por favor, quisiera cambiar ciento veinte coronas suecas a euros. ¿Puede decirme a cuánto está el cambio?
- La corona sueca está a diez céntimos.

Unité 9

Exercice 4 Una entrevista personal

- ¿Su nombre, por favor?
- Antonio Bravo Miranda.
- ¿Qué edad tiene?
- Cincuenta y dos años.
- ¿Su estado civil?
- Casado.
- ¿Cómo se llama su esposa?
- Elena Castro García.
- ¿Qué edad tiene ella?
- Cuarenta y tres años.
- ¿Tienen hijos?
- No, no tenemos hijos.

Unité 10

Exercice 3 ¿Qué hace Ema?

- ¿A qué te dedicas?
- Soy profesora en una universidad.
- ¿Y cuánto tiempo hace que trabajas allí?
- Hace seis años.
- Ah, seis años. ¿Y qué horario de trabajo tienes?
- De 9:00 a 12:30 en la mañana. En la tarde, de 3:00 a 5:00. Ése es mi horario.
- Y vacaciones, ¿cuántas vacaciones tienes al año?
- Cinco días para Semana Santa, dos semanas en invierno y alrededor de dos meses en verano.

Exercice 7 Ahora tú

Hola, me llamo Ricardo García. Soy español, de Madrid. Soy intérprete y trabajo en una organización internacional desde hace cinco años. Trabajo desde las nueve de la mañana hasta las dos de la tarde, de lunes a viernes. Los sábados no trabajo. Tengo cuatro semanas de vacaciones al año.

Me llamo Mercedes Donoso. Soy española, de Salamanca. Hace dos años que estudio psicología en la universidad de Salamanca. También estudio inglés. Mis clases de inglés en la universidad son por la tarde, de seis a ocho, los lunes, miércoles y viernes.

Unité 11

Exercice 3 Mi rutina diaria

- ¿Cómo es un día normal para ti? ¿Qué... haces en un día normal?
- En un día de trabajo me levanto temprano, me levanto a las 7:00. Me ducho, desayuno, me voy al trabajo para estar... para estar alli a las 9:00. Almuerzo a la 1:00 y regreso a casa a las 6:00.

Unité 12

Exercice 2 ¿Qué le gusta hacer a Hortensia?

– ¿Qué te gusta hacer en tu tiempo libre?
– Bueno, me gusta viajar, salir de paseo los fines de semana, me encanta trabajar en el jardín, y también me gusta leer y ver televisión.
– ¿Qué tipo de programas te gustan?
– Me encantan los programas cómicos y los documentales.
– ¿Y qué te gusta hacer en tus vacaciones?
– Me gusta viajar al exterior y al interior del país.

Exercice 9 ¿Qué tal tu trabajo?

a Me llamo Angélica y soy secretaria. Me gusta mucho mi trabajo y me encanta mi jefe. Es muy simpático. Pero lo que no me gusta es el sueldo. Gano muy poco dinero.

b Me llamo Cristóbal y soy portero en una fábrica. Detesto mi trabajo y el horario tampoco me gusta. ¿Y mi jefe? Mi jefe es horrible. No me gusta nada.

Unité 13

Exercice 2 Un viaje de negocios

Voy a salir para Bogotá el martes 5 a las cinco menos veinte de la tarde. Allí voy a estar cuatro días en total. La reserva del hotel aún no está confirmada, pero espero quedarme en el hotel Eldorado. El número de teléfono es el 15 19 20 42. El sábado 9 al mediodía voy a continuar viaje a Caracas. Allí voy a estar tres días, desde el sábado hasta el lunes inclusive. En Caracas tengo una reserva en el hotel Plaza. El número de teléfono es el 212 7 38 55 17. El vuelo de regreso a Madrid es el martes 12 y espero volver a la oficina el miércoles 13.

Unité 14

Exercice 2 ¿Qué está haciendio?

Lorenzo	¿Dígame?
Raquel	¿Está Lorenzo, por favor?
Lorenzo	Está duchándose en este momento. ¿De parte de quién?
Raquel	Soy Raquel.
Lorenzo	¿Quieres dejarle algún recado?
Raquel	Sí, dile que tengo las entradas para el concierto de esta noche.
Lorenzo	Vale.

Exercice 4 Hora con el doctor

Voz	¿Dígame?
Javier	Quería pedir hora con la doctora Gómez, para mañana.
Voz	Lo siento, pero no hay hora disponible hasta el jueves, a las once y cuarto o a las cuatro menos cuarto.
Javier	A las cuatro menos cuarto me va bien.
Voz	¿Su nombre, por favor?
Javier	Javier Urrutia.

Unité 15

Exercice 10 El tiempo

Nublado y precipitaciones débiles, aumentando a fines del día, con extremas probables de cinco y doce grados anunció para hoy en la región metropolitana la Dirección Meteorológica de Chile. Perspectivas para mañana miércoles 5 de julio, nublado y precipitaciones, declinando en la tarde. Extremas probables de mañana, siete y catorce grados.

Unité 16

Exercice 6 Un diseñador industrial

Me llamo Nicolás Rivas y nací en Guadalajara, México, el 30 de diciembre de 1955. Empecé la carrera de diseño industrial en 1974 y terminé los estudios en 1978. Trabajé como diseñador industrial en Metromex desde enero de 1982 hasta finales de octubre de 1987. Fui nombrado gerente de diseño en Industrias Metalsa en noviembre de ese mismo año. Al año siguiente conocí a Margarita, mi primera mujer. Nos casamos en Mérida el 20 de marzo de 1990. Tuvimos un hijo en junio de 1991. Nos divorciamos hace dos años después.

Unité 17

Exercice 7 ¿Qué tal tu jefe?

José	¿Qué tal tu jefe?
Carmen	Me encanta. Es muy simpático. Es una persona muy agradable y bastante inteligente y tiene una personalidad muy interesante. Además, es guapo. Es muy diferente al jefe que tenía antes. Ése era horrible, no me gustaba nada. Era muy antipático y bastante temperamental, y perezoso, también. Tenía un carácter muy agresivo y poco sentido del humor. Y además, era muy feo.

Unité 18

Exercice 6 ¿A qué se dedicaban?

Begoña	¿A qué te dedicabas antes, Esteban?
Esteban	Trabajaba en un restaurante. Era camarero.
Begoña	¿Y ahora qué haces?
Esteban	Soy programador. Trabajo en una compañía especializada en programación.
Begoña	Y tú, Paola, ¿qué hacías antes de llegar a España?
Paola	Era estudiante. Estudiaba idiomas. Ahora soy intérprete y trabajo por mi cuenta.
Begoña	Pues yo trabajaba en una línea aérea. Era azafata. Y ahora estoy sin trabajo.

Unité 19

Exercice 1 Un recado

Buenos días. Soy María Bravo de Málaga. Ha sido imposible encontrar billete para el 28 de marzo. Todos los vuelos están completos. He tenido que aplazar el viaje para el 2 de abril. Viajo en el vuelo 732 de Iberia que llega allí a las once y media de la mañana. He reservado una habitación en el hotel Intercontinental. Adiós, gracias.

Exercice 3 ¿De qué se quejan?

Laura	Buenas tardes.
Recepcionista	Buenas tardes.
Laura	Mire, mi marido y yo hemos pedido una habitación con vistas al mar, y usted nos ha dado una con vistas al aparcamiento. ¡Esto no puede ser! Además, la habitación no tiene ni baño completo ni terraza. Y el hotel no está a cien metros de la playa como ponía en el anuncio. Y no tiene piscina ni solarium. ¡Es el colmo! Hemos venido aquí varias veces y ésta es la primera vez que nos pasa algo así.
Recepcionista	Perdone usted, señora, pero ha sido una equivocación de su agencia de viajes. No es culpa nuestra. Yo no puedo hacer nada.
Laura	¡Esto es increíble!

Unité 20

Exercice 2 Las noticias

- Esta tarde se inaugurará en el Centro de Arte Reina Sofía una exposición de pinturas y esculturas del artista colombiano Fernando Botero. La exposición estará abierta hasta el 25 de abril.
- Mañana lunes llegará a Madrid en visita oficial el presidente de la República Argentina, quien será recibido en el aeropuerto de Barajas por el presidente del gobierno español.
- Un consorcio europeo está estudiando seriamente la posibilidad de enviar a seres humanos más allá de los ya familiares límites de la órbita terrestre y proponer viajes turísticos a la Luna en el 2025. Dos firmas privadas ya están tomando reservas.
- Un tren de alta velocidad unirá muy pronto París y Barcelona. A una velocidad de 300 kilómetros por hora, el viaje entre las dos ciudades se hará en sólo 5 horas y 35 minutos.
- El tiempo: Nuboso y con posibles precipitaciones se presentará mañana el tiempo en Madrid. Se estima una temperatura mínima probable de ocho grados y una máxima de quince.

Unité 21

Exercice 4 Unas invitaciones

a – Oye, Lucía, ¿quieres venir a tomar una copa conmigo después del trabajo?
– Imposible, he quedado con María para ir de compras. Otro día, ¿qué te parece?
– Vale. Otro día.

b – Buenas tardes, señor Flores. Esta tarde hay un cóctel para darle la bienvenida al nuevo director. ¿Quiere usted venir?
– Lo siento, pero no puedo. Tengo hora con el dentista.

c – Hola María. ¿Tienes algún plan para el martes por la noche?
– No, ninguno.
– ¿Por qué no vienes a mi fiesta de cumpleaños? Voy a celebrarlo en casa.
– Encantada.

Unité 23

Exercice 2 Está una calle más arriba

Al salir del hotel tome la calle Palacio que está aquí enfrente y gire a la derecha en la calle Triunfo. Siga de frente por la calle Triunfo hasta la Plaza de Armas, cruce la plaza y después tome la calle Garcilaso. El hostal está una calle más arriba a la izquierda, en la esquina.

Unité 24

Exercice 2 Una visita al doctor

a

Doctor	¿Qué le pasa?
Señora	Me siento muy cansada, doctor, y no duermo bien por la noche. Estoy constantemente nerviosa, intranquila. No sé qué hacer, doctor.
Doctor	Usted está estresada evidentemente. Tiene que descansar. Debería tomarse unas vacaciones.

b

Señora	Doctora, no sé qué me pasa. Desde hace dos días tengo un dolor de estómago horrible. No puedo comer nada. Me siento muy mal, doctora.
Doctora	¿Le duele aquí?
Señora	Ay, sí, doctora, me duele muchísimo.
Doctora	¿Tiene diarrea?
Señora	Sí, tengo diarrea.
Doctora	Bueno, probablemente se trata de una infección estomacal. Le voy a recetar unas pastillas. Tiene que tomar dos cada seis horas. Con esto se le pasará.

Unité 25

Exercice 7 ¿Que tipo de persona buscan?

Alfonso	Creo que ya es hora de buscar una nueva persona para el departamento de relaciones públicas, ¿no crees tú?
Isabel	Sí, creo que sí.
Alfonso	Tendrá que ser alguien que sepa relacionarse bien con la gente. Ese requisito es fundamental. Y que tenga dos o tres años de experiencia como mínimo.
Isabel	Por supuesto. Necesitamos una persona que hable inglés y preferiblemente también algo de francés.
Alfonso	Sí, sí, claro. Y que tenga conocimientos de informática y que sepa conducir.
Isabel	Para relaciones públicas queremos una persona que sea dinámica, creativa y que esté dispuesta a trabajar en equipo. Espero que encontremos a alguien.
Alfonso	No creo que sea difícil.

Avant de commencer

1.3 **a** Hola. **b** Buenos días. **c** Buenas tardes. **d** Buenas noches. **e** Hola, buenas noches.

2.3 **a** ¿Cómo te llamas? **b** Me llamo… ; ¿Cómo se llama Vd.?

3.2 **a** ¿Que significa *dinero*? **b** Más despacio, por favor. **c** ¿Cómo dice?/¿Puede repetir, por favor? **d** ¿Habla Vd. inglés?

4.1 **1** a ; **2** d ; **3** b ; **4** c

4.2 **a** Adiós. **b** Hasta luego. **c** Adiós/Chao.

Faites le point : llama/llamo/usted/entiendo/puede/habla.

Unité 1

Dialogues

1.2 ¿De dónde eres?

2.1 **a** F ; **b** F ; **c** F ; **d** V

2.2 **a** Usted es español, ¿verdad? **b** Y usted, ¿de dónde es?

3.1 **a** non. **b** espagnol.

3.2 **a** ¿Habla Vd. …? **b** Hablo…

4 Catalan, espagnol et un peu anglais.

Exercices

1 **a**-6-E ; **b**-4-D ; **c**-5-F ; **d**-7-G ; **e**-1-C ; **f**-3-B ; **g**-2-A

2 **a** Española. Barcelona. Español y catalán. **b** Mexicano. San Diego, California. Inglés y español. **c** Chileno. Santiago. Español.

3 **a** Me llamo Boris. Soy de Moscú. Hablo ruso. **b** … Paco. … de Granada. … español. **c** … Ingrid. … de Berlín. … alemán. **d** … Marguerite. … de París. … francés. **e** … Mark. … de Nueva York. … inglés. **f** … Mª Ángeles. … de Monterrey, México. … español.

4 Me llamo … soy … Soy …, hablo.

5 Prendre modèle sur Activité **4**.

6 **a** Palma. **b** Guillermo. **c** Cordoue, Espagne (Cordóba, España).

7 ¿Cómo se llama Vd.?/Me llamo…, ¿de dónde es Vd.?/Soy de… ¿Habla Vd. francés?/Sí, hablo un poco de español.

Unité 2

Dialogues

1.1 **a** Vous êtes Madame Rivas? **b** Oui, c'est moi.
1.2 Mucho gusto. Encantado.
2.1 **a** Muy bien, ¿y tú? **b** Bien, gracias.
2.2 **a** Te presento a ... **b** Éste es Felipe.
3.1 **a** Il habite à La Corogne. **b** Elle habite à Madrid.
3.2 **a** ¿Dónde vives? **b** Vivo en ...
4.1 **a** 981 59 79 56 /981 60 84 18 . **b** –/981 65 35 03.
4.2 ¿Qué número de teléfono tienes?

Exercices

1 **a** eres/soy/soy/estás. **b** es/es/está/está/es.
2 **a** – **b** la **c** la **d** el **e** – **f** una **g** un
3 ¿Vd. es el señor Barrios?/Yo soy .../ Encantado/a, señor Barrios./Le presento a Antoine, un compañero de trabajo.
4 **a** Te presento a mi marido/mujer. **b** ... mi novio/a. **c** ... mi padre/madre. **d** ... mi hermano/a. **e** Ésta es ... **f** Éste es ... **g** Éste es ... **h** Ésta es ...
5 **a** la ciudad de México, en el Paseo de la Reforma. **b** ... la calle de la Libertad. **c** ... Barcelona, en el Barrio Gótico, en la Plaza del Rey.
7 **a** 968 12 20 18. **b** 987 92 54 36
8 **a** Vivo en (*ville*). **b** Vivo en (*quartier*). **c** Vivo en la calle (*nom de la rue*). **d** (*votre numéro de téléphone*). **e** Sí/No tengo teléfono. **f** (*numéro de téléphone du travail*). **g** Sí/No tengo. **h** (*votre numéro de téléphone*).
9 *Horizontal:* **1** tiene **2** tienes **3** usted **4** vivo **5** eres
Vertical: **1** vive **2** mi **3** tengo **4** su **5** tu.

Unité 3

Dialogues

1.1 Para una persona. Para seis noches. Sin desayuno. Con baño.
1.2 **a** ¿Para cuántas noches? **b** Hasta el veintiocho. **c** Todas las habitaciones tienen baño. **d** Su carnet de identidad, por favor.
2.1 Doble/treinta y cinco.
2.2 **a** Tenemos una habitación reservada. **b** ¿Cómo se escribe su apellido, por favor? **c** ¿Dónde se puede cambiar dinero, por favor?

Exercices

1 Treinta y seis, cuarenta y cinco, cincuenta y nueve, sesenta y cuatro, setenta y seis, ochenta y ocho, noventa y tres.

2 **a** Hab. cuarenta y ocho. **b** Of. treinta y seis. **c** Hab. cien.

3 **a**-5 ; **b**-1 ; **c**-6 ; **d**-3 ; **e**-4 ; **f**-2

4 Chambres avec terrasse et salle de bains, climatisation, télévision avec le cable, téléphone, club de plage, piscine, jacuzzi, restaurant, piano-bar, discothèque, programme varié d'activités allant de la plongée sous-marine aux excursions en vélo, équitation, tennis, planche à voile, etc., accès direct au terrain de golf.

5 **a** queremos **b** quieren **c** podemos **d** puede **e** puede

6 **a** F **b** V **c** V **d** V

7 **a** climatisation dans le salon, la salle à manger et le bar, un téléphone dans la chambre, un bar et des sorties de secours. **b** Climatisation dans la chambre, un coffre-fort individuel. **c** Les hôtels de quatre et cinq étoiles/Tous les hôtels.

9 Reportez-vous à l'Activité 8.

10 Reportez-vous à l'Activité 8.

Unité 4

Dialogues

1.1 **a** Perdone. **b** Una oficina de cambio, un hotel. **c** ¿Hay una oficina de cambio ...? ¿ ... hay un hotel ...? **d** A la izquierda, a la derecha.

1.2 nº 1, nº 7, nº 9.

2.1 **a** L'office de tourisme. **b** Je ne sais pas. **c** nº 11.

2.2 **a** Está al final de esta calle. **b** A cinco minutos de aquí.

3 **a** ¿Dónde están los servicios? **b** Elles sont au premier étage, au bout du couloir.

Exercices

1 **a** hay **b** está **c** hay **d** está **e** están **f** hay

2 **a** ¿Hay un restaurante por aquí cerca? **b** ¿ ... una librería ...? **c** ¿ ... una tienda de ropa ...? **d** ¿ ... una tienda de comestibles ...? **e** ¿Dónde está la estación de autobuses? **f** ¿ ... la iglesia? **g** ¿ ... la biblioteca? **h** ¿ ... la plaza Mayor?

3 sabes ; sé ; conozco ; conozco ; conoces ; conozco.

4 *Réponses possibles* : **a** Hay dos, uno detrás de la plaza de la Luz y otro detrás del cine. **b** Hay uno en la esquina, al lado de un restaurante. **c** Está entre el museo y la estación de metro. **d** Hay dos, uno delante de la gasolinera y otro delante de la estación de metro. **e** Está en la primera calle, a la derecha, al final de la calle. **f** Hay una al lado de la parada de autobuses, a la izquierda. **g** Hay una en la primera calle, a la derecha, al lado de un restaurante. **h** Está detrás de la iglesia/Correos.

5 **a** Elle est à gauche, à deux rues de l'hôtel. **b** Au bout de *l'Avenida del Mar*. **c** Dans la rue *España*, la troisième à gauche, à côté d'un supermarché. **d** Il est rue *Picasso*, à côté de la cathédrale.

6 *Réponses possibles* : **a** Está en (*nom de la rue/du quartier*). **b** Hay una parada de autobús a cinco minutos de mi casa. **c** Hay un supermercado, tiendas de ropa, una panadería, etc. **d** Hay un museo, una biblioteca, un parque.

Unité 5

Dialogues

1.1 **a** Un gazpacho et du colin grillé avec de la salade. **b** Des petits pois avec du jambon et du poulet avec des frites. **c** De l'eau plate minérale. **d** Du vin rouge.

1.2 **a** Queremos el menú del día. **b** Para mí **c** De primero/segundo. **d** Yo prefiero.

2.1 Antonio demande plus de pain et Marisol une autre bouteille d'eau minérale. Marisol veut une glace au chocolat et Antonio un flan.

2.2 **a** ¿Nos trae...? **b** ¿Me trae...?

Exercices

1 **para** mí/**de** primero/**de** segundo/**con** arroz/**para** usted/**a** la plancha/**con** puré/**para** beber/ ¿**con** o **sin** gas?/**con** gas/**sin** gas.

2 **a** Vd. **b** tú **c** tú **d** Vd. **e** Vd. **f** tú

3 *Réponses possibles* : De primero..., De segundo quiero..., Prefiero..., ¿Qué tiene de postre?, Quiero/Prefiero..., ¿Me trae un café y la cuenta, por favor?

4 Silvia : crevettes/bière, Clara : sandwich au fromage/café crème, Ramón : champignons/vin blanc.

5 **a Montealpino :** nourriture d'Europe (suisse, allemande, française et italienne) ; **Salvaje :** cuisine internationale. **b Mont. :** 14.000 pesos (le symbole du peso et du dollar est le même) pour deux

personnes ; **Sal.** : 9.000 pesos pour deux personnes. **c Mont.** : sport ou habillée ; **Sal.** : décontractée. **d** Salvaje ; **e** Salvaje.

6 *Pescado* : atún, merluza. *Carne* : pollo, cordero, cerdo. *Verdura* : lechugas, ajo, cebollas. *Fruta* : piñas, uvas, manzanas. *Utensilios* : cuchillo, cuchara, tenedor, plato.

7 **a** F ; **b** F ; **c** V ; **d** F

Unité 6

Dialogues

2.1 **a** À Barcelone. **b** Aller-retour. **c** Deuxième classe. **d** Non-fumeur.

2.2 **a** veinte cuarenta y cinco. **b** dieciséis quince.

3.1 **a** F **b** F **c** V

3.2 **a** ¿Qué línea tengo que tomar? **b** Tienes que tomar… **c** Te bajas en … **d** Está allí mismo.

Exercices

1 ¿Qué hora es en (*nom de la ville*)? **a** Son las seis de la tarde. **b** Son las cinco de la tarde. **c** Es la una de la mañana. **d** Son las nueve de la mañana. **e** Es la una de la tarde. **f** Son las doce/Es mediodía.

2 **a** A las ocho menos diez, a las doce y veinte, a las siete menos veinte de la tarde. **b** A las once menos dos, a las cuatro y diecisiete minutos de la tarde, a las diez y tres minutos de la noche.

3 *Destination* : Lima, Perú *Départ* : jueves 17 a las 23:30 *Arrivée* : viernes a las 9:40 hora local *Présentation à l'aéroport* : 21:30

4 100, 299, 500, 900, 3 500, 100 000, 2 000 000

5 *Exemples* : doscientos cuarenta euros (244)/novecientos treinta y tres euros (933)/mil doscientos dieciocho euros (1218).

6 Buenos días. ¿Cuánto cuesta un billete de ida y vuelta en avión a Cartagena? Quisiera/querría/Quiero reservar un billete para el viernes por la mañana. ¿A qué hora hay vuelos? Prefiero el vuelo de las ocho y cuarto. ¿A qué hora llega a Cartagena? Está bien.

7 **a** ¿Qué línea tengo que tomar para ir de Sol a Lista? **b** ..., cambias en **Goya** y tomas un tren en dirección a **Parque de Santa María**. Lista está una estación después de **Goya**.

Unité 7

Dialogues

1.2 Un kilo et demi d'oranges, un kilo de bananes, deux kilos de tomates, une laitue, deux kilos de pommes de terre.

1.3 **a** Me da ... **b** ¿Cuánto valen? **c** ¿Algo más?

2.1 **1**-c ; **2**-f ; **3**-d ; **4**-a ; **5**-e ; **6**-b

2.2 un pantalon noir, une chemise blanche

2.3 **a** ¿Puedo probármelos? **b** ¿Cómo le quedan? **c** Me quedan muy bien. **d** Me los llevo.

Exercices

1 **1**-d/uvas ; **2**-e/sardinas ; **3**-a/pan ; **4**-f/aceite ; **5**-b/huevos ; **6**-c/vino

2 Quería un kilo y medio de tomates. ¿Cuánto cuestan/valen las fresas? Me da/Deme un kilo. ¿Tiene pimientos verdes? Quiero cuatro. Sí, quiero perejil también. Nada más, gracias.

3 **a** harina **b** aguacate **c** galleta

4 ... esos zapatos marrones – ¿Éstos? – Sí, ésos – ¿... probármelos? – ¿... quedan? – ... quedan grandes ; ... esa camiseta amarilla – ¿Ésta? – Sí, ésa – ¿ ... probármela? – ¿ ... queda? ... – ... queda estrecha ; ...ese abrigo gris – ¿Éste? – Sí, ése – ¿ ... probármelo? – ¿ ... queda? – ... queda estrecho.

5 **a** Quisiera ver (*nom de l'article*). **b** ¿Cuánto cuesta(n)/vale(n)? **c** Lo/a(s) quiero en la talla (*taille*). **d** Lo/a(s) prefiero en (*couleur*). **e** ¿Puedo probármelo/la(s)? **f** Me queda/n bien. **g** Me queda/n demasiado corto/a(s). **h** Me lo/a(s) llevo.

Unité 8

Dialogues

1.1 **a** F ; **b** V ; **c** F

1.2 **a** Quisiera cambiar... **b** ¿A cuánto está el cambio? **c** ¿Qué dirección tiene?

2.1 **a** F **b** V **c** V **d** F

2.2 19 €.

2.3 **a** ¿Qué nos recomienda? **b** ¿Podemos pagar con tarjeta de crédito?

Exercices

1 libras, 1.55 euros, 175 ; francos suizos, 0.70 céntimos, 250 ; coronas suecas, 0.10 euros, 120.

2 Quisiera cambiar … ¿A cuánto está el cambio? – … de viaje. – … quinientos ochenta./¿ … cambiar? – Doscientos dólares – ¿A cuánto está? – … cuatrocientos cincuenta y cinco. ¿Cuántos… cambiar? – Cien … – (*calle Vergara 640, 6°, C*).

3 ¿Cuál es tu dirección?/(*Votre adresse*)/(*Adresse de votre lieu de travail*).

4 me, le, lo, lo, lo.

5 **a** ¿Cuánto cuesta/vale el alquiler del Ford Escort? **b** ¿Está incluido el seguro obligatorio? **c** ¿Están incluidos los impuestos? **d** ¿Va con gasolina o gasóleo? **e** ¿Podemos pagar con tarjeta de crédito? **f** ¿Podemos llevarlo ahora mismo?

6 *Horizontal* : **1** efectivo **2** alquilar **3** quisiera **4** tarjeta **5** incluidos **6** gasolina **7** recomiendo *Vertical :* **1** alquiler **2** cuánto **3** firmar **4** cambiar **5** billetes **6** viaje **7** casa (Am. l.)

Unité 9

Dialogues

1.1 **a** F ; **b** V ; **c** V ; **d** F

1.2 **a** Estás casada, ¿verdad? **b** ¿Tú estás soltero? **c** Tengo veintidós años. **d** El mayor, la menor.

2.1 **a** Il n'est pas mal. Il a quatre chambres à coucher, un grand salon, une cuisine aménagée, deux salles de bains et il est très lumineux. **b** Il est très bien et plus calme que le centre. **c** Il n'est pas aussi grand que l'appartement de María mais il est très confortable. Il a trois chambres à coucher, un salon, une cuisine, une salle de bains et le chauffage individuel.

2.2 **a** Gracia. **b** Génova.

Exercices

1 **a** llamo **b** tengo **c** estoy **d** vivo **e** padres **f** mayor **g** llama **h** tiene **i** que **j** menor

2 **a** se llama **b** tiene **c** está **d** Vive con su madre, sus tres hermanos y su abuela. **e** Sus padres… **f** Él es el menor. **g** llama **h** tiene **i** que **j** menor es su hermana…

3 *Réponse possible* : Me llamo Luisa, tengo cuarenta y cinco años, estoy casada. Mi marido se llama Pedro y tiene cuarenta y siete años. Tengo

tres hijos. La mayor se llama Teresa y tiene veintitrés años, después viene Raquel, que tiene veinte, y el menor es mi hijo Felipe, que tiene diecisiete años.

4 Antonio Bravo Miranda : – 52 años – casado. Elena Castro García : 43 años – no tienen hijos.

5 *Réponse possible* : Me llamo..., tengo 33 años, estoy casado/a. Mi marido/mujer se llama... y tiene... Tengo... hijos. El/la mayor se llama... y tiene... años, después viene..., que tiene... años, y el/la menor se llama..., y tiene... años.

6 **a** Tiene dos. **b** Es estupendo, mucho mejor que el anterior y más barato. **c** Es muy tranquilo. **d** Tiene calefacción y aparcamiento.

7 **a** 1, 4, 5, 6, 7, 9 ; **b** 1, 3, 8 ; **c** 2, 4, 5, 6, 7, 8 ; **d** El piso más grande es el **a** y tiene cuatro habitaciones.

8 **a** *Voir l'exemple donné*. **b** El piso de la calle Lorca es más grande que el piso de la avenida Salvador. **c** ... Salvador es más céntrico que... Lorca. **d** ... Lorca es tan cómodo como... Salvador. **e** ... Lorca es más seguro que... Salvador. **f** ... Lorca es tan tranquilo como... Salvador.

9 Utilisez la lettre d'Elena de l'Activité 6 comme modèle.

Unité 10

Dialogues

1.1 **a** V **b** F **c** V **d** F

1.2 ¿Cuánto tiempo hace que trabajas allí? Desde hace un año solamente.

2.1 **a** siete **b** ocho/mañana, tres/tarde **c** viernes **d** tres/año

Exercices

1 **a**-4 ; **b**-9 ; **c**-6 ; **d**-1 ; **e**-8 ; **f**-7 ; **g**-3 ; **h**-10 ; **i**-5 ; **j**-2

2 **1**-c ; **2**-a ; **3**-d ; **4**-b

3 Profesora/una universidad/seis años/9:00 a 12:30/3:00 a 5:00 ; vacaciones : Semana Santa : 5 días ; invierno : 2 semanas ; verano : alrededor de 2 meses

4 **a** Mónica, 93 209 36 48 **b** Victoria **c** Mª Ángeles **d** 94 637 96 35 ; Mónica, 93 209 36 48 **e** Eugenia **f** Mónica, 93 787 61 70

5 Modèle : Tengo... años y busco trabajo como (*métier*), preferentemente por las mañanas/tardes. Tengo experiencia. Llamar a partir de las (*heure*) horas. (*Votre nom, numéro de téléphone et ville*).

6 **a** ¿Cuánto tiempo hace que estás aquí? Estoy aquí desde hace dos meses y medio *ou* Hace dos meses y medio que estoy aquí. **b** ¿ ... que

estudias inglés? Estudio inglés... dos meses. **c** ¿... que vives en este barrio? Vivo en este barrio... tres semanas. **d** ¿... conoces a Paul? Conozco a Paul... un año y medio.

7 *Réponses possibles* : **a** Me llamo (*nom*), soy (*métier*), trabajo en (*lieu de travail*) desde hace (*nombre de mois/d'années*). Trabajo... horas al día, de (*heure*) a (*heure*). No trabajo los fines de semana. Tengo... semanas de vacaciones al año. **b** Estudio español desde hace (*nombre de mois/d'années*). Estudio por mi cuenta/en una universidad. Tengo clases de (*heure*) a (*heure*), de (*jour*) a (*jour*).

Unité 11

Dialogues

1.1 **a** 6:45 **b** 9:00 **c** autobús **d** casi una hora **e** un restaurante **f** 7:00 **g** 8:00

1.2 me levanto, empiezas, tardo, voy, comes, salgo

2.1 b, d, g, h, i, k, l, n

2.2 **a** sobre las 9:00 **b** después de cenar **c** a veces veo la televisión **d** nunca me acuesto antes de las once y media

Exercices

1 **a** 2, 6, 8, 9 ; **b** 3, 4, 7 ; **c** 1, 5

2 **a** Me levanto a las seis. **b** Me ducho. **c** Me afeito. **d** Me lavo los dientes. **e** Me peino. **f** Me visto/pongo la ropa. **g** Desayuno. **h** Leo el periódico.

3.1 **a**-2 **b**-3 **c**-4 **d**-1

3.2 regresa, almuerza.

4 **a** ¿A qué hora te levantas? **b** ¿Cómo vas al colegio? **c** ¿Cuánto tiempo tardas en llegar allí? **d** ¿A qué hora empiezas las clases? **e** ¿Dónde almuerzas? **f** ¿A qué hora sales? **g** ¿A qué hora vuelves a casa? **h** ¿Qué haces por la noche? **i** ¿Qué haces los fines de semana?

5 Utilisez les Activités 1, 2, 3 et 4 et les dialogues au début de l'Unité comme modèles.

6 **a** Il essaie de ne rien prévoir et de ne faire absolument rien. Il reste à la maison, révise, étudie, lit et essaie de ne pas parler. **b** Il prend un repas très léger, un peu de poulet grillé ou un peu de veau avec de la soupe par exemple. **c** Huit heures les jours normaux mais lorsqu'il a une représentatio, il essaie de dormir jusqu'à onze heures. **d** À la mer la plupart du temps.

Unité 12

Dialogues

1.1 **a** Elle aime jouer de la guitare et chanter. Elle adore la littérature et aime beaucoup aller au cinéma. **b** Les feuilletons. **c** Les documentaires et les émissions de sport. **d** Du football.

1.2 **a** tocar la guitarra y cantar – la literatura – el cine. **b** el cine – ver la televisión – las telenovelas. **c** el cine – películas españolas – telenovelas. **d** el fútbol.

2.1 **a**-3 ; **b**-5 ; **c**-1 ; **d**-6 ; **e**-2 ; **f**-4

2.2 **a** Parce que le salaire n'est pas mal, les horaires sont très biens et l'ambiance est excellente. **b** Nager, se faire bronzer et faire la grasse matinée. **c** Il aime faire du camping, du vélo et voyager à l'étranger.

2.3 **a** ¿Qué tal tu trabajo? **b** No está mal.

Exercices

1 *Exemples* : Me encanta escuchar música ; me gusta ir al cine ; no me gusta (nada) realizar tareas domésticas ; detesto asistir a cursos.

2.1 **b, d, e, f, h**

2.2 Elle adore les émissions comiques et les documentaires.

3.1 **a** David **b** Gabriela **c** Yadira **d** Yadira **e** David **f** Víctor

3.2 Suivez les modèles.

4 Suivez les exemples.

5 me gusta – me encanta – detesto – me interesa – me gusta – prefiero – preferimos – nos encanta – nos gusta

6 Utilisez l'Activité 5 comme modèle.

7 ¿Qué tipo de comida le gusta? – A mí también me gusta. ¿A Vd. le gusta el teatro? – A mí también. Me encanta el teatro inglés. ¿Y a Vd. también? – ¿Le interesa la pintura? Hay una galería de arte excelente en la ciudad. – A mí tampoco me gusta.

8 *Exemples* : Me encanta mi trabajo. Me gustan mis compañeros de trabajo. Detesto escribir informes.

9 A Angélica le gusta mucho su trabajo y le encanta su jefe, pero no le gusta el sueldo. Cristóbal detesta su trabajo, y el horario tampoco le gusta. Su jefe no le gusta nada.

Unité 13

Dialogues

1.1 **a** Nieves, 3. Miguel, 2. Eduardo, 1. **b** Flamenco. **c** Non. **d** Parce qu'il est très fatigué.

1.2 **a** ¿Qué vas a hacer? **b** ¿Qué piensas hacer? **c** Voy a ir al cine. **d** Voy a cenar.

2.1 **a** Nieves **b** Miguel **c** Nieves **d** Miguel

Exercices

1 **a** Pienso ir al teatro. **b** Voy a ver Madame Raquin. **c** En el teatro Poliorama. **d** A las seis de la tarde.

2 *Destino 1 :* martes 5 a las 4:40 de la tarde – 4 – Eldorado, 1 5 19 20 42. *Destino 2 :* sábado 9, al mediodía – 3 – Plaza, 212 7 38 55 17.

3 vamos – pensamos – quieres – vamos.

4 **a** Pensamos ir a Cuba. **b** Vamos a visitar La Habana y Varadero. **c** Vamos a estar ocho días. **d** En Varadero vamos a quedarnos en el hotel Sol Palmeras y en La Habana en el Copacabana. **e** No, vamos a tomar media pensión. **f** Vamos a viajar en Cubana de Aviación.

5 Utilisez les Activités 2 et 4 ainsi que le Dialogue 1 comme modèles.

6 **a** ¿Qué vas a hacer este verano? **b** ¿Dónde vas a ir? **c** ¿Cuánto tiempo vas a quedarte? **d** ¿Dónde vas a quedarte? **e** ¿Cuándo piensas viajar/salir/irte? **f** ¿Cuándo vas a volver?

7 *Fernando* : conseguir – estudiar – mudarme. *Tina y Paco* : ahorrar – casarnos – viajar.

8 **a** *Fernando* : Espera conseguir... – Quiere estudiar... – Piensa mudarse... **b** *Tina y Paco* : Van a ahorrar... – Esperan casarse... – Piensan viajar...

9 **a** algún/ninguno. **b** algunos/algún **c** alguna/ninguna

10 *Réponses possibles :* Tengo muchos planes: voy a continuar con el español, pienso buscar otro trabajo, espero ir a la universidad, pienso comprar un coche, voy a viajar a (Turquía), quiero ahorrar dinero para comprar un piso, quiero casarme, espero tener muchos hijos.

Unité 14

Dialogues

1.1 **a** 2 **b** Elle propose de prendre un message. **c** Elle lui demande de dire qu'elle appellera plus tard.

1.2 **a** ¿De parte de quién? **b** No puede ponerse en este momento. **c** Por favor, dígale que…

2.1 **a** Quisiera hablar con… **b** … no es ésta. **c** Es la… **d** Sí, ahora mismo…

2.2 **a** Se ha equivocado. **b** En seguida le pongo. **c** Está comunicando. **d** ¿Me puede poner con… ?

3.1 **a** Llamo por el anuncio. **b** Lundi à 9h30.

3.2 **a** J'appelle au sujet de l'annonce. **b** J'aurais voulu un entretien. **c** Donnez-moi votre nom, s'il vous plaît.

Exercices

1 ¿Está Leonor? – ¿De parte de quién? – ¿Quiere dejarle algún recado?

2 **a** 3 **b** Elle dit qu'elle a les entrées pour le concert du soir.

3 ¿Dígame? – La señora Smith está hablando con un cliente en este momento. ¿De parte de quién? – ¿Quiere dejarle algún recado? – Muy bien, le daré su recado.

4 Jeudi à 15h45.

5 **a** Llamo por el anuncio para el puesto de… **b** Querría/Quisiera/Quería hablar con el/la encargado/a. **c** Querría/Quisiera/Quería solicitar una entrevista. **d** (El miércoles a las cuatro y media) me va bien.

Unité 15

Dialogues

1.1 **a** Elle a adoré le Mexique. **b** 10 jours/5 jours/un week-end. **c** Il y a une semaine.

1.2 **a** ¿Estuviste en Ciudad de México? **b** Conocí a mucha gente y salí muchísimo. **c** Fui a Guanajuato.

2.1 **a** Il fait un temps très agréable, il ne fait pas très chaud bien qu'à cette époque de l'année, il pleuve pas mal. **b** Parce qu'il n'a plu qu'une seule fois. **c** Il a fait très chaud.

2.2 ¿Qué tal el tiempo? Es muy agradable, (no) hace mucho calor, llueve bastante, llovió, hizo muchísimo calor.

Exercices

1 salió/fue/hice/cené/me acosté/tuve/fui/gustó/pasé/salí.

2 **a**-3, salió; **b**-5, fue ; **c**-1, nadó ; **d**-4, conoció ; **e**-6, hizo ; **f**-2, tomó

3 **a** ¿Adónde fuiste en tus vacaciones? **b** ¿Con quién fuiste? **c** ¿Dónde estuviste? **d** ¿Cuánto tiempo estuviste (en cada ciudad)? **e** ¿Te gustó San Francisco? **f** ¿Cuándo volviste?

4 **a** Salimos a las 9:00 de la mañana. **b** Almorzamos en Córdoba. **c** Visitamos la Mezquita, la Sinagoga y el Barrio Judío. **d** Cenamos en Sevilla. **e** No, tomamos la media pensión. **f** Visitamos la ciudad. **g** Fuimos a Jerez. **h** Duró tres días.

5 Utilisez les Activités 1 et 3 ainsi que le Dialogue 1 comme modèles.

6 **a** Voir exemple. **b** ¿... viajaste...?/Viajé... hace... **c** ¿... hiciste...?/ Hice... **d** ¿... comenzaste...?/Comencé... **e** ¿... te mudaste...?/Me mudé... **f** ¿Conociste...?/Conocí...

7 Empecé a trabajar/estudiar hace (*mois/années*). Empecé a estudiar... hace (*mois/années*).

8.1 **a**-3 ; **b**-5 ; **c**-1 ; **d**-8 ; **e**-6 ; **f**-2 ; **g**-7 ; **h**-4

8.2 **a** Hace sol y viento. **b** Hace sol. **c** Está nublado. **d** Está cubierto. **e** Está lloviendo. **f** Está nublado y hace viento.

9 **a** Hizo dieciocho grados. **b** Hizo siete grados. **c** En La Habana y Panamá hizo más calor. **d** En La Paz hizo más frío. **e** En San Juan hizo más calor.

10 **a** V **b** F **c** F **d** V

Unité 16

Dialogues

1.1 **a** Il est né à San Clemente le 23 avril 1978. **b** Il est allé au collège et au lycée à Cuenca et à Valence, il a travaillé comme employé de bureau dans une entreprise. **c** Depuis dix ans.

1.2 me fui – terminé – me fui – trabajé – llegué – entré – dejé – me dediqué

Exercices

1 **a**-6 ; **b**-3 ; **c**-1 ; **d**-4 ; **e**-2 ; **f**-5

2 terminé – trabajé – me fui – ingresé – desempeñé – ocupé – perdí

3.1 **a** Trabajé cuatro años. **b** Ingresé en 1989. **c** Ascendí a... en 1990.

3.2 **a** Ocupo el cargo de directora... **b** Estudié empresariales. **c** Luego de terminar. **d** Dos años más tarde.

4 **a** ¿Dónde nació? **b** ¿Cuándo nació? **c** ¿Dónde hizo sus estudios universitarios? **d** ¿Qué estudió? **e** ¿Cuándo terminó sus estudios? **f** ¿Dónde trabaja actualmente? *ou* ¿A qué se dedica actualmente?

5.1 Antonio Banderas.

5.2 nació – nacer ; filmó – filmar ; hicieron – hacer ; adoptó – adoptar ; asignó – asignar ; tuvo – tener ; hubo – haber ; se casó – casarse ; tuvieron – tener ; seleccionó – seleccionar ; estrenó – estrenar ; realizó – realizar ; fue protagonizada – ser protagonizado ; triunfó – triunfar ; fue nominado – ser nominado

6 **a** 30 de diciembre de 1955 **b** 1974 **c** 1978 **d** enero de 1982/finales de octubre de 1987 **e** noviembre **f** al año siguiente **g** 20 de marzo de 1990 **h** junio de 1991 **i** hace dos años

7 **1**-c ¿Cuánto tiempo llevas haciendo atletismo? Llevo tres años... ; **2**-d ¿... trabajando como enfermera? Llevo un año... ; **3**-b ¿... estudiando inglés? Llevo un año y medio... ; **4**-a ¿... viviendo en Londres? Llevo dos años...

8 *Réponses possibles* : **a** Me llamo... **b** Nací en (*lieu*). **c** Nací el (*date*). **d** Hice mis estudios... en... **e** Los empecé/terminé en... **f** Además, estudié... **g** Actualmente trabajo en... **h** Llevo (*mois/années*) estudiando/trabajando allí. **i** Anteriormente estudié/trabajé en... **j** Estuve (*mois/années*) allí.

Unité 17

Dialogues

1.1 **a** Car l'entreprise où il travaillait était très petite, il n'y avait pas beaucoup de possibilités de promotion et le salaire n'était pas très bien. **b** Ils étaient très sympathiques. **c** Il avait un caractère très difficile.

1.2 **a** La empresa era muy pequeña. **b** No había muchas posibilidades de ascenso. **c** El sueldo no era muy bueno. **d** No me sentía a gusto.

2.1 Hotel Bellavista.

2.2 Référez-vous au dialogue.

Exercices

1 **Questions :** ¿Por qué...? ; **Réponses :** Porque...; **b-5** ; **c-6** ; **d-1** ; **e-4** ; **f-2**

2 **a** Tenía dos plantas. **b** Tenía dos. **c** Había (sólo) un baño. **d** El comedor estaba en la planta baja, y el baño estaba en el primer piso. **e** La cocina estaba en la planta baja, y los dormitorios estaban en el primer piso.

3 *Réponses possibles* : **a** Estaba en (*lieu*). **b** Era muy pequeño/a, pero cómodo/a. **c** Tenía sólo un dormitorio. **d** Tenía un pequeño jardín. **e** El barrio era tranquilo, pero mis vecinos eran muy ruidosos. **f** (No) me gustaba vivir allí porque estaba muy lejos/cerca de mi trabajo.

4 **a** se llamaba **b** estaba **c** tenía **d** era **e** había. On utilisera les mêmes verbes dans les réponses.

5 **a** Se llamaba (*nom*). **b** Estaba en (*lieu*). **c** Era muy grande, moderno, y muy tranquilo y agradable. **d** (No) me sentía a gusto/bien.

6.1 **a** aburrido **b** alegre **c** tímido **d** inteligente **e** arrogante **f** descortés **g** pesimista **h** antipático **i** débil **j** agradable **k** perezoso **l** responsable **m** maduro **n** seguro

6.2 Les réponses sont indiquées à la fin de l'Unité 17.

7 **a** simpático, muy agradable y bastante inteligente/una personalidad muy interesante. **b** horrible, muy antipático y bastante temperamental, y perezoso también/un carácter muy agresivo y poco sentido del humor.

8 **a** Mi jefe(a)/profesor(a) era una persona muy inteligente/amable/seria/estricta. **b** Mis compañeros(as) eran divertidos(as)/simpáticos(as)/antipáticos(as).

9 **a** 26 188 000 habitants. **b** La population a diminué. **c** Il y aura moins d'enfants et plus de personnes âgées.

Unité 18

Dialogue

1.1 **a** Elle habitait à Almería. **b** Car elle avait un bon travail et connaissait beaucoup de monde. **c** Le soir, elle avait l'habitude de se retrouver dans un café avec ses amis, parfois ils sortaient dîner et le week-end, ils allaient au cinéma ou allaient danser. **d** Elle était professeur.

1.2 vivías/vivía – **vivir** ; gustaba – **gustar** ; encantaba – **encantar** ; tenía – **tener** ; conocía – **conocer** ; veía – **ver** ; reuníamos – **reunir** ; salíamos – **salir** ; pasábamos – **pasar** ; hacías – **hacer** ; **era** – ser ; trabajaba – **trabajar**.

Exercices

1 **1**-e, se levantaba **2**-c, iba **3**-f, comía **4**-a, dormía **5**-d, hacía **6**-b, jugaba

2 vivía – trabajaba – iba – empezaba – salía – ganaba – estaba – tenía – se llamaba – nos veíamos – dábamos – hablábamos

3 **a** Il allait voir sa grand-mère. **b** Ses cousins. **c** À l'hôtel Royal. **d** C'était un peu comme sa maison.

4.1 **a** F **b** V **c** F

4.2 **a** conservadores **b** infancia **c** paseábamos **d** se equivocaban

5 *Réponse possible* : Cuando era pequeño/a vivía en (*lieu*). Mi padre era (*métier*) y trabajaba en (*lieu*) y mi madre era (*métier*). Mi (*personne*) me llevaba a la escuela. Me encantaba/No me gustaba ir a la escuela. Pasaba mis vacaciones en (*lieu*). Allí nadaba, salía con mis amigos/as ..., etc.

6 **Esteban** : **c**. trabajaba/era, **f**. es/trabaja ; **Víctor** : **e**. era/estudiaba, **a**. es/trabaja ; **Begoña** : **b**. era/trabajaba, **d**. está

7 **a** Contestaban... **b** Leían... **c** Mandaban... **d** Trabajaban... **e** Atendían... **f** Servían...

8 **a** Contestábamos... **b** Leíamos... **c** Mandábamos... **d** Trabajábamos... **e** Atendíamos... **f** Servíamos...

9 **a** ¿Qué hacía Vd. antes?/¿A qué se dedicaba? **b** ¿Dónde trabajaba? **c** ¿Cuánto ganaba? **d** ¿Cuántas semanas de vacaciones tenía al año?

10 *Réponses possibles* : **a** Antes era (*métier*). **b** Estudiaba/ trabajaba en (*lieu*). **c** Ahora soy (*métier*). **d** Estudio/ trabajo en (*lieu*).

Unité 19

Dialogues

1.1 **a** ... confirmar el vuelo a México. **b** ... el sábado 2 de septiembre. **c** ... el día 3.

1.2 **a** me ha dicho **b** ha recibido un fax

2.1 **a** F **b** F **c** V

2.2 **a** pedido **b** dado **c** sido

2.3 La personne qui écrit cette réclamation se plaint que l'administration de l'hôtel décline toute responsabilité concernant les dégâts causés à sa voiture alors qu'elle était garée sur le parking de l'hôtel.

3.2 **a** He comido aquí. **b** He olvidado mi paraguas.

Exercices

1 María Bravo de Málaga a téléphoné. Elle dit qu'elle n'a pas pu trouver un billet pour le 28 mars. Tous les vols sont complets. Elle a dû repousser son voyage et viendra le 2 avril. Son vol est le numéro 732, elle voyagera avec Ibéria et arrivera à 11 h 30. Elle a réservé une chambre à l'hôtel Intercontinental.

2 ha aparecido – he escrito – he llamado – he tenido – he recibido – ha causado.

3.1 Hotel Condes

3.2 **a** V **b** F **c** F

4 **a** Le chauffage, la climatisation, la télévision, le robinet d'eau chaude/ d'eau froide… ne fonctionne pas. **b** Les toilettes, le lavabo, la baignoire … sont/est bouché(e)(s). **c** Il n'y a pas de savon, de shampooing, de papier toilette. **d** Il n'y a pas assez de serviettes.

5 **a** La calefacción no funciona. **b** El lavabo está atascado. **c** Falta/No hay jabón en el baño. **d** Necesito más mantas en mi cama.

6 Bien qu'elle soit qualifiée et jeune, elle affirme qu'elle n'arrive pas à trouver de travail parce qu'elle est une femme.

7 Elle a laissé un porte-documents. Elle dit qu'il est en cuir noir.

8 *Réponses possibles* : Perdone, he estado aquí al mediodía y he olvidado/dejado un libro de español/un jersey gris de manga larga/un bolso negro.

9 **a** Voir exemple. **b** Voir exemple. **c** ¿Ha pedido hora con…? Sí, ya la he pedido. **d** ¿Ha escrito a…? Sí, ya les he escrito. **e** ¿Ha hecho el pedido de…? No, todavía no lo he hecho. **f** ¿Ha visto a…? Sí, ya la he visto. **g** ¿Ha abierto la…? No, todavía no la he abierto.

10 **a** ¿Ha estado/venido aquí antes? **b** ¿Qué lugares ha visto ya? **c** ¿Qué ha hecho hoy? **d** ¿Ha almorzado/comido ya?

Unité 20

Dialogues

1.1 **a** Viaja a Barcelona. **b** Sale mañana por la noche. **c** Llega el viernes a las siete y media de la mañana.

1.2 Elle ne prend pas sa voiture car elle est trop petite, elle va donc emprunter celle de Rafael.

1.3 **a** salgo **b** vendrás **c** supongo **d** traerás **e** pediré **f** tengas

2.1 **a** Il y avait beaucoup de turbulences et il n'a pas dormi de la nuit. **b** Elle va l'emmener chez elle pour qu'il puisse dormir un peu. **c** Elle propose d'aller dîner au restaurant.

2.2 **a** … estás bien… **b** … hace bueno…

2.3 **a** No he dormido en toda la noche. **b** Estarás muy cansado, ¿no? **c** Me imagino que querrás… **d** Seguro que mañana…

Exercices

1 saldré – llegaré – me quedaré – llamaré – llevaré

2 **a** F **b** F **c** V **d** V **e** V

3 **a**-4, **b**-5, **c**-1, **d**-2, **e**-3
4 **a** Voir exemple. **b** ... te entrevistarán. **c** ... te lo ofrecerán. **d** ... será muy bueno. **e** ... te lo darán.
5 **a** Voir exemple. **b** ... vendrá solo. **c** ... tendrá nuestra dirección. **d** ... sabrá cómo llegar aquí. **e** ... entenderá algo de español.
6 **a** su – mío – el mío. **b** sus – mías – las mías.
7.1 **a** F **b** F **c** V **d** F **e** V
7.2 **a** dos tercios **b** en un plazo de **c** las ciudades **d** habitantes **e** incremento **f** países en desarrollo

Unité 21

Dialogues

1.1 **a** Quiere ir al cine. **b** Quiere ver *Sin palabras*. **c** Porque es muy difícil aparcar. **d** Empieza a las 9:00.
1.2 **a** ¿Qué te parece si...? **b** ¿Qué te apetece ver? **c** Me gustaría verla.
2.1 **a** Los invita a cenar con él el próximo viernes **b** Ha invitado a Julio también. **c** Porque tiene un compromiso.
2.2 **a** Yo encantada. **b** A mí me encantaría, pero no puedo. **c** ¿Otro día quizás?

Exercices

1 **a** haría **b** lavaría **c** escribiría **d** llamaría **e** saldríamos **f** veríamos **g** tendríamos **h** podríamos
2 Soy (*votre nom*). ¿Tienes algún plan para esta noche? ¿Qué te parece si vamos al cine o al teatro? Me gustaría ver (*film ou pièce de théâtre*). ¿La has visto? La ponen en el Olimpia y empieza a las 7:00. Podríamos quedar en el café enfrente del cine/teatro a las 6:30. ¿Qué te parece?/ ¿Te parece bien?
3.1 Racismo.
3.2 b.
4 *Lucía* est invitée à prendre un verre après le travail. Elle n'accepte pas l'invitation car elle va faire les magasins avec María.
Monsieur Flores est invité à un cocktail pour recevoir le nouveau directeur, mais il ne peut pas y aller car il a un rendez-vous chez le dentiste.
María est invite sà un anniversaire, elle accepte l'invitation.
5 Il m'invite à aller voir Joaquín Cortés, il propose de se retrouver au bar qui est à côté du théâtre à 19h30.

6 *Exemple*: ¿Qué te parece si vamos al concierto de... mañana por la noche? Es en el teatro (*nom du théâtre*) a las (*heure*). Podríamos quedar delante del teatro a las (*heure*). ¿Qué te parece? Llámame.

7 La Chambre de commerce de Santa Cruz a le plaisir de vous inviter à la cérémonie d'inauguration de ses nouveaux bureaux. L'ouverture de la cérémonie, qui comptera avec la présence des autorités locales, aura lieu le mardi 25 mai à 19h30, Avenida del Libertador.

Unité 22

Dialogues

1.1 **a** Elle n'était jamais venue à Guanajuato. **b** Elle pense que c'est une ville magnifique.

1.2 **a** ¿Había estado aquí antes? **b** Nunca había venido a Guanajuato. **c** ¿Qué le parece la ciudad?

2.1 **a** Lleva pescado. **b** ¿Quiere un poco más? **c** Vraiment ? – Oui, merci.

2.2 **a** Está buenísimo. **b** Está delicioso. **c** Es una especialidad mexicana.

3 **1**-c,d **2**-a,b

Exercices

1 **1**-d : había aprendido **2**-c : había viajado **3**-e : había hecho **4**-f : había estudiado **5**-a : había escrito **6**-b : había terminado.

2 **a** ¿Había estado aquí antes? **b** ¿No había visitado nunca esta compañía/empresa? **c** Usted se había quedado/había estado en este hotel antes, ¿verdad? **d** Usted no había comido esto antes, ¿verdad?

3 No había estado nunca aquí antes. Es un país muy bonito./Los mariscos están buenísimos./Están deliciosos./Sí, pero sólo un poco./No, gracias./ Sí, de verdad, gracias. No puedo beber más porque tengo que conducir.

4 *Réponses possibles* : **a** ¿Le sirvo otra taza de café? **b** ¿Le sirvo un poco más de tarta? **c** ¿Quiere un poco más de coñac? **d** ¿Quiere más agua mineral?

5 **a** *por* tu regalo **b** *ha* sido **c** mucho *de* **d** conocer*la*

6 agradecer – mujer – estancia – placer – poder – visita

Unité 23

Dialogues

1.1 **a** la poste **b** tourner à droite **c** a la izquierda/a la derecha

1.2 **a** ¿Podría decirme dónde está Correos? **b** ¿Hay que tomar la avenida de Mijas?

2.1 **a** F **b** V **c** F
2.2 por/hasta/de
3.1 **a** de 9:00 a 11:30 de la mañana y por la tarde de 4:00 a 6:00 **b** al 952 642 2109 **c** el 952 759 5532
3.2 **a** marque **b** llame **c** indique **d** haga

Exercices

1 **a**-3 **b**-8 **c**-6 **d**-1 **e**-7 **f**-4 **g**-2 **h**-5
2 Il/Elle est à l'hôtel Monasterio et cherche l'Hostal Los Marqueses.
3 siga – gire – tome – siga – suba – pregunte
4 Sí, siga todo recto/de frente y tome/coja la tercera calle a la izquierda, luego tome/coja la primera a la derecha y siga todo recto/de frente hasta el final de la calle. El banco está enfrente de la estación.
5 *Réponse possible* : Al salir del hotel, tome/coja la calle San Antonio que está a la izquierda, después gire a la izquierda en la esquina y luego tome/coja la primera a la derecha. Ésa es la avenida de Bailén. La estación está al final de la avenida de Bailén, a la izquierda.
6 **a** envíelo **b** llámela **c** hágalo **d** tráigalas **e** mándelas **f** enséñemelo

Unité 24

Dialogues

1.1 **a** por favor/de agua **b** tengo **c** un momento
1.2 **a** ¿Qué te pasa? **b** Vuelvo en seguida.
2.1 **a** Elle ne se sent pas bien. **b** Parce qu'elle a trop chaud. **c** De se reposer un moment et d'essayer de dormir.
2.2 **a** No me encuentro bien. **b** Me duele la cabeza. **c** Por favor, abre la ventana. **d** ¿Por qué no descansas?

Exercices

1 L'Allemagne, les Pays-Bas et l'Espagne.
2 **a** Fatiga, ansiedad/insomnio/problemas digestivos. **b** De se reposer et de prendre des vacances/De prendre des médicaments, deux toutes les six heures.
3 **a** Me encuentro/siento **b** Me duele **c** Tengo dolor **d** Tengo **e** Me duele **f** Me siento

4 No me encuentro/siento bien. – Tengo un dolor de cabeza horrible y tengo fiebre. – Por favor, tráeme un vaso de agua mineral. Tengo mucha sed.– ¿Podrías abrir la puerta? Tengo mucho calor. – No, gracias, no tengo hambre.

5.1 **Rosa** : Elle prend et perd constamment du poids. **Nelson** : Il a toujours des maux de tête horribles qui l'empêchent de faire quoi que ce soit après sa journée de travail. Il a aussi souvent des nausées et vomit.

5.2 **a** constantemente **b** sucede **c** hacer dieta **d** en realidad

5.3 **a** diarias **b** devastador **c** por lo general **d** concluyen

6 **Rosa** : b, c, f. **Nelson** : a, d, e.

Unité 25

Dialogues

1.1 **a** cerca del centro **b** tres o cuatro **c** no más de seiscientos euros **d** lo quiere amueblado

1.2 celui qui coûte 650 euros *ou* celui de 700 euros.

2.1 **a** V **b** F **c** V **d** F

2.2 **a** Espero que encuentres a alguien. **b** No creo que sea fácil.

Exercices

1.1 **a** *Tel.* 93 330 16 87 **b** *Tel.* 977 894 69 05 **c** *Tel.* 642 65 54 21/Luisa **d** *Tel.* 93 357 26 71 **e** *Tel.* 94 418 50 05/Begoña **f** *Tel.* 644 30 65 96/ Carlota

1.2 *Tel.* 973 44 04 57

2 viva – alquile – haya – puedan – esté

3 Utilisez les Activités 1 et 2 comme modèles.

4 **a** sea **b** esté **c** sepa **d** tenga **e** le gusten **f** se lleve

5.1 **a** savoir plusieurs langues **b** avoir son permis de conduire **c** être sociable **d** être créatif **e** être dynamique **f** avoir de l'expérience **g** bien présenter **h** avoir fait des études supérieures **i** avoir des connaissances en informatique **j** avoir son propre véhicule **k** être prêt à voyager **l** être disponible immédiatement

6.1 a, i, g, h, l

6.2 être capable de gérer plusieurs services de petite taille et avoir de l'expérience dans un poste similaire

7.1 c, a, i, b, e, d

7.2 sepa relacionarse – tenga – de experiencia – hable inglés – francés – tenga – informática – sepa

8 **a** La carrera de empresariales y un máster de una universidad británica. **b** Sabe inglés y francés. **c** Es extrovertido y simpático. **d** No tiene. **e** Experiencia. **f** Está muy desesperado.

9 *Réponses possibles* : **a** Es (un poco – bastante – muy) difícil – fácil **b** Los jóvenes y las mujeres tienen más dificultad **c** Buscan personas que tengan experiencia, que sepan idiomas, que sean dinámicas y creativas, que estén disponibles de inmediato, etc.

Unités 1 à 5

1 **a** ¿Cómo? **b** ¿Cómo? **c** ¿dónde? **d** ¿Qué? **e** ¿cuál? **f** ¿Dónde? **g** ¿Qué?

2 estás ; estoy ; es ; eres ; soy ; soy ; está ; Está

3 **a** Buenas tardes, me llamo (*votre nom*), soy (*nationalité*). **b** Voir l'alphabet Unité 3. **c** Hablo (*langues*)/Sólo hablo (*langue*). **d** Mucho gusto/Encantado/a. **e** Le presento a Julie Porcher, una compañera de trabajo. **f** Vivo en (*lieu*) y mi (número de) teléfono es el (*numéro*).

4 Buenas tardes. Quiero una habitación individual, con baño, para tres noches./¿Dónde está el restaurante?/ ¿Puedo/Se puede cenar ahora?/ ¿Hay un banco por aquí (cerca)? Quiero cambiar dinero./Más despacio, por favor.

5 **a** un banco **b** la iglesia **c** el museo **d** el Hotel Nacional **e** Correos **f** Estados Unidos **g** Avenida Independencia

6 **a** queremos **b** quiero **c** quieres **d** prefiero **e** tiene **f** tenemos **g** trae

Unités 6 à 10

1 **a** Es la una y cuarto. **b** Son las tres menos veinte. **c** A las seis menos cuarto./A las cinco cuarenta y cinco. **d** A las seis y media. **e** Son las cuatro y diez. **f** A la una.

2 **a** ¿Cuánto cuestan esas gafas? – ¿Éstas? – Sí, ésas. **b** ¿... cuesta ese perfume? – ¿Éste? – Sí, ése. **c** ¿... cuesta esa crema...? – ¿Ésta? – Sí, ésa. **d** ¿... cuestan esos zapatos? – ¿Éstos? – Sí, ésos.

3 **a** las **b** probár**mela** **c** le **d** me/me los **e** de**me** **f** nos **g** les

4 **a** El hotel P.B. está más cerca de la playa que el hotel C.A. **b** ... P.B. tiene mejor vista que el hotel C.A. **c** ... C.A. es tan tranquilo como el hotel P.B. **d** ... C.A. es más barato que el hotel P.B. **e** Las habitaciones del hotel C.A. son tan grandes como las habitaciones del hotel P.B. **f** C.A. es más cómodo que el hotel P.B.

5 tengo ; estoy ; tengo ; soy ; trabajo ; tiene ; es ; trabaja ; estamos ; vivimos

6 **a** ¿Cuánto tiempo hace que estás aquí? **b** ¿Estás aquí con tu familia? **c** ¿A qué te dedicas? **d** ¿Cuánto tiempo hace que trabajas allí? **e** ¿Cuántas semanas de vacaciones tienes al año?

Unités de 11 à 15

1 te levantas – se levanta ; salgo – sale – salimos ; voy – vas – vamos ; empiezo – empiezas – empieza ; vuelvo – vuelve – volvemos ; como – comes – comemos ; me acuesto – te acuestas – se acuesta
2 me levanto – me ducho – desayuno – salgo – llego – almuerzo – trabajo – vuelvo – leo – veo
3 me encantan – me gusta – le gustan – prefiere – les fascina – nos encanta – te gusta.
4 **a** ¿Qué vas a hacer? Voy a escribir... **b** ¿Qué vais a hacer? Vamos a contestar... **c** ¿Qué va a hacer Vd.? Voy a recibir... **d** ¿Qué van a hacer Vds.? Vamos a realizar...
5 **a** ¿Dígame? **b** Se ha equivocado de número. **c** ¿De parte de quién? **d** En seguida le pongo. **e** En seguida se pone. **f** ¿Quiere dejar algún recado? **g** Quisiera hablar con el Señor Julián **h** ¿Me puede poner con la Señora Lira? **i** Quisiera/Querría solicitar/concertar una entrevista con el gerente. **j** Por favor, dígale que he llamado.
6 regresé – pasé – Estuve – encantó – fui – me quedé – visitamos – volvimos – tomé – Llegué – empecé
7 estuvo – encantó – fue – se quedó – visitaron – volvieron – tomó – Llegó – empezó

Unités 16 à 20

1 nació – fue – abdicó – se educó – ingresó – realizó – se casó – fue – empezó
2 conocí – tenía – estaba – era – tenía – vivía – trabajaba – vi – iba – volvía – saludé – respondió – vi – hablé – fue
3 **a** Voir exemple. **b** he hecho **c** he enviado **d** he hablado **e** he asistido **f** Voir exemple. **g** hemos escrito – enviado **h** hemos entrevistado **i** hemos ido **j** hemos vuelto
4 *Exemples*: Julio ha llegado, ha hecho, etc. Rafael y Silvia han despachado, han escrito, etc.
5 **a** iré **b** saldré **c** viajaré **d** hará **e** llegaré **f** me quedaré **g** volveré
6 **a** irá **b** saldrá **c** viajará **d** hará **e** llegará **f** se quedará **g** volverá

Unités 21 à 25

1 **a** trabajaría **b** haría **c** compraría **d** pondría/viviría **e** podríamos **f** enviaríamos **g** ayudaríamos **h** nos iríamos

2 **a** ¿Había estado en (*lieu*) antes? **b** ¿Qué le parece la ciudad? **c** ¿Le sirvo un poco más? **d** ¿Quiere más (de) vino? **e** Lo llevaré a su hotel en mi coche. **f** Me alegro de haberlo conocido.

3 ... gire a la izquierda ... está a la derecha ... entre Antonio Varas y Manuel Montt

4 **a** Siga todo recto/de frente y luego tome la tercera (calle) a la izquierda. El banco está al final de esa calle. **b** Suba por esas escaleras hasta el primer piso. Los servicios están a la derecha pasados los teléfonos.

5 **a**-3 **b**-6 **c**-5 **d**-1 **e**-4 **f**-2

6 **a** ... sea – tenga – fume – quiera **b** ... sea – sepa – se lleve – esté

lexique

abierto/a *ouvert(e)*
abogado/a *avocat(e)*
abrigo (m) *manteau*
abrir *ouvrir*
abuelo/a *grand-père/grand-mère*
aburrido/a *ennuyeux/ennuyeuse*
acabar de *venir de*
aceite (m) *huile*
acerca de *sur, au sujet de*
acostarse (o > ue) *se coucher*
actor, actriz (f) *acteur, actrice*
actual *actuel*
actualmente *actuellement*
acuerdo (de) *d'accord*
adelantar *doubler*
administrativo/a *employé(e) de bureau*
afeitarse *se raser*
afueras (f pl) *en dehors de* ; *aux alentours de*
agencia de viajes (f) *agence de voyages*
agradable *agréable*
agradecimiento (m) *remerciement*
agua (f) *eau*
agua caliente/fría (el) *eau chaude/froide*
aguacate (m) *avocat*
ahora *maintenant* ; – mismo *tout de suite*
ahorrar *économiser*
aire acondicionado (m) *climatisation*
ajo (m) *ail*
al (a + el) *au*
albaricoque (m) *abricot*
albergue juvenil (m) *auberge de jeunesse*
alegrarse *être content*
alegre *content(e)*
alemán/alemana *allemand(e)*
Alemania *Allemagne*
algo *quelque chose* ; ¿ – más? *avec ceci ?*
algodón (m) *coton*
alguien *quelqu'un*
algunos/as *quelques, certain(e)s*
alimento (m) *nourriture*
almacenes (m pl) *magasins*
almíbar *sirop*
almorzar (o > ue) *déjeuner* ; *manger quelque chose en milieu de matinée*
almuerzo (m) *déjeuner* ; *en-cas pris en milieu de matinée*
alojamiento (m) *logement*
alquilar *louer*
alquiler (m) *loyer, location*
alrededor *autour* ; – de *autour de, environ*
allí *là-bas* ; – mismo *juste là*
ama de casa (f) *femme au foyer*
amarillo/a *jaune*
ambiente (m) *ambiance*
amigo/a *ami(e)*
amistad (f) *amitié*
amplio/a *vaste*
ancho/a *large*
andar *marcher*
ansiedad (f) *anxiété*
anteayer *avant-hier*
antecedentes (m pl) *antécédents* (ici, *professionnels*)
anterior *précédent*
antes *avant* ; – de ayer *avant-hier*
antipático/a *antipathique*
anular *annuler*
anuncio (m) *annonce*
año (m) *an, année*
aparcamiento (m) *parking*
aparcar *se garer*
aparecer *apparaître*
apasionar *passionner*
apellidarse: ¿cómo se apellida/te apellidas *quel est votre/ton nom de famille ?*
apellido (m) *nom de famille*
apetecer *avoir envie de*
aplazar *repousser*
apreciar *dénoter*

aprender *apprendre*
aptitud (f) *compétence*
apuntarse *s'inscrire*
aquel/aquella *ce, cet/cette (-là)* ; aquél/ aquélla *celui-là, celle-là*
aquellos/as *ces (là)* ; aquéllos/as *ceux-là, celles-là*
aquí *ici* ; – mismo *ici même* ; – tiene *voilà* ; por – *par là*
arreglar *ranger*
arreglarse *se préparer*
arroz (m) *riz*
artículo (m) *article*
asado *rôti*
ascender (e > ie) a *être promu* ; *atteindre*
ascenso (m) *promotion*
ascensor (m) *ascenseur*
asiento (m) *siège, place*
asimismo *de même*
asistir *assister*
atún (m) *thon*
audaz *audacieux/audacieuse*
aumentar *augmenter*
aún *encore, même*
aunque *bien que*
autocar (m) *bus*
auxiliar administrativo/a *assistant(e) administrative*
avería (f) *défaut, panne*
ayer *hier*
ayudar *aider*
azafata (f) *hôtesse de l'air*
azúcar (m ou f) *sucre*
azul *bleu*

bailar *danser*
bajar *descendre* ; *perdre*
bajarse *descendre*
bajo/a *bas/basse*
baloncesto (m) *basket-ball*
banco (m) *banque*
bañarse *prendre un bain*
bañera (f) *baignoire*
baño (m) *salle de bains* ; *toilettes*
barato/a *bon marché*
barra (f) *pain*
barrio (m) *quartier*
bastante *assez*
beber *boire*
bello *beau*
beso (m) *bise*
biblioteca (f) *bibliothèque*
bibliotecario/a *bibliothécaire*
blanco/a *blanc/blanche*
bocadillo (m) *sandwich*
boletín informativo (m) *bulletin d'informations*
bolsa (f) *sac*
bonito/a *joli(e)*
botas (f pl) *bottes*
bote (m) *pot*
botella (f) *bouteille*
brevedad: a la mayor – *le plus tôt possible*
británico/a *britannique*
bruto/a *brut(e)*
buceo (m) *plongée sous-marine*
buenas tardes *bonjour, bonsoir*
bueno *bien, eh bien*
bueno/a *bon(ne)*
buscar *chercher*

cabeza (f) *tête*
cada *chaque* ; *tous/toutes les*
cadena (f) *chaîne*
café (m) *café* ; – con leche (m) *café au lait* ; – cortado (m) *café crème*
caída (f) *chute*
caja (f) *boîte*
calcetines (m pl) *chaussettes*
calcomanía (f) *décalcomanie*
calefacción (f) *chauffage*
calidad (f) *qualité*
calor (m) *chaleur* ; hace – *il fait chaud*
calle (f) *rue*
cama (f) *lit*
camarero/a *serveur/ serveuse*
cambiar *changer*
cambio (m) *change*
camisa (f) *chemise*
camiseta (f) *T-shirt* ; *chemisette*
campo (m) *campagne* ; – de golf *terrain de golf*

canción (f) *chanson*
cansado/a *fatigué(e)*
cargo (m) *poste*
carne (f) *viande*
carnet de identidad (m) *carte d'identité*
caro/a *cher/chère*
carpeta (f) *dossier*
carpintero/a *menuisier/menuisière*
carrera (f) *études*
carta (f) *carte*
cartera (f) *porte-documents*
cartero/a *facteur/factrice*
casa de huéspedes (f) *pension de famille*
casa (f) *maison* ; – de cambio (f) (Am. I.) *bureau de change*
casado/a *marié(e)*
casarse *se marier*
casi *presque*
catapultar *catapulter*
cebolla (f) *oignon*
ceder el paso *céder le passage*
cena (f) *dîner*
cenar *dîner*
céntrico/a *situé(e) en centre-ville*
centro comercial (m) *centre commercial*
cerca *près* ; por aquí – *près d'ici*
cerdo (m) *porc*
cerrar (e > ie) *fermer*
cerveza (f) *bière*
champiñon (m) *champignon*
chaqueta (f) *veste*
cheque de viaje (m) *chèque de voyage*
cita (f) *rendez-vous*
ciudad (f) *ville*
ciudadano/a *citoyen/citoyenne*
cobrar *toucher*
cocina (f) *cuisine*
cocinar *cuisiner*
coche (m) *voiture*
coger *prendre*
colegio (m) *école*
colgar (o > ue) *raccrocher*
coliflor (f) *chou-fleur*
comedor (m) *salle à manger* ; *restaurant*
comer *manger*
comerciante (m f) *vendeur/vendeuse*
comestibles: una tienda de – *épicerie*
comida (f) *déjeuner* ; *repas* ; *nourriture*
como *comme* ; – mínimo *au minimum*
cómo *comme*
comodidad (f) *confort*
cómodo/a *confortable*
compañero/a de clase *camarade (de classe)*
compañero/a de trabajo *collègue (de travail)*
compartir *partager*
compra (f) *courses* ; *achat*
comprar *acheter*
compromiso (m) *engagement*
computador/a (Am. I.) *ordinateur*
con *avec*
concierto (m) *concert*
concurso (m) *concours, jeu*
conducir *conduire*
conductor/a *conducteur/conductrice*
conmigo *avec moi*
conocer *connaître* ; *rencontrer*
conocimiento (m) *connaissance*
conseguir *obtenir*
consejo (m) *conseil*
conservador/a *conservateur/conservatrice*
constar: hacer – *exprimer*
consulta (f) *cabinet* ; *consultation*
consumir *consommer*
contable (m f) *comptable*
contar (o > ue) *raconter* ; *parler*
contar con *compter sur*
contrato fijo (m) *contrat à durée indéterminée*
copa (f) *verre*
corazón (m) *cœur*
corbata (f) *cravate*
cordero (m) *agneau*
correos: la oficina de – (f) *la poste*
cortés *courtois*
corto/a *court(e)*
cosa (f) *chose*
costar *coûter*
costumbre (f) *habitude*
criatura (f) *enfant*

cruce (m) *croisement*; – de peatones (m) *passage pour piétons* ; – ferroviario *passage à niveau*
cuadros: de – *à carreaux*
cuál *quel(le)* ; *lequel, laquelle*
cualquier/a *n'importe quel(le), n'importe lequel/laquelle*
cuándo *quand*
cuánto/a *combien*
cuántos/as *combien*
cuarto/a *quatrième*
cuarto (m) *quart*
cubierto *couvert*
cuchara (f) *cuillère*
cuchillo (m) *couteau*
cuenta (f) *addition* ; por mi – *à mon compte*
cuento (m) *conte, nouvelle*
cuerpo (m) *corps*
cuidado: con – *prudemment*
cuidar *garder*
culpa (f) *faute*
cumpleaños (m sing) *anniversaire*
cumplir *répondre à, satisfaire*
cumplir… años *avoir... ans*
curso (m) *cours*

damasco (m) (Am. l.) *abricot*
dar *donner* ; – a *donner sur*
datos (m pl) *informations*
deber *devoir*
deberes (m pl) *devoirs*
débil *faible*
decidir *décider*
declinar *diminuer*
dedicación exclusiva (f) *engagement total*
dedicarse a *se consacrer à*
dedicas: ¿a qué te – ? *que fais-tu dans la vie ?*
dejar *laisser*
del (de + el) *du*
delante de *devant*
demasiado/a *trop*
deme *donnez-moi*
dentro *à l'intérieur* ; – de *dans*
departamento (m) *service* ; (Am. l.) *appartement*
dependiente/a *vendeur/vendeuse*
deporte (m) *sport*
deportivo/a (adj) *de sport*
derecha (f) *droite* ; a la – à droite
derecho (m) *droit*
desagradable *désagréable*
desayunar *prende le petit-déjeuner*
desayuno (m) *petit-déjeuner*
descansar *se reposer*
descapotable *décapotable*
descortés *impoli*
descubrir *découvrir*
descuento (m) *rabais*
desde… hasta *depuis… à*
desear *désirer, vouloir, souhaiter* ; ¿qué desea? *que désirez-vous?, en quoi puis-je vous aider ?*
desempeñar *occuper*
desempleo (m) *chômage*
desesperado/a *désespéré(e)*
despacho (m) *bureau*
despierto/a *vif/vive*
después *après, ensuite* ; – de *après*
destino (m) *destination*
detrás de *derrière*
día (m) *jour* ; al – *par jour*
diario/a *quotidien* ; *par jour*
dibujar *dessiner*
difícil *difficile*
dígame *en quoi puis-je vous aider ?* ; *allô ?* ; *dites-moi*
digestivo *digestif*
dinero (m) *argent*
diplomado/a *diplômé(e)*
dirección (f) *adresse*
director/a gerente *directeur/directrice général(e)*
dirigirse a *s'adresser à*
diseñador/a *designer*
disminuir *réduire*
disponer de *disposer de*
disponibilidad (f) *disponibilité*
dispuesto/a a *disposé(e) à, prêt(e) à*
distinto/a *différent(e)*
divertido/a *amusant(e), drôle*
divorciado/a *divorcé(e)*
divorciarse *divorcer*

docena (f) *douzaine*
documental (m) *documentaire*
dolor (m) *douleur, mal* ; – de cabeza *mal de tête*
domingo *dimanche*
dominio (m) *maîtrise, parfaite connaissance*
dónde *où*
dormitorio (m) *chambre*
ducha (f) *douche*
ducharse *se doucher*
durar *durer*
durazno (m) (Am. l.) *pêche*

e *et* (devant « i », « hi »)
echar de menos *manquer*
echarse una siesta *faire une sieste*
edad (f) *âge*
edificación (f) *construction*
edificio (m) *bâtiment*
efectivo: en – *en liquide*
ejemplar (m) *exemplaire*
ejemplo (m) *exemple*
el *le*
él *il*
elegir (e > i) *choisir*
ella *elle*
ellos/as *eux/elles*
empezar (e > ie) *commencer*
empleado/a *employé(e)*
empresa (f) *entreprise*
empresariales (f) *études de commerce*
empresario/a *entrepreneur/entrepreneuse*
en *à, dans, sur*
en seguida *tout de suite*
encantado/a *enchanté(e), avec plaisir*
encantar *adorer*
encanto (m) *charme*
encargado/a *responsable*
encontrar (o > ue) *trouver*
encontrarse (o > ue) *se rencontrer, se voir* ; – bien/mal *se sentir bien/mal*
encuentro (m) *rencontre*
enfermero/a *infirmier/infirmière*
enfrente de *en face de*
enmarcación (f) *encadrement*
ensalada (f) *salade*
ensayo (m) *essai*
enseñar *montrer, enseigner*
entender (e > ie) *comprendre*
entonces *alors*
entrada (f) *entrée*
entrar *commencer, entrer, passer*
entretenimiento (m) *divertissement*
entrevista (f) *entretien*
entrevistar *faire passer un entretien*
envejecer *vieillir*
enviar *envoyer*
envío (m) *envoi*
equipado/a *équipé(e)*
equipaje (m) *bagages*
equipo (m) *équipe*
equivocación (f) *erreur*
equivocado/a: estar *se tromper*
equivocarse *se tromper*
escalera (f) *escaliers*
escaparate (m) *vitrine*
escasos/as *peu de*
escribir *écrire*
escuchar *écouter*
escuela (f) *école*
escultura (f) *sculpture*
ese/a *ce/cet (là), cette (-là)* ; ése/a *celui-là, celle-là*
eso *cela, ça*
esos/as *ces (-là)* ; ésos/as *ceux-là, celles-là*
español/a *espagnol(e)*
esperanza de vida (f) *espérance de vie*
esperar *espérer, attendre* ; esperarse *s'attendre à*
esposo/a *époux/épouse*
esquiar *skier*
esquina (f) *coin*
estación (f) *gare* ; – de metro *station de métro*
estacionamiento (m) (Am. l.) *parking*
estado civil (m) *état civil*
estancia (f) *séjour*
estar *être*
este/a *ce, cette* ; éste/a *celui-ci, celle-ci*
estimado/a *(cher) Monsieur, (chère) Madame*

esto *ceci, cela, ça*
estómago (m) *estomac*
estos/as *ces (-ci)* ; éstos/as *ceux-ci, celles-ci*
estrecho/a *serré(e)*
estrella (f) *étoile*
estrenar *sortir*
estudiar *étudier*
estudios superiores (m pl) *études supérieures*
estupendo *formidable, super*
evento (m) (Am. l.) *réunion, dîner*
evitar *éviter*
exigir *exiger, demander*
éxito (m) *réussite* ; tener – *réussir*
exterior *extérieur, qui donne sur l'extérieur*
extranjero (m) *étranger*
extraño/a *étranger/étrangère*

fábrica (f) *usine*
falda (f) *jupe*
fatal *épouvantable*
fatiga (f) *fatigue*
fecha (f) *date*
feliz *heureux*
feo/a *laid(e)*
ferroviario: cruce *passage à niveau*
festivo (m) *jour férié*
ficha (f) *fiche, carte*
fiebre (f) *fièvre*
filmar *jouer dans*
fin (m) *fin* ; poner – a *mettre fin à*
fin (m) de semana *week-end*
final (m) *fin* ; al – de *au bout de*
firmar *signer*
flor (f) *fleur*
floristería (f) *magasin de fleurs*
fondo: al – (de) *au bout (de)*
fracaso (m) *échec*
francés/francesa *français(e)*
fregar (e > ie) *laver*
frente: de – *tout droit*
fresa (f) *fraise*
frío/a *froid(e)* ; hace frío *il fait froid*
frito/a *frit(e)*
fruta (f) *fruit*
frutería (f) *fruiterie*
fuera de *en dehors de*
fuerte *fort(e)*
fumador/a *fumeur/fumeuse*
fumar *fumer*
función (f) *représentation*
funcionar *fonctionner*

galleta (f) *biscuit*
gamba (f) *crevette*
gastos (m) *charges*
gato (m) *chat*
generalmente *généralement*
gente (f) *gens, monde*
gerente (m f) *directeur*
girar *tourner*
gobierno (m) *gouvernement*
gracias *merci*
gran *grand(e)* ; *important(e)*
grande *grand(e)*
grasa (f) *graisse*
grifo (m) *robinet*
guapo/a *beau/belle*
guerra (f) *guerre*
guisante (m) *petit pois*
guisar *cuisiner*
gustar *plaire, aimer*

habitación (f) *chambre*
habitante (m f) *habitant*
habla (m): de – española *où l'on parle espagnol*
hablante (m f) *qui parle, locuteur*
hablar *parler*
hacer la compra *faire les courses*
hacer dieta *faire un régime*
harina (f) *farine*
harto/a: estar *en avoir marre*
hasta *jusqu'à*
hay *il y a*
hecho (m) *fait*
helado (m) *glace*
hermano/a *frère, sœur*
hermanos *frères et sœurs*
hijo/a *fils, fille*
hijos *enfants*
hilo musical (m) *fond musical*

hogar (m) *foyer*
hola *bonjour, salut*
holandés/holandesa *hollandais(e)*
hombre (m) *homme*
hora (f) *heure* ; pedir – *prendre rendez-vous*
horario (m) *horaires*
hostal (m) *petit hôtel*
hoy *aujourd'hui*
huevo (m) *œuf*

ida: de – *simple*
ida y vuelta *aller-retour*
idioma (m) *langue*
igual: por autant ; al – que *ainsi que* ; de – forma *de la même façon*
imaginarse *imaginer*
implicar *impliquer*
imprescindible *indispensable*
impuesto (m) *taxe*
incendio: salida de – (m) *sortie de secours*
incentivos *primes*
incluso *même*
incorporación (f) *intégration*
incremento (m) *augmentation*
individual *individuel, simple*
informática (f) *informatique*
informe (m) *rapport*
ingeniería (f) *ingénierie*
Inglaterra *Angleterre*
inglés/inglesa *anglais(e)*
ingresar en *rejoindre*
inmaduro/a *immature*
inseguro/a *incertain(e)*
insomnio (m) *insomnie*
instituto (m) *lycée*
interesar *intéresser*
interior *intérieur*, *qui donne sur l'intérieur*
interpretación (f) *interprétation*
intranquilo *qui n'est pas tranquille, inquiet/inquiète*
inútilmente *inutilement*
invierno (m) *hiver*
invitar *inviter*
ir *aller*
irse *aller, partir*
izquierda (f) *gauche* ; a la – *à gauche*

jabón (m) *savon*
jamón (m) *jambon*
jardín (m) *jardin*
jardinera (f) *jardinière*
jefe/a *chef*
jersey (m) *pull-over*
jitomate (m) (Mexique) *tomate*
jornada intensiva (f) *journée intensive*
joven *jeune*
jóvenes (m pl) *jeunes*
joyas (f pl) *bijoux*
jubilado/a *retraité(e)*
judías verdes (f pl) *haricots verts*
judío/a *juif, juive*
jueves *jeudi*
jugar (u > ue) *jouer*
junto/a a *près de*

la (f) *la* ; *l', lui, vous* (vouvoiement)
lado: al – de *à côté de* ; al otro – de *de l'autre côté de*
lago (m) *lac*
lamentar *regretter*
lana (f) *laine*
lapso (m) *période*
largo/a *long/longue*
lata (f) *boîte de conserve*
lavado (m) *lavage*
lavandería (f) *laverie*
lavar *laver*
lavarse *se laver*
lectura (f) *lecture*
leche (f) *lait*
lechuga (f) *laitue*
leer *lire*
legumbre (f) *légume sec*
lejos *loin*
lengua (f) *langue*
levantarse *se lever*
libra (f) *livre*
librería (f) *librairie*
libro (m) *livre*
licenciado/a *diplômé(e)*
ligero/a *léger/légère*

limón (m) *citron*
limpiar *laver*
línea (f) *ligne*
línea aérea (f) *compagnie aérienne*
lino (m) *lin*
lo (m) *le, l', vous* (vouvoiement) ; – que *ce qui, ce que* ; – + adjectif *comme* ; por – general *en général*
localizarse *se situer*
loco/a *fou/folle*
lugar (m) *lieu*
lujo (m) *luxe*
lujoso/a *luxueux/luxueuse*
luminoso/a *lumineux/lumineuse*
luz (f) *lumière*

llamada (f) *appel*
llamar *appeler*
llamarse *s'appeler*
llave (f) *clé*
llegada (f) *arrivée*
llegar *arriver*
llevar *emporter, prendre, emmener*
llevarse bien con *bien s'entendre avec*
llover (o > ue) *pleuvoir*

madre *mère*
maduro/a *mûr(e)*
maleta (f) *valise*
malo/a *mauvais(e)*
malva *mauve*
mandar *envoyer*
manejo (m) *maîtrise*
manera (f) *manière* ; de – que *de façon à ce que*
manta (f) (Espagne) *couverture*
manzana (f) *pomme*
mañana (f) *demain* ; *matin*
maquillarse *se maquiller*
maquinaria (f) *machinerie*
mar (m f) *mer*
maravilloso/a *merveilleux/merveilleuse*
marcar *composer*
marido (m) *mari*
martes *mardi*
más *plus, autre* ; el/la – *le/la plus* ; ¿qué – ? *avec ceci ?* ; nada – *ce sera tout*
mayor *plus grand, plus vieux* ; el – *le plus vieux* ; la gente – *les personnes âgées*
mecanógrafo/a *dactylographe*
media (f) *moyenne*
media pensión (f) *demi-pension*
mediana edad: de – *d'âge moyen*
mediano/a *de taille moyenne*
medio/a *demi(e)* ; *un(e) demi(e)*
mediodía (m) *midi*
mejor *mieux* ; el – *le meilleur*
melocotón (m) *pêche*
menor *plus petit, plus jeune*
menos *moins*
mensual *mensuel*
menudo: a – *souvent*
mercado (m) *marché*
mercancía (f) *marchandise*
merecer *mériter*
merluza (f) *colin*
mi *mon, ma*
mí *moi*
miércoles *mercredi*
minuto (m) *minute*
mío/a *mien(ne)*
mirada (f) *regard*
mirar *regarder*
mitad *moitié*
mixta *mixte*
mobiliario (m) *mobilier*
molestar *gêner, déranger*
moneda (f) *monnaie*
montar en bicicleta *faire du vélo*
mucho gusto *ravi(e) de faire ta/votre connaissance*
mudarse *déménager, changer*
mueble (m) *meuble*
muerto/a *mort(e)*
mujer (f) *femme*
mundo (m) *monde*
museo (m) *musée*
muy *très*

nacer *naître*
nacionalidad (f) *nationalité*

nada *rien, du tout* ; de – *de rien* ; no está – mal *pas mal du tout*
nadar *nager*
naranja (f) *orange*
nata (f) *chantilly*
necesitar *avoir besoin de*
nene/a *bébé*
nevar *neiger*
niebla (f) *brouillard*
ninguno/a *aucun(e)*
niño/a *(petit) garçon, (petite) fille*
niños (m pl) *enfants*
nivel (m) *niveau*
nocturno *nocturne, le soir*
noche (f) *nuit*
nombrar *nommer*
nombre (m) *nom*
nos *nous*
nosotros/as *nous*
noticia (f) *nouvelle*
novio/a *petit(e) ami(e)*
nublado *couvert*
nuboso *couvert*
nuestro/a *nôtre*
nuevamente *de nouveau*
nuevo/a *nouveau/nouvelle*
nunca *jamais*

o *ou*
obra (f) *pièce* ; *constructions* ; – de teatro (f) *pièce de théâtre* ; – musical *comédie musicale*
ocio (m) *loisir*
ocultar *cacher*
oeste (m) *ouest*
oficina (f) *bureau* ; – de turismo (f) *office de tourisme* ; – de cambio *bureau de change*
ofrecer *offrir*
olvidar *oublier*
optar *choisir*
ordenador (m) (Espagne) *ordinateur*
orgulloso/a *fier/fière*
oriente (m) *orient*
orilla (f) *bord*
os *vous* (tutoiement)
oscuro/a *obscur(e)*
otro/a *autre*
otros/as *autres*

padecer *souffrir*
padre *père*
padres (m pl) *parents*
pagar *payer*
país (m) *pays*
palabra (f) *mot*
pan (m) *pain*
pana (f) *velours*
panadería (f) *boulangerie*
pantalones (m pl) *pantalons*
papa (f) (Am. l.) *pomme de terre*
papel (m) *papier* ; – higiénico (m) *papier toilette*
papelería (f) *papeterie*
par (m) *pair*
para *pour*
parada de autobuses (f) *arrêt de bus*
parador (m) (Espagne) *hôtel de première catégorie, géré par l'État et situé dans un endroit exceptionnel (monuments historiques, etc.) généralement en dehors des villes*
paraguas (m) *parapluie*
parar *arrêter*
parecer *paraître, sembler*
paro (m) *chômage*
parque (m) *parc*
parrilla (f): a la – *grillé(e)*
parte (f) *part* ; ¿de – de quién? *de la part de qui ?*
partir: a – de *à partir de*
pasado/a *passé(e), dernier/dernière* ; *après*
pasaje (m) (Am. l.) *billet*
pasajero/a *passager/passagère*
pasar *passer* ; *entrer*
pasarlo bien *bien s'amuser*
pasarlo estupendamente *s'éclater*
pasear en bicicleta *se balader en vélo*
paseo (m): dar un – *se promener*
pasillo (m) *couloir*
pastilla (f) *comprimé*
patata (f) *pomme de terre* ; patatas fritas (f pl) *frites, chips*

pedido (m) *commande*
pedir (e > i) *demander* ; – hora *prendre rendez-vous* (chez le docteur, dentiste)
peinarse *se peigner*
película (f) *film*
pelota (f) *ballon*
pensar (e > ie) *penser*
pepino (m) *concombre*
pequeño/a *petit(e)*
perder (e > ie) *perdre*
perdone/a *excusez-moi, excuse-moi, pardon*
perejil (m) *persil*
perezoso/a *paresseux/paresseuse*
periódico (m) *journal*
periodista (m f) *journaliste*
permitir *permettre*
pero *mais*
perro/a *chien(ne)*
pescado (m) *poisson*
pescar *pêcher*
peso (m) *poids* ; *peso* (monnaie de plusieurs pays d'Amérique latine)
piel (f) (Espagne) *cuir*
pimiento verde/rojo (m) *piment vert/rouge*
pintura (f) *peinture*
piña (f) *ananas*
piscina (f) *piscine*
piso (m) *étage* ; *appartement* (Espagne)
placer (m) *plaisir*
plancha (f): a la – *grillé(e)*
planchar *repasser*
planta (f) *étage* ; – baja (f) *rez-de-chaussée*
plantilla (f) *personnel, effectif*
plátano (m) *banane*
plato (m) *plat*
playa (f) *plage*
plaza (f) *place*
población (f) *population*
poblado/a *rempli(e)*
poco/a *peu* ; un poco de *un peu de*
poder (o > ue) *pouvoir*
poesía (f) *poésie*
pollo (m) *poulet*
pone: ¿me –? *vous me mettez… ?* (sur le marché, dans un bar)
poner *mettre* ; *passer* (téléphone) ; *passer* (film)
pongo: ¿qué le –? *qu'est-ce que je vous sers/mets ?*
ponerse *se mettre* ; – la ropa *s'habiller* ; – al teléfono *répondre au téléphone*
por *pour, par* ; – aquí *près d'ici*
por favor *s'il vous plaît*
por qué *pourquoi*
porque *parce que*
portero/a *concierge*
postal (f) *carte postale*
postre (m) *dessert*
precio (m) *prix*
precisar *avoir besoin de, rechercher*
preferentemente *de préférence*
preferir (e > ie) *préférer*
presentar *présenter*
pretensión (f) *prétention*
primero/a *premier/première* ; de primero *en entrée*
principios: a – (de) *(au) début (de)*
probador (m) *cabine d'essayage*
probarse *essayer*
problema (f) *problème*
profesor/a *professeur*
programador/a *programmateur/programmatrice*
pronunciar *prononcer*
propio/a *propre*
protagonizar *jouer le premier rôle*
próximo/a *prochain(e)*
publicidad (f) *publicité*
pueblo (m) *village*
puerto (m) *port*
pues *eh bien*
puesto (m) *poste* ; – directivo *poste de direction*
punto: en – *pile*

que *que, qui*
qué *que, quel(le), quel(s), quelle(s), qu'est-ce que*

quedar *avoir/se donner rendez-vous* ; *aller* (vêtements)
quedarse *rester*
queja (f) *réclamation*
quejarse *se plaindre*
querer (e > ie) *vouloir, aimer*
querido/a *cher/chère*
queso (m) *fromage*
quién *qui*
quinto/a *cinquième*
quisiera (de querer) *je voudrais*
quizás *peut-être*

rato (m) *moment*
realizar *réaliser*
recado (m) *message*
recetar *prescrire*
recibir *recevoir*
reclamo (m) *réclamation*
recordar (o > ue) *se rappeler de, avoir le souvenir de*
recto: todo – *tout droit*
regalo (m) *cadeau*
régimen (m) *régime*
regresar *retourner*
regreso (m) *retour*
reina (f) *reine*
relajarse *se relaxer*
repartir *distribuer*
repasar *réviser*
representante (m f) *représentant*
requisito (m) *critère*
reserva (f) *réservation*
resfriado (m) *rhume*
respuesta (f) *réponse*
retraso (m) *retard*
reumatismo (m) *rhumatisme*
reunirse *se retrouver*
revista (f) *revue* ; – del corazón *revue « people »*
rey (m) *roi*
río (m) *rivière*
rodeado/a *entouré(e)*
rojo/a *rouge*
ropa (f) *vêtement(s)*
rosa *rose*
ruidoso/a *bruyant(e)*

sábado *samedi*
saber *savoir* ; – de memoria *connaître par cœur*
sal (f) *sel*
sala (de estar) (f) *salon*
salchichón (m) *saucisson*
salida (f) *départ* ; – de incendio (f) *sortie de secours*
salir *sortir, partir*
salvar *sauver*
sed (f) *soif*
seda (f) *soie*
seguida: en – *tout de suite*
seguido por *suivi par*
seguir (e > i) *suivre*
segundo/a *second(e)* ; de segundo *en plat de résistance*
seguramente *sûrement*
seguridad (f) *sécurité*
seguro/a *sûr(e)*
seguro que *c'est sûr que*
seguro (m) *assurance*
semana (f) *semaine*
semanal *hebdomadaire*
sentir (e > ie) *être désolé(e)*
sentirse (e > ie) a gusto *se sentir bien*
señal (f) *bip*
señor (m) *monsieur*
señora (f) *madame*
señorita (f) *mademoiselle*
ser *être*
servicio (m) *service*
servicios (m pl) *services, toilettes*
servilleta (f) *serviette*
sí *oui*
siempre *toujours*
siento: lo – *je suis désolé(e)*
siguiente *suivant(s), suivante(s), d'après*
simpático/a *sympathique*
sin *sans*
sin embargo *cependant*
sino *mais*
sitio (m) *lieu, endroit*
situación (f) *emplacement* ; *situation*
sobre *sur* ; *vers* (avec l'heure) ; – todo *surtout*

socio/a *membre*
sol (m) *soleil*
solamente *seulement*
soleado/a *ensoleillé(e)*
soler (o > ue) *avoir l'habitude de, (faire etc.) normalement*
solicitar *demander, avoir* (entretien, rendez-vous)
solo/a *seul(e)*
sólo *seulement*
soltero/a *célibataire*
soñar *rêver*
sopa (f) *soupe*
su *son, sa, leur, votre* (vouvoiement, singulier)
subir *monter*
sueldo (m) *salaire* ; – líquido (m) *salaire net*
suerte (f) *chance*
suéter (m) *pull-over*
supermercado (m) *supermarché*
suponer *supposer*
supuesto: por – *bien sûr*
suyo/a *sien(ne), vôtre* (vouvoiement, singulier)

tal: ¿qué –? *comment ça va ?* ; ¿qué – es? *c'est bien/bon ?* ; – vez *peut-être*
talla (f) *taille* (vêtement)
tamaño (m) *taille* (hauteur)
también *aussi*
tampoco *non plus*
tan… como *aussi... que*
tapas (f pl) (Espagne) *assortiment de petits plats servis comme amuse-gueules ou à la place d'un repas et que l'on mange souvent debout au comptoir*
tardar *mettre* (temps)
tarde (f) *après-midi, soir*
tareas domésticas (f pl) *tâches ménagères*
tarjeta (f) *carte* ; – de crédito *carte de crédit*
tasa de natalidad (f) *taux de natalité*
taza (f) *tasse*
té (m) *thé*
teatro (m) *théâtre*
telenovela (f) *feuilleton*
teleserie (f) *série télévisée*
tendero/a *commerçant(e)*
tenedor (m) *fourchette*
tener *avoir*
tener éxito *réussir*
tener que *devoir*
tercero/a *troisième*
ternera (f) *veau*
terraza (f) *terrasse*
ti *toi*
tiempo (m) *temps*
tienda (f) *magasin*
tímido/a *timide*
típico *typique*
tipo (m) *type, genre*
título (m) *diplôme*
tocar la bocina *klaxonner*
todavía *encore*
todo/a *tout(e)*
tomar *prendre* ; – el sol *se faire bronzer*
tonto/a *bête*
tormenta (f) *orage*
tortilla (f) *omelette*
tostadas (f pl) *toasts*
trabajador/a *travailleur/travailleuse*
trabajar *travailler*
trabajo (m) *travail*
traducción (f) *traduction*
traductor/a *traducteur/traductrice*
traer *apporter*
traje (m) *costume*
tranquilidad (f) *tranquillité*
tranquilo/a *calme*
trastorno (m) *trouble*
tratar de *essayer de*
través: a – de *à travers*
tren (m) *train*
trozo (m) *morceau*
tu *ton, ta*
tú *tu, toi*
turco/a *turque*
tuyo/a *tien(ne)*

u *ou* (devant « o »)
ubicación (f) *lieu*
último/a *dernier/dernière*
un/a ; unos/as *un(e)* ; *des*
único/a *unique*
unos *environ* ; *quelques* ; *certain(e)s*
urgir *être urgent*
urna (f) *urne*
usted *vous (vouvoiement, singulier)*
ustedes *vous (vouvoiement, pluriel)*
utilizar *utiliser*
uva (f) *raisin*

vacaciones (f pl) *vacances*
vagón (m) *wagon*
vale *O.K., d'accord*
valer *valoir, coûter*
valorar *valorer, apprécier*
vaqueros (m pl) *jeans*
variedad (f) *variété*
varios/as *plusieurs*
vaso (m) *verre*
váter (m) *W.C.*
veces: a – *parfois*
vecino/a *voisin(e)*
vela (f) *voile* ; hacer – *faire de la voile*
velocidad: alta – *grande vitesse*
vender *vendre*
venta (f) *vente* ; en – *en vente*
ventana (f) *fenêtre*
ver *voir, regarder*
veranear *passer les vacances d'été*
verano (m) *été*
verdad (f) *vérité* ; ¿verdad? *n'est-ce pas ?* ; ¿de –? *vraiment ?* ; de – *vraiment*
verde *vert*
verduras (f pl) *légumes*
verificar *attester*
verse *se voir*
vestido (m) *robe*
vestirse (e > i) *s'habiller*
vez (f) *fois* ; de – en cuando *de temps en temps*
viajar *voyager*
viaje (m) *voyage* ; – de negocios (m) *voyage d'affaires* ; cheque de – *chèque-voyage*
vida (f) *vie*
viejo/a *vieux/vieille*
viento (m) *vent*
viernes *vendredi*
vino blanco/tinto (m) *vin blanc/rouge*
visitante (m f) *visiteur*
víspera (f) *veille*
vistas: con – a *avec vue sur*
vivienda (f) *logement*
vivir *vivre, habiter*
volver (o > ue) *revenir, retourner, rentrer*
vosotros/as *vous* (tutoiement)
vuelo (m) *vol*
vuestro/a *vos* (tutoiement)
vuestro/a(s) *vôtre(s)* (tutoiement)

y *et*
ya *déjà*
yo *moi*

zanahoria (f) *carotte*
zapatos (m pl) *chaussures*
zumo (m) *jus*

à en
abricot albaricoque, damasco (Am. l.)
achat compra (f)
acheter comprar
actrice actriz
actuellement actualmente
addition cuenta (f)
adorer encantar, fascinar
adresse dirección (f)
aérienne : compagnie – línea aérea (f)
aéroport aeropuerto (m)
âge edad (f)
agence de voyages agencia (f) de viajes
agneau cordero (m)
agréable agradable
aider ayudar
ail ajo (m)
aimer gustar; querer (e > ie), amar
alentours : aux – de en las afueras (f pl) de
aliment alimento (m)
Allemagne Alemania
allemand (langue) alemán (m)
allemand(e) alemán/alemana
aller ir
aller-retour : billet – de ida y vuelta *(billete)*
aller simple de ida
allumettes cerillas (f, pl)
amandes almendras (f, pl)
ambiance ambiente (m)
aménagée (cuisine) equipada (cocina)
ami(e) amigo/a
amitié amistad (f)
amusant(e) divertido/a
an año (m)
ananas piña (f)
anchois anchoas (f, pl)
anglais (langue) inglés (m)
anglais(e) inglés/inglesa
Angleterre Inglaterra
année año (m)
anniversaire cumpleaños (m, sing)
annonce anuncio (m)
annuler anular
antipathique antipático/a
anxiété ansiedad
août agosto
apparaître aparecer
appartement apartamento, piso (m), departamento (m) (Am. l.)
appel llamada (f) (telefónica)
appeler llamar
apporter traer
apprendre aprender
après después
après-midi tarde (f)
argent dinero (m)
arrêt de bus parada (f) de autobús
arrêter parar
arrivée llegada (f)
arriver llegar
article artículo (m)
ascenseur ascensor (m), elevador *(Mexique)*
asperges espárragos (m pl)
aspirine aspirina (f)
assistant(e) social(e) asistente/a social
assister à asistir a
associé(e) socio/a
assurance seguro (m)
athlétisme atletismo (m)
attendre esperar
auberge de jeunesse albergue (m) juvenil
audacieux/audacieuse audaz
augmentation incremento (m), aumento (m)
augmenter aumentar
aujourd'hui hoy
aussi también
aussi… que tan... como
autant… que tanto(s)/tanta(s)... como
autoroute autopista (f)
autour alrededor

autre : quelque chose d'– algo más
autre(s) otro(s)/a(s)
avant antes
avant-hier anteayer, antier (Mexique)
avec con
avion avión (m)
avocat (fruit) aguacate (m), palta (f) (Am. l.)
avocat(e) (profession) abogado/a
avril abril

bagages equipaje (m)
bain : prendre un – bañarse
baisser bajar
balade paseo (m)
balcon balcón (m)
ballon pelota (f)
banane plátano (m)
banque banco (m)
bas/basse bajo/a
basket-ball baloncesto (m), basquetbol (m)
bateau barco (m)
bâtiment edificio (m)
beau/belle guapo/a, bello/a, hermoso/a
beau-frère cuñado
belle-sœur cuñada
besoin : avoir – de necesitar
bête tonto/a
beurre mantequilla (f)
bibliothécaire bibliotecario/a
bibliothèque biblioteca (f)
bicyclette bicicleta (f)
bien bien
bien cuit(e) (viande) bien hecho/a
bien que aunque
bien sûr por supuesto
bière cerveza (f)
biftec bistec (m)
bijoux joyas (f, pl)
billet (avion) billete (m, Espagne), boleto, pasaje (m, Am. l.)
billet (argent) billete (m)
bip señal (f)
bisou beso (m)
blanc/blanche blanco/a
bleu(e) azul
boire beber
boîte caja (f)
boîte de conserve lata (f)
bon/bonne bueno/a
bonbons caramelos (m, pl)
bonjour (après-midi) buenas tardes
bonjour (matin) buenos días
bonne nuit buenas noches
bonsoir buenas tardes/noches
bord (de la mer) orilla (f) (del mar)
bottes botas (f, pl)
bouche boca (f)
bouilli(e) hervido/a
boulangerie panadería (f)
bout : au – de al final de, al fondo de
bouteille botella (f)
bras brazo (m)
britannique británico/a
brouillard niebla (f)
brûlé(e) quemado/a
bruyant(e) ruidoso/a
bureau oficina (f), despacho (m)
bureau de change oficina (f) de cambio, casa (f) de cambio (Am. l.)
bus autobús (m)

ça va ? ¿qué tal? *;* ¿cómo está/s?
cabine d'essayage probador (m)
cabinet consulta (f)
cacahuètes cacahuetes (m pl)
cacher ocultar, esconder
cachet pastilla (f)
cadeau regalo (m)
cadre (profession) ejecutivo/a
café café (m)
café au lait café (m) con leche
café noir café solo (m)
caisse caja (f)
camarade (de classe) compañero/a de clase
camion camión (m)
campagne campo (m)
camping camping (m)
car (bus) autocar (m)
car (conj) porque
carotte zanahoria (f)
carte tarjeta (f), ficha (f)

carte (géographique) mapa (m)
carte de crédit tarjeta de crédito (f)
carte d'identité carnet/documento (m) de identidad
carte postale postal (f)
cassé(e) roto/a
ce/cet (-là), cette (-là) ese/esa
ce/cette este/esta
ceci, cela, ça esto
cela, ça eso
céleri apio (m)
célibataire soltero/a
centre commercial centro comercial (m)
cependant sin embargo
cerises cerezas (f, pl)
certains/certaines algunos/as (m/f)
ces (-ci) estos/estas
ces (-là) esos/esas
chaîne cadena (f)
chaise silla (f)
chambre dormitorio (m), habitación (f), cuarto (m)
chambre double habitación (f) doble
chambre seule habitación (f) individual
champignons champiñones (m pl)
chance suerte (f) ; *avoir de la –* tener (e > ie) suerte
changer cambiar
chanson canción (f)
chapeau sombrero (m)
chaque cada
charges gastos (m)
charme encanto (m)
chat/chatte gato/a
chaud : il fait – hace calor
chaud(e) caliente
chauffage calefacción (f)
chaussettes calcetines (m, pl)
chaussures zapatos (m, pl)
chef jefe/jefa
chemin de fer ferrocarril (m)
chemise camisa (f)
chemisier blusa (f)
chèque-voyage cheque (m) de viaje
cher/chère (lettres) querido/a, estimado/a
cher/chère (prix) caro/a
chercher buscar
cheveux pelo (m)
cheville tobillo (m)
chien/chienne perro/a
choisir elegir (e > i)
chômage desempleo (m), paro (m)
chose cosa (f)
chou-fleur coliflor (f)
chute caída (f)
cigarette cigarrillo (m)
cinéma cine (m)
cinquième quinto/a
citoyen/citoyenne ciudadano/a
citron limón (m)
clé llave (f)
climatisation aire acondicionado (m)
cœur corazón (m)
coffre-fort caja (f) fuerte
coin esquina (f)
colin merluza (f)
collants medias (f pl)
collègue colega (m/f), compañero/a de trabajo
combien cuánto(s)/a(s)
comédie comedia (f)
commande pedido (m)
comme como
commencer empezar (e > ie), comenzar (e > ie)
commerçant(e) comerciante
composer marcar
comprendre entender (e > ie), comprender
comprimé pastilla (f)
comptable contable (m/f), contador/a (Am. l.)
concert concierto (m)
concierge portero/a
concombre pepino (m)
condition requisito (m)
conducteur/conductrice conductor/ora
conduire conducir
confort comodidad (f)
confortable cómodo/a
connaissance conocimiento (m)
connaître conocer
conseil consejo (m)

construction edificación (f)
content(e) alegre, contento/a
continuer continuar, seguir (e > i)
corps cuerpo (m)
costume traje (m)
côté : à – de junto a, al lado de
côtelette chuleta (f)
coton algodón (m)
coucher : se – acostarse (o > ue)
couloir pasillo (m)
cours curso (m)
courses : faire les – hacer la compra/ las compras
court(e) corto/a
cousin(e) primo/a
couteau cuchillo (m)
coûter costar (o > ue), valer
couvert cubierto
couverture manta (f, Espagne), cobija (f, Mexique), frazada (f, Am. l.)
crabe cangrejo (m)
cravate corbata (f)
crème à raser crema (f) de afeitar
crème solaire crema (f) solar
crevette gamba (f)
critère requisito (m)
cuillère cuchara (f)
cuir piel (f, Espagne), cuero (m)
cuisine cocina (f)
cuisiner cocinar, guisar

d'accord de acuerdo, vale, bien
dame señora (f)
dans en, dentro de
dans (+ une période de temps) dentro de
danser bailar
date fecha (f)
de de
début : au – de... a principios de...
décembre diciembre
dedans dentro
défaut (appareil, machine) avería (f)
dehors : en – de fuera de, en las afueras (f pl) de
déjà ya
déjeuner almuerzo (m), comida (f)
déjeuner (v) almorzar (o > ue)
demain mañana
demander (faire une demande, solliciter) pedir (a > i)
demander (poser une question) preguntar
déménager mudarse, cambiarse de casa
demi(e) medio/a
demi-pension media pensión (f)
dentifrice pasta (f) de dientes
dentiste dentista (m/f)
départ salida (f), partida (f)
dépenser gastar
depuis desde
déranger molestar
dernier/dernière último/a ; *lundi –* el lunes pasado; *la semaine –* la semana pasada
derrière detrás
désagréable desagradable
descendre bajar, bajarse
designer diseñador/a
désirer desear
dessert postre (m)
devant delante
devoir tener, deber
devoirs deberes (m pl)
différent(e) diferente, distinto/a
difficile difícil
dimanche domingo
dîner (v) cena (f)
dîner cenar
diplôme título (m)
diplômé(e) licenciado/a
diposé(e) à dispuesto/a a
directeur/directrice général(e) director/ a gerente
disponibilité disponibilidad (f)
disponible disponible
distribuer repartir
divertissement entretenimiento (m)
divorcé(e) divorciado/a
docteur médico/a, doctor/a
doigt dedo (m)
doigt de pied dedo (m) del pie
donner dar

dormir dormir (o > ue)
dos espalda (f)
dossier carpeta (f)
douane aduana (f)
doubler adelantar
douche ducha (f)
douzaine docena (f)
droit : tout – todo recto, todo derecho, derecho
droit(e) derecho/a
droite : à – a la derecha
drôle divertido/a

eau agua (f, *mais on dit* el agua)
eau minérale agua mineral (f, *mais on dit* el agua mineral)
échec fracaso (m)
échecs ajedrez (m)
école colegio (m), escuela (f)
écouter escuchar
écrire escribir
éducation educación (f)
égal igual ; *ça m'est –* me da igual
elle ella
elles ellas
emmener llevar
emplacement situación (f)
employé(e) empleado/a
employé(e) de bureau administrativo/a
emporter llevar
enchanté(e) mucho gusto, encantado/a
encore (une autre fois) otra vez, de nuevo, nuevamente
encore (toujours) todavía, aún
endroit lugar (m), sitio (m)
enfant niño/a
engagement compromiso (m)
ennuyeux/ennuyeuse aburrido/a
enseigner enseñar
ensoleillé(e) soleado/a
ensuite después, entonces, luego
entouré(e) rodeado/a
entre entre
entrée entrada (f)
entrepreneur/entrepreneuse empresario/a
entrer entrar, pasar
entretien entrevista (f) ; *faire passer un –* entrevistar
envie : avoir – de apetecer (surtout utilisé en Espagne)
environ alrededor de
envoyer enviar, mandar
épaule hombro (m)
épicerie tienda (f) de comestibles
épinards espinacas (f pl)
époux/épouse esposo/a, marido/mujer
équipe equipo (m)
erreur equivocación (f), error (m)
escaliers escalera (f)
espagnol (langue) español (m)
espagnol(e) español/a
espérance de vie esperanza (f) de vida
espérer esperar
essai ensayo (m)
essayer tratar ; probar (o > ue)
essayer (vêtements) probarse (o > ue)
essentiel(le) esencial
est este (m)
estomac estómago (m)
et y, e (devant « i », « hi »)
étage piso (m), planta (f)
état civil estado (m) civil
États-Unis Estados (m pl) Unidos
été verano (m)
étoile estrella (f)
étranger : à l'– en el extranjero
étranger/étrangère extranjero/a *(nationalité)*
étranger/étrangère extraño/a *(inconnu)*
être ser, estar
étroit(e) estrecho/a
études estudios (m pl), carrera (f)
études supérieures estudios (m pl) superiores
étudier estudiar
euro euro
éviter evitar
excusez-moi/excuse-moi perdone, perdona
exemplaire ejemplar (m)
exemple ejemplo (m)
exiger exigir
exposition (f) exposición

face : en – de enfrente de, frente a
facteur/factrice cartero/a
faible débil
fait hecho (m)
famille familia (f)
farine harina (f)
fatigué(e) cansado/a
faute culpa (f)
femme mujer
femme au foyer ama (f) de casa
fenêtre ventana (f)
fermer cerrar
ferroviaire ferroviario/a
feuilleton telenovela (f)
feux de signalisation semáforo (m)
février febrero
fier/fière orgulloso/a
fièvre fiebre (f)
fille (petite) niña (f)
fille (de ses parents) hija (f)
film película (f)
filmer filmar
fils hijo
fin fin (m)
flan flan (m)
fleur flor (f)
fleuve río (m)
fonctionner funcionar
fondamental fundamental
footing : faire du – hacer footing (m), hacer jogging (m), trotar (Am. l.)
formation formación (f)
fort(e) fuerte
fou/folle loco/a
fourchette tenedor (m)
foyer hogar (m)
fraise fresa (f), frutilla (f) (Am. l.)
français (langue) francés (m)
français(e) francés/francesa
France Francia
francs suisses francos suizos
frère hermano
frigidaire frigorífico (m), nevera (f, Espagne)
frites patatas/papas (f pl, Am. l.) fritas
froid frío
fromage queso (m)
fruit fruta (f)
fruit au sirop fruta (f) en almíbar
fruits de saison fruta (f) del tiempo
fruiterie frutería (f)
fumeur/fumeuse fumador/a

galerie d'art galería (f) de arte
gants guantes (m pl)
garçon (petit) niño
garder (enfant) cuidar
garer : se – aparcar, estacionar (Cône sud, Am. l.)
gâteau (biscuit) galleta (f)
gauche izquierdo/a ; *à –* a la izquierda
gazeuse (eau minérale) con gas
gêner molestar
généralement generalmente
genou rodilla (f)
genre tipo (m)
gens gente (f, sing)
glace (au chocolat) helado (m) (de chocolate)
glaçons : avec des – con cubos de hielo
gorge garganta (f)
goûter (après-midi) merienda (f)
gouvernement gobierno (m)
graisse grasa (f)
grand(e) grande, gran (devant un nom masculin singulier)
grand-mère abuela
grand-père abuelo
grands-parents abuelos (m pl)
grillé(e) a la plancha, a la parrilla
gris gris
gros/grosse gordo/a
guerre guerra (f)

habiter vivir
habitude costumbre (f)
haricots verts judías (f pl) verdes
hebdomadaire semanal, por semana
heure hora (f)
heureux/heureuse feliz
hier ayer
hiver invierno (m)
Hollande Holanda

hollandais(e) holandés/holandesa
homard langosta (f)
homme hombre
horaires horario/s (m)
hors-d'œuvres entremeses (m pl)
hôtel hotel (m)
hôtesse de l'air azafata (f)
huile aceite (m)

ici aquí
il él
il y a hay
ils ellos
imperméable impermeable (m)
impoli(e) descortés
indispensable imprescindible
infirmier/infirmière enfermero/a
informatique informática (f)
ingénierie ingeniería (f)
ingénieur ingeniero/a
inquiet/inquiète preocupado/a, intranquilo/a
interprétation interpretación (f)

jamais nunca
jambe pierna (f)
jambon jamón (m)
janvier enero
jardin jardín (m)
jaune amarillo/a
je yo
jeans vaqueros, jeans (m pl)
jeudi jueves
jeune joven ; *le/la plus –* el/la menor
jeune fille señorita
jogging : faire du – hacer footing (m), hacer jogging (m), trotar (Am. l.)
joli(e) bonito/a, lindo/a
jouer (jeu) jugar (u > ue)
jouer (instrument de musique) tocar
jour día (m)
jour férié festivo (m)
journal periódico (m), diario (m)
journaliste periodista (m/f)
joyeux/joyeuse alegre, contento/a
juif/juive judío/a
juillet julio
juin junio
jupe falda (f)
jus zumo (m, Espagne), jugo
jus de fruit zumo/jugo de fruta (Am. l.)
jusqu'à hasta

kiosque quiosco (m)

la el/la
là-bas allí
lac lago (m)
laid(e) feo/a
laine lana (f)
laisser dejar
lait leche (f)
laitue lechuga (f)
lame de rasoir hoja (f) de afeitar
lampe lámpara (f)
langue idioma (m), lengua (f)
laquelle cual
large ancho/a
lavabo lavabo (m)
laver lavar, limpiar ; *se –* lavarse
laverie lavandería (f)
le el/la
lecture lectura (f)
léger/légère ligero/a
légume sec legumbre (f)
légumes verduras (f pl)
lequels cual
les los/las
lesquel, laquelles cuales
lettre carta (f)
lever : se – levantarse
librairie librería (f)
libre libre
lieu lugar (m), sitio (m)
ligne línea (f)
lin lino (m)
liquide efectivo (m)
lire leer
lit cama (f)
livre libro (m)
livre (sterling) libra (f) (esterlina)
logement alojamiento (m), vivienda (f)
loin lejos
loisir ocio (m)

long/longue largo/a
louer alquilar, rentar (Mexique)
lumière luz (f)
lumineux/lumineuse luminoso/a
lundi lunes
luxe lujo (m)
luxeux/luxueuse lujoso/a
lycée instituto (m, surtout en Espagne), colegio secundario (m)

macédoine (de fruits, de légumes) macedonia (f)
machinerie maquinaria (f)
madame señora
mademoiselle señorita
magasin tienda (f)
magasin de chaussures zapatería (f)
magasin de fleurs floristería (f), florería (Am. l.)
magasin de vêtements tienda (f) de ropa
magasins : grands – grandes almacenes (m pl)
magazine revista (f)
mai mayo
maillot de bain traje de baño (m)
main mano (f)
maintenant ahora
mais pero
maison casa (f)
mal : j'ai – à… me duele (suivi d'un nom au singulier)/duelen (suivi d'un nom au pluriel)
mal de tête dolor (m) de cabeza
maladie enfermedad (f), trastorno (m), afección (f)
manger comer
manquer echar de menos (lorsque quelqu'un ou quelque chose nous manque)
manteau abrigo (m)
marché mercado (m)
marcher andar, caminar
mardi martes
mari marido, esposo
marié(e) casado/a
marre : en avoir – de estar harto/a de
marron marrón, café (Am. l.)
mars marzo
matin mañana (f)
mauvais(e) malo/a
melon melón (m)
même : le/la – el/la mismo/a ; *de –* asimismo, también
même incluso, aun
mensuel(le) mensual
menu carta (f), menú (m)
menu du jour menú (m) del día
mer mar (m ou f)
merci (beaucoup) (muchas) gracias
mercredi miércoles
mère madre (f)
merveilleux/merveilleuse maravilloso/a
message recado (m), mensaje (m)
métro metro (m)
mettre poner ; *se –* ponerse
meuble mueble (m)
midi mediodía (m)
mieux mejor
minute minuto (m)
mixte mixto/a
mobilier mobiliario (m)
moins menos
mois mes (m)
moitié mitad (f)
moment rato (m)
monde mundo (m)
monnaie (devise) moneda (f)
monnaie (liquide) cambio (m)
monsieur señor, caballero
monter subir
montrer enseñar, mostrar (o > ue)
morceau trozo (m)
mort(e) muerto/a
morue bacalao (m)
mot palabra (f)
mouchoirs en papier pañuelos (m pl) de papel
moyenne media (f)
musée museo (m)
musique música (f)

nager nadar
naître nacer

natation natación (f)
nationalité nacionalidad (f)
nécessiter necesitar
neiger nevar (e > ie)
nettoyer lavar, limpiar
neveu sobrino
nez nariz (f)
nièce sobrina
niveau nivel (m)
noir(e) negro/a
noix nuez (f) (pluriel, nueces)
nom nombre (m)
nom de famille apellido (m)
nommer nombrar
non… plus tampoco
nord norte (m)
nous nosotros/as
nouvelle (information) noticia (f)
novembre noviembre
nuageux nublado, nuboso
nuit noche (f)
numéro número (m)

obscure oscuro/a
occuper (poste de travail) desempeñar
octobre octubre
œil ojo (m)
œuf huevo (m)
œuf sur le plat huevo (m pl) frito
office de tourisme oficina (f) de turismo
offrir ofrecer
oignon cebolla (f)
OK de acuerdo, vale (surtout en Espagne), OK (Am. l.)
olives aceitunas (f, pl)
omelette tortilla (f)
oncle tío
orage tormenta (f)
orange naranja (f, couleur et fruit)
ordinateur ordenador (m), computador/a (m/f) (Am. l.)
oreille oreja (f)
orient oriente (m)
ou o, u (devant « o », « ho »)
où donde, dónde (dans une question)
oublier olvidar
ouest oeste (m)
oui sí
ouïe oído (m)
ouvert(e) abierto/a
ouvrier/ouvrière obrero/a
ouvrir abrir

pain pan (m)
pair par (m)
panne avería (f)
pantalons pantalones (m pl)
papeterie papelería (f)
papier papel (m)
papier toilette papel higiénico (m)
par por
paraître parecer
parapluie paraguas (m)
parc parque (m)
parce que porque
pardon perdón
parents padres (m pl)
paresseux/paresseuse perezoso/a
parfois a veces
Paris Paris
parking aparcamiento (m), estacionamiento (m, Am. l.)
parler hablar
partir irse ; *a –* de a partir de
passager/passagère pasajero/a
passé(e) pasado/a
passer pasar
pastèque sandía (f)
pâtisserie pastelería (f)
payer pagar
pays país (m)
peau piel (f)
pêche melocotón, durazno (Am. l.)
pêcher pescar
peigner : se – peinarse
peinture pintura (f)
penser pensar (e > ie)
pension complète pensión (f) completa
pension de famille casa (f) de huéspedes
pension pensión
perdre perder (e> ie)
père padre
permettre permitir

permis de conduire permiso (m) de conducir
persil perejil (m)
petit(e) pequeño/a
petit(e) ami(e) novio/a
petit-déjeuner desayuno (m)
petit-déjeuner (prendre le) desayunar, tomar desayuno
petit-fils nieto
petite-fille nieta
petit pois guisante (m), chícharo (m, Mexique), arveja (f, Am. l. Cône sud)
peu poco/a
peut-être quizá(s), tal vez, a lo mejor
pharmacie farmacia (f)
pièce (dans une maison) habitación (f), cuarto (m)
pièce (théâtre) obra (de teatro) (f)
pied pie (m)
pile (heure) en punto
piment rouge/vert pimiento (m) rojo/verde
piscine piscina (f), alberca (f, Mexique)
place (publique) plaza (f)
place (dans un train etc.) asiento (m)
plage playa (f)
plaindre : se – quejarse
plaire gustar
plaisir placer (m)
plat plato (m)
pleuvoir llover (o > ue)
plombier fontanero (m)
pluie lluvia (f)
plus más ; *de –* además
plusieur(s) varios/as
poésie poesía (f)
poids peso (m)
poignet muñeca (f)
point : à – al punto
poire pera (f)
poisson pescado (m)
poitrine pecho (m)
poivre pimienta (f)
poli(e) cortés, amable
pomme manzana (f)
pomme de terre patata, papa (Am. l.)
population población (f)
porc cerdo (m)
port puerto (m)
porte puerta (f)
porte-documents cartera (f), portadocumentos (m sing)
porter llevar
poste (travail) puesto (m), cargo (m)
poste : (bureau de) – (oficina (f) de) correos
pot bote
poulet pollo (m)
pour por, para
pourquoi ¿por qué?
pouvoir poder
prêt(e) à dispuesto/a a
préférence : de – preferentemente
préférer preferir (e > ie)
premier/première primero/a
prendre tomar, coger (en Espagne)
près de cerca de, junto a
prescrire recetar
présentation presentación (f)
présenter presentar
prix precio (m)
prochain(e) próximo/a
professeur profesor/ora, maestro/a
programmateur/programmatrice programador/a
promenade paseo (m)
promotion ascenso (m)
prononcer pronunciar
pronunciation pronunciación (f)
propre (non sale) limpio/a
propre (appartenant à) propio/a
propriétaire propietario/a
prudemment cuidadosamente, con cuidado
publicité publicidad (f)
pull-over jersey (m), suéter (m)

qualité calidad (f)
quand cuando
quartier barrio (m)
quatrième cuarto/a
quelque chose algo
quelques algunos/as (m/f)
quelqu'un alguien

qui quien/quienes (sing/pl)
quotidien diario

rabais descuento (m)
radis rábanos (m pl)
raisin uva (f)
rappeler : se – de recordar (o > ue) (jamais suivi de de), acordarse (o > ue) de
rapport informe (m)
raser : se – afeitarse
ration : une – de... una ración de...
ravi(e) d'avoir fait votre/ta connaissance mucho gusto, encantado/a
recevoir recibir
réclamation queja (f), reclamo (m)
regard mirada (f)
regarder mirar
régime dieta (f), régimen (m)
regretter lamentar
reine reina
rejoindre ingresar
remise descuento (m)
rémunération remuneración (f)
rencontre encuentro (m)
rencontrer : se – encontrarse
rendez-vous cita (f)
rentrer regresar, volver (o > ue)
réparer reparar, arreglar
repas comida (f)
repasser planchar
réponse respuesta (f)
reposer : se – descansar
repousser aplazar
représentant representante
représentation función (f)
réserve reserva, reservación (f) (Am. l.)
responsable encargado/a, gerente
rester quedarse
retard retraso (m)
retour regreso (m)
retourner volver (o > ue), regresar
retraité(e) jubilado/a
réussir tener (e > ie) éxito
réussite éxito (m)
revenir regresar, volver (o > ue)
rêver soñar (o > ue)
rez-de-chaussée planta (f) baja
rien nada ; *de –* de nada
rivière río (m)
riz arroz (m)
robe vestido (m)
robinet grifo (m)
roi rey (m)
rose rosa
rôti(e) asado/a
rouge rojo/a
route carretera
rue calle (f)

sac bolsa (f)
saignant (viande) poco hecho/a
salade composée ensalada (f)
salade mixte ensalada (f) mixta
salade verte ensalada (f) verde
salaire salario (m), sueldo (m), remuneración (f)
sale sucio/a
salle à manger comedor (m)
salle de bains baño (m)
salon de coiffure peluquería
salon salón (m), cuarto (m)/sala (f) de estar
salut hola
samedi sábado
sandwich bocadillo (m, surtout en Espagne), sandwich
sang sangre (f)
sans sin
sauce salsa (f)
saucisse salchicha (f)
saumon salmón (m)
savoir saber
savon jabón (m)
sculpture escultura (f)
second(e) segundo/a
sécurité seguridad (f)
séjour estancia (f), estadía (Am. l.)
sel sal (f)
semaine semana (f)
sembler parecer
sentir : se – bien/mal encontrarse (o > ue) bien/mal

septembre se(p)tiembre
série télévisée teleserie (f)
serré(e) estrecho/a
serveur/serveuse camarero/a, mesero/a (Am. l.)
service servicio (m)
serviette servilleta (f)
seul(e) solo/a
seulement sólo, solamente
shampooing champú (m)
si si
siège asiento (m)
sieste : faire la – echarse una siesta/dormir (o > ue) la siesta
signer firmar
s'il vous/te plaît por favor
situation situación (f)
ski esquí (m)
ski-aquatique esquí acuático
skier esquiar
soda refresco (m)
sœur hermana
soie seda (f)
soif sed (f) ; *avoir –* tener (e > ie) sed
soleil sol (m)
solliciter solicitar
sortie salida (f)
sortie de secours salida de incendio (m)
sortir salir
souhaiter desear
soupe sopa (f)
souvenir : se – de recordar (o > ue), acordarse (o > ue) de
souvent a menudo
spécialement especialmente
sport deporte (m)
station estación (f)
station-essence gasolinera (f)
station-service estación (f) de servicio
sucre azúcar (m)
sud sur (m)
suivant(e) siguiente
super ! ¡estupendo!, ¡fantástico!
superficie superficie (f)
supermarché supermercado (m)
supposer suponer
sur (au-dessus de) en
sur (au sujet de) acerca de, sobre
sûr(e) seguro/a
sur, au sujet de acerca de, sobre
sûrement seguramente
sympathique simpático/a

table mesa (f)
taille (de vêtement) talla (f)
taille (hauteur) tamaño (m)
tante tía
tard tarde ; *plus –* más tarde
tasse taza (f)
taux de change cambio (m)
taux de natalité tasa de natalidad (f)
taxe impuesto (m), tasa (f)
taxi taxi (m)
technicien técnico (m)
téléphone teléfono (m)
télévision televisión (f)
temps tiempo (m) ; *de – en –* de vez en cuando
temps libre tiempo (m) libre
tennis tenis (m)
tente tienda (f)
terrasse terraza (f)
terrible terrible, fatal
tête cabeza (f)
thé té (m)
théâtre teatro (m)
thon atún (m)
timbre sello (m), estampilla (f, Am. l.)
timide tímido/a
toasts tostadas (f pl), pan tostado (m, Mexique)
toi tú
toilettes lavabo (m, Espagne), baño (m), servicios (m pl)
tomate tomate (m), jitomate (m. Mexique)
tôt temprano
toujours siempre
tourner girar
tous/toutes todos/as
tout de suite en seguida, ahora mismo, inmediatamente

tout droit todo recto, todo derecho, derecho
traducteur/traductrice traductor/ora
traduction traducción (f)
train tren (m)
tranquilité tranquilidad (f)
tranquille tranquilo/a
travailler trabajar
travailleur/travailleuse trabajador/a
travers : à – de a través de
très muy
tribunal tribunal (m)
triste triste
troisième tercero/a
tromper : se – equivocarse
trop demasiado (devant un verbe) ; demasiado(s)/demasiada(s) (devant un nom)
trouver encontrar (o > ue)
truite trucha (f)
T-shirt camiseta (f)
tu tú
TVA IVA (impuesto sobre el valor añadido)
type tipo (m)
typique típico/a

usine fábrica (f)
utiliser usar, utilizar

vacances vacaciones (f pl)
vaisselle : faire la – fregar (los platos), lavar los platos
valise maleta (f)
vaste amplio/a
veau ternera (f)
veille víspera (f)
vélo : faire du – montar en bicicleta (f)
vendeur/vendeuse dependiente/a
vendre vender
vendredi viernes
venir venir
vent viento (m)
vente venta (f)
vérité verdad (f)
verre vaso (m) ; *prendre un –* tomar una copa
vers sobre
vert verde
veste chaqueta (f), saco (m) (Am. l.)
vêtements ropa (f)
viande carne (f)
vie vida (f)
vieux/vieille viejo/a ; *le/la plus –* el/la mayor
village aldea (f), pueblo (m)
ville ciudad (f)
vin vino (m)
vin blanc/rouge vino (m) blanco, vino tinto
visage cara (f)
visite visita (f)
visiteur visitante (m/f)
vitesse velocidad (f)
vitrine escaparate (m)
vivre vivir
voile : faire de la – hacer vela
voir ver
voisin(e) vecino/a
voiture coche (m), carro (Am. l.)
vol vuelo (m)
vouloir querer (e > ie)
vous usted/ustedes (vouvoiement) ; vosotros/as (tutoiement)
voyage viaje (m)
voyager viajar

wagon vagón (m)
week-end fin (m) de semana

yaourt yogur (m)

HARRAP'S

ESPAGNOL
MÉTHODE INTÉGRALE

HARRAP